則天武后

氣賀澤保規

JN177649

講談社学術文庫

はじめに

則天武后《そくてんぶこう》は中国史をもっとも激しく駆けぬけ、時代の頂点にまで登りつめた女性である。数えの十四歳で唐《とう》の二代目皇帝太宗《たいそう》の後宮《こうきゅう》（大奥）にはいり、太宗の死後は、その息子で三代高宗《こうそう》皇帝の皇后の座につき、あげくは史上最初にして最後となる女性皇帝となって、みずからの王朝＝武周《ぶしゅう》朝を開いた。これを世に武周革命《ぶしゅうかくめい》という。その波乱に富む一生は、同時に彼女の飽くことを知らぬ権勢欲に裏打ちされた堅い信念と才知によって、既存の諸勢力や根強い儒教《じゅきょう》的観念と格闘し、それら一つひとつにうち勝っていった軌跡であった。

武后は強い女であった。道なきところに道を拓き、どこまでも自己の意志をつらぬこうとした。その通りすぎた跡にはなぎ倒された草木のごとく、犠牲となった者たちの死体が累々《るいるい》と横たわる。それらには政敵ばかりではなく、血肉を分けた身内の者たちもふくまれた。はたしてどれほどの人間が彼女の前に屍をさらしたことか。彼女はこうした行動を、ときに眉ひとつ動かすことなく冷徹に、ときに怒りの感情をむき出しにしておこなった。この強烈な個性の前に、男たちはふり回され、なす術もなく蹴散らされていった。が、同時に、逆にそれに魅きつけられ、手足となって動く新たな一群の勢力も生み出したのであった。

則天武后が権力の座にあったのは、七世紀後半から八世紀初頭までのほぼ半世紀におよぶ。その最後の十五年間（六九〇～七〇五）が武周政権期となり、これに先立つ皇后、皇太后としての三十有余年は、いわば新王朝を開く準備期間であったといっても過言ではない。武氏政権を樹立するという野望を内に秘め、敵対者を執拗に排除する一方で、自己の政治的基盤の確立にむけて周到に手をうっていったこの期間こそ、彼女の存在をもっとも際だたせる役割をおった。

ちなみにその時期の日本といえば、天智《てんじ》天皇から天武《てんむ》天皇が、大陸から律令制《りつりょうせい》を導入して、天皇権力の確立と当時における「近代化」を目指した時期にあたる。天武の皇后にしてその後をついだ持統《じとう》天皇が在位したのが、ちょうど武后の在位期と重なる。日本と中国で時期を同じくして女帝が現れたことは、ひとつの奇縁といえよう。

則天武后が女帝にまで進みえた第一の条件は、いうまでもなく高宗の皇后であったことがあげられよう。だがそれは重要な契機であっても、決定的な条件ではない。彼女は女の身であり、そのうえ唐室李《り》氏《し》の血筋ではなかった。しかも男たちが牛耳るところの権力抗争の巣窟たる政界があった。これらを越えてみずからの王朝をはじめるには、並の女性のできる業でないことは明らかである。

では、彼女はどのような人物であったか。なぜこの時期、かくも烈しくまた強靭で、存在感のある女性が登場しえたのか。このような女性に活動の場を提供した唐という時代、そして社会をどう理解したらよいのか。そのようなことを考えながら、以下、武后の一生を追いかけてみることにしよう。

武后をめぐる後世の評価は大きく二つにわかれる。ひとつは彼女の存在をできるだけ低くみようとするもの。その淫乱さや冷酷さ、唐を奪ったことなどの理由をあげるなかで、やはり批判の中心に置かれるのは、女性であったという一点であろう。中国伝統の観念からすれば、それは「牝鶏司晨《ひんけいししん》」（嶋鶏《めんどり》がときを告げる）、つまり世の秩序や天地の逆転にほかならず、とうてい許すわけにはいかない事態であったからである。この観点から、彼女はあくまで高宗の皇后たる地位に封じこめられる必要があり、則天武后あるいは天后と通称されることになった。

これにたいし、とくに近代になって、彼女を積極評価しようとする動きがはじまった。先鞭をつけたのが中国の著名な歴史家、陳寅恪《ちんいんかく》氏である。氏のそれは、武周革命をつうじて、「関隴《かんろう》集団」というそれまでの支配層が新興山東系勢力にとってかわられ、連動して社会も大きく変貌したというもので、従来にない斬新な解釈であった。以後、彼女の役割を肯定的にとらえる見方がつよまり、この側から、彼女は武則天《ぶそくてん》の呼称でよばれることが広まった。

彼女はまた、中国現代史において、現実の課題とかかわる存在として蘇ったことも銘記されておいてよい。一九六六年から十年間にわたった文化大革命の後半、毛沢東《もうたくとう》主席の後継者と目された林彪《りんぴょう》が失脚したのち、いわゆる批林批孔《ひりんぴこう》運動が大々的に展開された。これをとりしきったのが、のちに「四人組」と断罪される毛沢東夫人の江青《こうせい》と、王洪文《おうこうぶん》、張春橋《ちょうしゅんきょう》、姚《よう》文元《ぶんげん》らであった。彼らは毛沢東亡き後の実権を江青のもとに委譲させるために、その運動にかこつけ、歴史上の先例として武后をひっぱり出す。そして、御用学者を動員して女帝たる彼女の有用性をさかんに主張するなかで、江青の当権を正当づけようとしたのであった。

このように、強烈な個性によって歴史にその姿を刻印した武后は、死後においても否定と肯定の狭間で揺れつづけ、地下の世界でゆっくり休むことが許されないようにみえる。かく申す私も、ここに本書を草することで、その一角に与《くみ》するわけである。

ただ一言付しておくと、本書で彼女を則天武后とか武后とよぶからといって、筆者があまり積極的に評価しない立場に立つなどと、一方的に決めつけないでいただきたい。後世の評価の問題とはべつに、則天武后の呼称は、当時のそして後代の、もろもろの見方を包みこんだうえで、広く歴史的に定着をみているからである。その事実と現実を、それはそれとして受け入れるところから、彼女と同じ地平にふみこむことが可能になる、と考える。

最後に、本書における彼女の表記についてであるが、その姓は武で名は照、そして太宗朝で才人、高宗朝で最初に昭儀、ついで皇后、短期間の皇太后があって、最後に皇帝（則天皇帝）につく。これをふまえ本書における表記は、原則として立場の変化および前後の状況に応じ、武氏、武照、武才人、武昭儀、武后（則天武后）など多様な用い方をすることを了解いただきたい。

目次

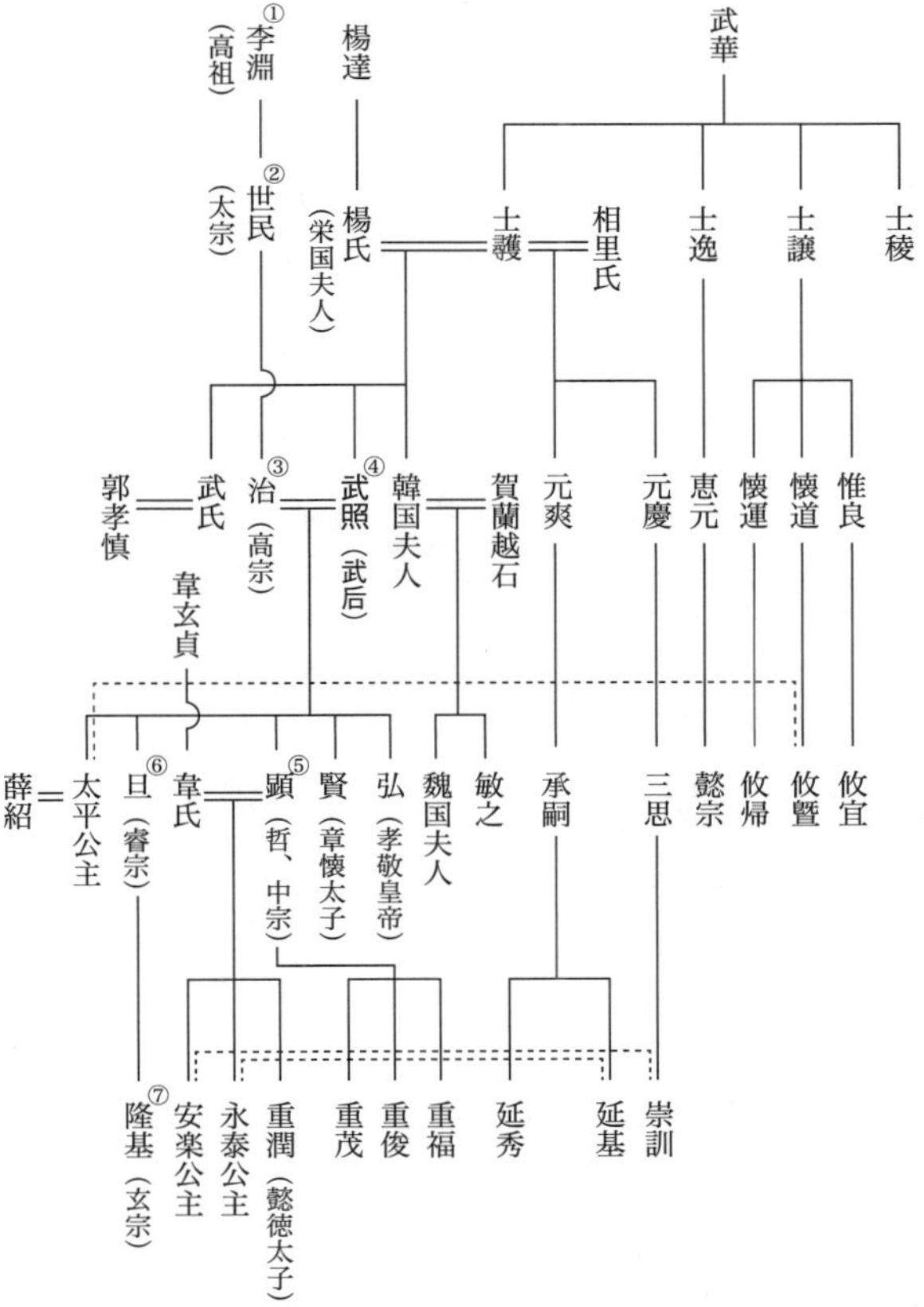

武后関係系図（点線も婚姻関係を示す）

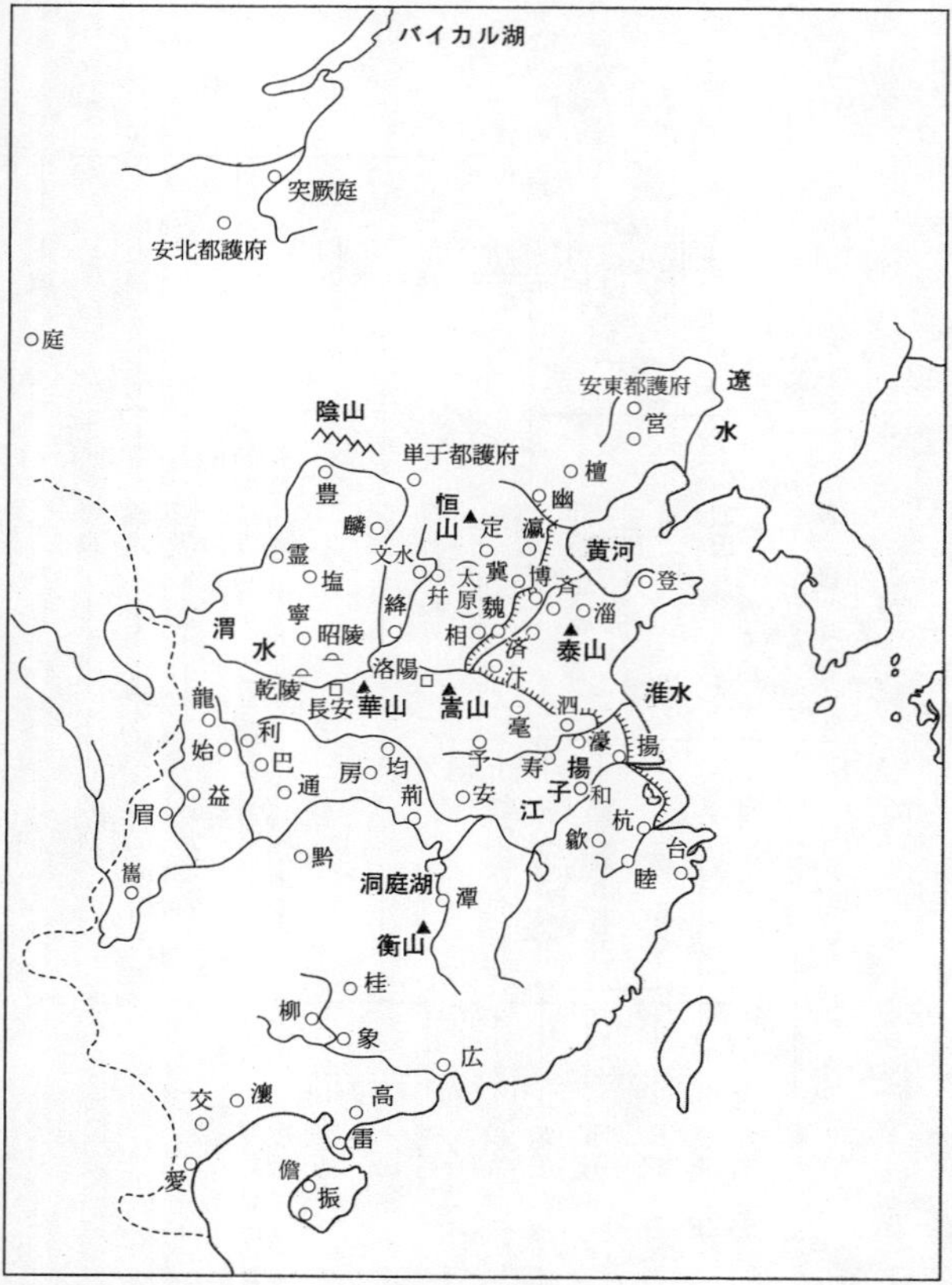

則天武后関係地図（□印：首都、○印：州名など）

則天武后

第一章　則天武后の生卒年

その日は、乾いた北風の吹く寒い真冬の日であった。ここは、唐の洛陽《らくよう》城を西に出たところにある上陽宮《じょうようきゅう》という別宮、その奥深くの仙居殿《せんきょでん》で、いま、一人の老女が息をひきとった。身のまわりの世話をする侍女を除けば、そばでみとる親族の姿もない、静かで寂しい往生であった。

この年の始めのクーデターで帝位を追われるまで、権力を独り占めし、威令を振るったかの則天武后の最期が、これであった。神龍《しんりゅう》元（七〇五）年の旧暦十一月二十六日（壬寅）のことである。

彼女の死は、その日のうちにも洛陽内外の人びとに知れわたった。だがそれを聞いて、彼らの多くは、内心ほっとした思いを抱いても、それ以上の特別の感慨に浸《ひた》る状態にはなかった。彼女はすでに過去の人、人びとは新しい体制のもとで日々を生きるのに忙しかった。世のならいとはいえ、このわずかのあいだの境遇の変転ぶり、人の心の移ろいようは、人生の無常をことのほか意識させずにはおかなかった。

ところで、武后はそのとき享年何歳であったのか。彼女の一生を追いかける作業を、まずこの問題から着手することにしよう。

武后の年齢をめぐっては、これまで三つの説がよく知られている。曰く、八十三歳。曰く、八十二歳。曰く、八十一歳と（ちなみに、中国の史書でいう年齢は数《かぞ》え年であらわされ、満《まん》年齢ではない。以下、本書で年齢に言及する場合、いずれも数え年を用いる）。八十三歳（武徳《ぶとく》六年＝六二三年生）説をとるのは、唐代を知る正史の一つ、『旧唐書《くとうじょ》』の則天皇后本紀《ほんぎ》であり、反対に八十一歳（武徳八年＝六二五年生）説をとるのが、もう一つの正史、『新唐書《しんとうじょ》』の武后伝や『唐会要《とうかいよう》』、それにすでに散逸している『唐暦《とうれき》』『唐朝年代記《とうちょうねんだいき》』『統紀《とうき》』といった書物である。そして、その中間の八十二歳（武徳七年＝六二四年生）説は、太宗と臣下の政治問答書『貞観政要《じょうがんせいよう》』の編者、呉兢《ごきょう》らがまとめた『則天皇后実録《そくてんこうごうじつろく》』と、それをふまえた『資治通鑑《しじつがん》』となる。

では、どれによって話を進めたらよいのか。これはなかなかやっかいな問題であるが、その前に、いま一つ注目すべき史料とそれから出た解釈がある。それを紹介しておきたい。

新中国が成立してからそれほどたたない一九五四年七月のこと、四川《しせん》省の北東、陝西《せんせい》省境に近い広元《こうげん》県（今日では市）一帯で、文化財の調査がなされた。このあたりは古来「蜀《しょく》の桟《さん》道《どう》」で知られた交通の難所にあたる。有名な三国《さんごく》蜀の諸葛孔明《しょかつこうめい》が、魏《ぎ》にたいする北伐のために軍を動かし、のちに唐の玄宗《げんそう》が安禄山《あんろくざん》の乱に追われて四川に蒙塵《もうじん》したのも、このあたりの絶壁に張り出した桟道や、岩をくりぬいた隧道《ずいどう》を通ってであった。そうした昔からの交通の困難を解消するために鉄道をひくことになり、それに先だって遺跡や文物の調査がなされたのである。

その広元県の町の西を、揚子江《ようすこう》の支流、嘉陵江《かりようこう》が滔々《とうとう》と流れ下る。それを渡った西岸の岸壁ぞいに、嘉陵江を眼前にして掘られた仏龕《ぶつがん》や石窟がつらなり、それらの横には近年再建された門楼《もんろう》や仏殿《ぶつでん》をもつ一つの寺がある。寺内にのこる仏像などからみて、創建は唐の初めにまでさかのぼらせることができる。かつて烏奴寺《うどじ》とも川主廟《せんしゆびよう》ともいい、のちに皇沢寺《こうたくじ》とよばれることになった古刹《こさつ》である。

さて、その一九五四年寺内の調査がなされたおり、呂祖閣《りよそかく》という石窟の前の地中から、下段の一部を欠いた一枚の石碑が発見された。それが、「大蜀利州都督府皇沢寺唐則天皇后武氏新廟記」と表題がつけられた問題の史料である。この碑が刻まれたのが、唐が滅んだのちに四川地方をおさえた後蜀《こうしよく》の広政《こうせい》二十二（九五九）年のこと。当時、利州《りしゆう》とよばれたこの地の皇沢寺に、有力者たちが拠金して、則天武后をまつる新廟が再建された。碑はそれを記念して建てられたものであった。

「大蜀利州都督府皇沢寺唐則天皇后武氏新廟記」碑

そしてこの碑文中に、つぎのような一節があった。
――貞観時、父士彠為都督、於是生□□□、
ここにある士彠《しかく》とは、武后の父、武士彠を指すこ

とは確かである。都督《ととく》とは利州都督、つまり当地における民政と軍事の両権の最高責任者をいう。武士護が利州都督として貞観元（六二七）年から五（六三一）年にかけて赴任していたことは、別の史料から明らかである。したがって、右の碑文にいう「貞観の時、父の士護が都督と為る」は、事実と合致する。

問題はそのあとの、碑の下段の欠けた部分をどう理解するか、であった。

このわずかの字句にいち早く目をむけたのが、郭沫若《かくまつじゃく》氏であった。氏はこれら読みとりにくい部分につぎのような文字と句点をあて、独自の解釈を下したのである。

——貞観時、父士護為都督於是州、始生后焉。

（貞観の時、父士護、是《こ》の州に都督と為り、始めて后＝武后を生む）

かくしてここに、武后の出生地が利州であったとみなされることになるが、ただ一つ、クリアしなければならない点がのこされた。彼女の出生年である。

ふつうに碑の文面から考えれば、父が利州都督として在任した貞観元年から五年のあいだに生まれたこととなろう。とすると、彼女の寿命は七十九歳から七十五歳までのどこか、と解さなければならなくなる。これは従来の正史などに載る年齢に、大幅に変更をせまるものであった。

それでは困る、郭氏はそうおもった。一方で氏は、『資治通鑑』がいう八十二歳（武徳七年生）説が正しいと考えていた。彼女は、利州の地で、しかも武徳七年には生まれていなければならない。そこで氏が下した解釈はこうである。じつは武士護は、貞観年間に先だって、武徳七年段階に一時、利州都督についたことがあり、彼女はそのときに生まれたと。

郭沫若氏は、高名な文学者にして歴史家、しかも政治家としてもよく知られた人物である。学術・文化面では、毛沢東の信頼あつい ブレーンの一人であった。郭氏はまた四川《しせん》人でもあった。歴史のなかで歪められてきた則天武后を、新中国のもとで再評価したいという意欲と、四川人としての郷土意識が結びついて、武后をめぐるこの新たな解釈となったわけであるが、これ以後、郭氏という絶大なる存在を背景に、武后の利州出生説は学界で大きく幅をきかせることとなったのである。

しかし、冷静に考えて、郭説をそのまま支持するわけにはいかない。まず碑文でははっきりと「貞観時」とあるのに、あえてそれを碑文製作者の誤解と片づけてしまうのは強引すぎる。また、他の史料を総合すると、武士彠が利州都督についたのは、やはり貞観になってからで、武徳年間にはべつの人物がそのポストにあったことが確認できる。

それに、郭氏が自説を発表した当時、実際に目にした拓本ないし写真は、必ずしも鮮明とはいえなかった。そのため、はたして氏の読み方でよかったのか、のちに疑問が出されることとなる。たとえば「是」の字のすぐ下にくる文字は、「生」とはっきりとみえるし、また氏が「后焉」とした二字はどうもぼやけて、そう読みとれるのか確定できない、といった類いである。

ともかくも、郭沫若氏の碑文理解にはかなり無理が感じられた。しかし中国で、この点を客観的に実証的に口にすることは、文化大革命の終息する一九七六年以後まで待たなければならなかった。そして、改めて碑文を検討するなかで、武后が父の利州都督時代、すなわち貞観元（六二七）年から五（六三一）年のあいだに生まれた、という解釈がとりあげられることになる。

とすると、ここに第四の貞観年間誕生説が出現する。

では、これら大きく四つにわかれる解釈のなかで、どれに従ったらよいのか。これにはなかなか面倒な問題がある。しかしどれかによらないと、話はおもしろくならないし、武后の具体的な姿も浮き彫りにならない。そこで、筆者なりの立場を示しておきたい。

今日、一般に受け入れられているのは、郭沫若氏も拠った八十二歳（武徳七年生）説であるといって過言でない。この説の根本史料となる『則天皇后実録』が、武后の死んだ翌年、呉兢ら当時の著名な歴史家や、武后の甥の武三思《ぶさんし》らを加えて編纂されたものであった、というのがもっとも大きな理由となる。本書はすでに散逸していてみられないが、『資治通鑑』を編んだ司馬光《しばこう》のころにはまだそれがあり、八十二歳説の拠りどころとされたのである。

これにかかわって、ひとつこれまであまり意識されることのなかった武后の母親のことにふれておきたい。彼女は楊《よう》氏という。その姓から推測されるように、隋《ずい》室の流れをくむものであった。武士彠とは唐初の武徳三（六二〇）年ごろ結婚し、たてつづけに三人の娘を生み、その真ん中が武后となるのである。

楊氏の出産は、じつはいまでいう高齢出産であった。彼女は次女が高宗の皇后となって実権をにぎった咸亨《かんこう》元（六七〇）年に世を去ったが、そのとき九十二歳であったという。してみれば、生まれたのが北周《ほくしゅう》の大象《だいしょう》元（五七九）年、隋が宮廷革命で北周を奪う二年前のこと、そして、武士彠との結婚は彼女四十二歳のおりであった。当時、平均寿命が五十歳ぐらいとみて、四十二歳といえば女性として老境にさしかかってもおかしくない。だが、驚くべきことに、彼女はそれから三人の娘をもうけたのであった。

四十二歳で結婚したとき、夫士彠は四十四歳、男としてまだ精気にあふれた時期にあった。彼女はそうした夫を受けいれ、高齢をおして出産したことになるが、とはいえ、いくら彼女が頑強だからといって、子を産むには年齢が若いほうがリスクは少ないに決まっている。最初の娘が結婚翌年の武徳四年に生まれたとすれば、二番目の武后はそれからあまり隔たらない年、つまり武徳六年に生をうけたとしても決しておかしくはないのである。ここに、八十三歳説にも十分成立する余地が認められるといわなければならない。

ただこの見方にも、やや弱い点がある。それは次のようなエピソードにかかわっている。

武士彠が利州都督に任じられた貞観元年ごろのことであった。益州《えきしゅう》（四川成都）の人、袁《えん》天綱《てんこう》という人物が、たまたま太宗に召し出され都の朝廷に赴く途次、利州の武氏の屋敷に立ち寄った。袁は人の骨相を占うことをよくした。そこで武士彠は一家の者たちを集め、みてもらった。袁はまず夫人の楊氏をみて、驚いていった。「夫人は貴いお子を生む骨相をしておられる」。ついで子供たちをみていって、いずれも位人臣をきわめる相をしていると褒めた。

そのとき、武后たる彼女はまだ幼子であった。男の子の服を着せられ、おくるみにくるまれ、乳母に抱かれて眠っていた。袁天綱はその寝顔をみて、すばらしい顔つきだ、もっとよくみてみたいといい、ベッドの上に置いてもらった。ちょうど彼女がぱっちり目を開けた。袁は仰天した。おお！　この目、この首、これこそ最高の貴人たるの相ですぞ、と。彼はつづけていった。

「惜しむらくは、このお子が男子であることです。もし女の子でありましたならば、将来、天下の主たる地位にもつきえるはずでありましたものを」

袁天綱は彼女を男の子と間違えて、そう判断したのである。が、それはそれとして、この話が事実とすると、貞観元年ごろ、武后はまだおくるみにくるまれた幼児であり、生まれたのはその前年の武徳九（六二六）年あたりと想定される。とすると、武徳六年説も七年説も成立がむずかしくなるが、その場合、母親楊氏の武后出産は四十八歳という、ほとんど考えにくい年齢になってしまう。その上、彼女はもう一子を産んでいるから、それは五十歳前後のこととなろう。

それに、袁天綱に骨相をみてもらったエピソードであるが、そのまますべてを信じてしまってよいか。話はあまりにも都合よくできている。ことに、「女の子であれば将来、天下の主になりえたものを」などとは、当時の通念からはとうていでてくる台詞《せりふ》ではない。袁天綱が利州の武氏宅に立ち寄ったことはあったかもしれない。のちにそれにかこつけて、彼女の天子になるべき貴相の話がつけ加えられ、そのための舞台設定がなされたのが実情であったろう。

したがって、このエピソードにはかなりの作為性がただようのは避けえない。武后がまだ生まれたばかりの乳飲み子であったとするのも、彼女の将来の姿を暗示するのには、もっとも効果的な設定といわなければならない。そうした事情を考えるならば、このエピソードから武后の年齢を確定していくのにはやや慎重である必要が出てこよう。

ではもとにもどって、どの年齢説にもとづいたらよいのか。筆者は、八十三歳説にたって武后の一生を追いかけてみてはどうかと考えている。母楊氏の年齢が一番の理由である。彼女がいくら頑強に若さを保っていたとしても、四十代も後半になれば閉経期が近づき、出産以上に、妊娠それ自体がそう容易でなくなるはずだからである。

それに、この八十三歳説にたてば、武后と高宗との年の差が五歳となる。もちろん、彼女の方が年上である。宮中で世間をまったく知らないうぶのままで育てられた高宗、その彼をメロメロにさせる手練手管、また彼を自家薬籠中のものにして思うがままに手玉にとる老獪《ろうかい》さ、そうした実情を説明するのには、このくらい年が離れているのがぴったりである。話はそれがためにいっそうおもしろくなるのである。

第二章　隋末の動乱と唐の決起

時は隋《ずい》の煬帝《ようだい》の治世もおわりの、大業《だいぎょう》十三（六一七）年の旧暦七月五日、ここは中国北部の黄土台地の一角に位置する山西省太原《たいげん》（幷州）である。

この朝、当地に結集した一団の軍勢が、黄塵をまきあげ南にむけて一斉に動きだした。その数およそ三万、目指すは時の都、長安《ちょうあん》である。

全軍の総大将を李淵《りえん》といい、その下の左軍《さぐん》と右軍《うぐん》を率いて先導をつとめるのが、人びとから大郎《だいろう》、二郎《じろう》とよばれていた彼の二人の息子、長男の建成《けんせい》と次男の世民《せいみん》であった。兵力三万というのは、当時にあって決して多い数ではない。彼らは一ヵ月ほど前から急遽、太原一帯でかり集められたものたちが大半を占める。装備もお世辞にも十分とはいえず、準備や訓練も満足できる状態にはなかった。

ただ彼らには、目前のそうした不安をかき消すだけの、将来へかける熱い期待があった。この決起をつうじて、混乱と閉塞《へいそく》の状況をのり越え、新たな時代の担い手になりうるかもしれないという期待である。

中国史上に燦然《さんぜん》と輝く唐王朝の、その創業にむけた最初の第一歩はこうして始まったのである。

旗揚げに参集した顔ぶれには、李淵の信任があつく、唐初の宰相に任じられる裴寂《はいせき》と劉文《りゅうぶん》静《せい》をはじめ、のちに中央、地方の要職につくことになる殷開山《いんかいざん》、劉政会《りゅうせいかい》、崔善為《さいぜんい》、柴紹《さいしょう》、長孫順徳《ちょうそんじゅんとく》、劉弘基《りゅうこうき》、あるいは機密をあずかる温大雅《おんだいが》・大有《だいゆう》兄弟などの面々が認められた。

そしてこれら緊張と興奮につつまれた者たちのなかに、歳はちょうど四十、戦闘の第一線に出るにはややとうがたった小太りの男が混じっていた。姓は武《ぶ》、名は士《し》彠《かく》という。与えられた肩書は、李淵の直属（大将軍府）の鎧曹参軍《がいそうさんぐん》、つまり鎧や武具を管理する一将校であった。この人物こそまさに本書の主人公、則天武后の父親その人にほかならなかった。

武氏はここに唐の旗揚げと期を同じくして歴史に登場するが、いまそれを追いかける前に、しばし唐の決起に至る当時の状況についてながめておくことにしよう。

唐が決起した当時、中国は未曾有の混乱の極にあった。すでにそれより十年ほど前から、ほぼ全土を巻き込んだ大小さまざまな反乱が蜂起し、それぞれ生き残りと覇権をかけてしのぎを削っていた。記録にのこされたもので、その数は数百を下らない。民衆は隋の厳しい収奪にさらされ、群盗からも攻められ、生き延びるために、またみずから群盗に身を投じなければならなかった。このような混乱状態のなかで、時の皇帝、隋の煬帝（楊広《ようこう》）はといえば、南の揚州《ようしゅう》に設けられた江都宮《こうときゅう》に逃れ、世間の動きにいっさい耳を塞ぎ、酒と女のデカダンな日々に明け暮れていた。

そもそもこのような動乱の直接の引き金となったのは、煬帝の暴政にある。彼は隋の初代皇帝にして、後漢《ごかん》末以来四百年におよんだ分裂に終止符を打った文帝《ぶんてい》（楊堅《ようけん》）の次男であった。もともと兄の楊勇《ようゆう》が皇太子として跡取りに決まっていたが、弟は策謀によって兄を蹴落とし、最後は病床にあった父文帝もひそかに殺して、帝位を襲ったのであった。ただ彼は、詩文など文学的才能や芸術的感覚に恵まれ、政治を立案し実行する面にもなみなみならぬ能力を有し、決して凡庸な君主ではなかった。しかしこの凡庸でなかったことが、逆に彼の命とりとなったのである。

煬帝はみずからの才能と能力をつねに自負した。また、こうした人物にありがちな無類の派手好き、贅沢《ぜいたく》好きであった。その一方、彼には、兄を退け、父を殺して権力を握ったという大きな負い目があった。なんとしてでも、彼らを越える政治と体制を実現させなければならなかった。それゆえ、帝位につくや、周囲の意見にいっさい耳を貸さず、みずから考えるところを矢継ぎ早に実行に移したのである。

まず着手したのが、首都長安にたいする東京《とうけい》、洛陽《らくよう》城の造営である。ここには後漢の時に都とされ、のち五世紀末に北方鮮卑《せんぴ》族の北魏《ほくぎ》が北の大同（山西）から移ってきて再建した洛陽城があったが、煬帝はこれとはまったく別に、その西方約十二キロの場所に新たな城郭を構え、統治の中心にしたのであった。この造営にあたっては、毎月二百万の人間が動員され、十ヵ月を要した。のちに則天武后が拠ることになる東都とは、この煬帝によって営まれたものであった。

煬帝はそれと並行して、歴史上有名な大運河の開削を始めた。中国は、黄河《こうが》、揚子《ようす》江《こう》、淮《わい》水《すい》などの大河はいずれも西から東に流れ、海に注ぐ。そのため、その間を南北に結び、物資の輸送に役立てられる運河を通すことは、長い歴史上の悲願であったといって言い過ぎではなかった。煬帝は、先人がはたしえなかった事業を実現させ、南北統一の実をあげるべく、黄河と淮水を結ぶ通済渠《つうさいきょ》（御河）、淮水と揚子江を結ぶ邗溝《かんこう》を開き、さらにそこから南の杭《こう》州《しゅう》へは江南河《こうなんが》を、また黄河から北の幽州《ゆうしゅう》（北京）に永済渠《えいさいきょ》をつけたのである。短期間に達成するために、ここでも大量の人間を徴発し、通済渠ではのべ百余万人が、永済渠では男だけで足りず女たちもひき出されたのであった。

　煬帝の民衆動員と浪費は、その後もとどまるところを知らなかった。運河を開通させたあと、龍船《りゅうせん》という四層からなる豪華大型船に乗って、揚州までの船遊びをする。北の突厥《とっけつ》には長城《ちょうじょう》を越えて行幸する。あるいは大軍をひきいて西の吐《と》谷渾《よくこん》征討を敢行する。各地に離宮を設け、暇があれば遊びにでかける。その他、彼がおこなったことは枚挙にいとまがなく、それぞれ万事に大袈裟であった。民衆はそのつど強制的に負担を強いられ、疲弊していった。

　そして、煬帝の暴政の極にくるのが、朝鮮の高句麗《こうくり》への遠征であった。隋に隣接する高句麗は、その強大化によって自国の独立が侵されることをきらい、一方、隋は東アジアの盟主であるために、高句麗の独立路線を認めるわけにはいかなかった。かくして、大業八（六一二）年から三回にわたって大軍が出されるが、高句麗側の籠城とゲリラ戦を組みあわせた、総力をあげた抵抗に遭遇し、挫折の憂き目をみた。隋軍は、遼水《りょうすい》の線で押しとどめられ、累々とつづく死人のなかを、食料や武器を投げ捨てて逃げ帰らざるをえなかったのである。

ここに至って、民衆たちは一斉に反隋の狼煙《のろし》をあげる。いったん動きが始まると、もはや手はつけられない。燎原《りょうげん》の火のごとく、たちまち全土に燃えひろがり、隋を滅亡へと追いこんでいった。

隋末の動乱に突入したころ、意味不明の童謡《どうよう》がどこからともなく歌われはじめた。

——桃李《とうり》の子、浪語すること莫《な》かれ。黄鵠《こうこく》、山を繞《めぐ》りて飛び、宛転して花園の裏《うち》。

だが人びとは、そこに将来へのある種の予言を嗅ぎとった。桃李の子とは李氏のこと、すなわち李氏のものよ、秘して期せよ、黄鵠（大鳥）たる新たな勢力が飛び立ち、花園の真ん中、権力の中心におり立つであろうことを、と。つまり楊氏の隋に代わるのは李姓の者であるという。もちろん歌は李氏に近い側から意図的に流された可能性をもつが、そう周囲から期待させる存在があったことを忘れてはならない。

その人とは、ひとりは李密《りみつ》である。彼は、西魏《せいぎ》から北周時にかけて成立し、隋の中核をになった、いわゆる「関隴集団《かんろう》」の正統をつぐ名門の出であった。ただ彼のころ、家は没落しつつあり、官界でその学問や能力を生かす場が与えられず、そうした不満から、いちはやく反乱側へと身を投じていた。彼が活動の舞台としたのは、洛陽の東方、今日の河南省の北部、山東省の西側の一帯で、もっとも激しい反乱活動が展開した地域にあたった。

李密は、その激戦区を生きぬき、一帯をたばねる群雄にのし上がった。しかも民衆に人気があった。隋を襲ってその食糧庫である洛口倉《らくこうそう》（興洛倉《こうらくそう》。洛陽の東）や黎陽倉《れいようそう》（河南省濬《しゅん》県）を手に入れたときは、困窮した者たちの取るに任せたという。実力と家柄の良さ、それに幅広い人気によって、彼は自他ともに認める地位に立ったのである。

李密がこのように目立つ動きをとっている裏で、もうひとり、同じ李氏で、静かに旗揚げを準備していた人物がいた。李淵である。李淵も関隴集団中の名門の流れを汲み、母が、西魏を築いた八柱国《はちちゆうこく》の独孤信《どくこしん》の四女で、その妹（独孤信の七女）が隋文帝の皇后であった関係から、煬帝とは母方の従兄弟《いとこ》という姻戚筋にあたった。そのようなわけで、煬帝が揚州に逃げ出したのち、北方の固めたる太原の責任者、太原留守《たいげんりゆうしゆ》を拝命し、動乱の渦中からややはずれたその地において、時勢の推移を観望した。

李淵の人柄は茫洋として、気がよい反面、慎重居士で、悪くいえば優柔不断なところがあった。ただその人柄と包容力がゆえに、次第にいろいろな人間が集まってくる。隋官出身者、官憲に追われた亡命者、逃亡兵士、在地の土豪たち等々。彼らは李淵を戴《いただ》いて決起することを画策するが、李淵は煬帝ににらまれるのを恐れ、なかなか動こうとしない。そしてやっと重い腰をあげたのが、冒頭の旗揚げとなるのである。

李淵のその旗揚げに、つぎのような裏話も残されている。

風雲急を告げはじめるなかで、息子の世民は、李淵の信頼厚い裴寂《はいせき》をつうじて説得をはかることにした。そこで裴寂に賂《まいない》を贈り、ときには博打《ばくち》に負けた形をとって、彼に取りいり、味方につけた。当時、裴寂は太原に置かれた煬帝の離宮、晋陽宮《しんようきゆう》の管理責任者であった。裴寂は、ある夜、李淵を晋陽宮に招き、宮女を侍らせて宴会し、宴たけなわを見計らって、李淵にこういって迫った。
「ここにいる宮女たちは、煬帝陛下のものです。皇帝の女に手を出したことが知れれば、いったいどうなるかはお解りでしょう。こうなった以上、もはやあとには引き下がるわけにいきませんぞ」
なお、これには別の説もある。晋陽県の県令である劉文静は、李淵と裴寂の二人が晋陽宮で宮女を侍らせ、こっそり宴会したことを聞きこんだ。文静は、さっそくそれをネタに裴寂をおどし、彼をつうじて李淵に決断を迫った、というものである。むしろこのほうが、真相に近いかもしれないが、ともあれ、そうした失敗談にみられるように、李淵という男、酒と博打と女に、からっきし目がなかった。そうした気どらない人間性が、逆に人びとを魅きつけたのだろう。

唐李淵集団は、動き出すと早かった。汾水《ふんすい》ぞいに長安を目指し、四ヵ月後の十一月九日に、長安を陥落させるのに成功した。出発時の三万の軍勢は、その間に二十万までに膨らんでいた。ここに李淵は、長安にいた煬帝の孫の代王《だいおう》（楊侑《ようゆう》）を擁し、いち早く全国に号令をかける位置を確保した。そして翌年の五月に、年号を武徳と改元し、新王朝、唐を興すのである。

ただ唐が全土をまとめ上げるまでの道程は、決して平坦ではなく、なお五年を超える歳月を要した。なかでも、河北によって勢力をのばし、唐と正面から対峙した竇建徳《とうけんとく》と、その部下にして跡を継いだ劉黒闥《りゅうこくたつ》の集団こそはもっとも手ごわく、唐側をしばしば苦境にさらした。唐はこの勢力を打倒することで、はじめて全国制覇を現実のものとすることができたのである。

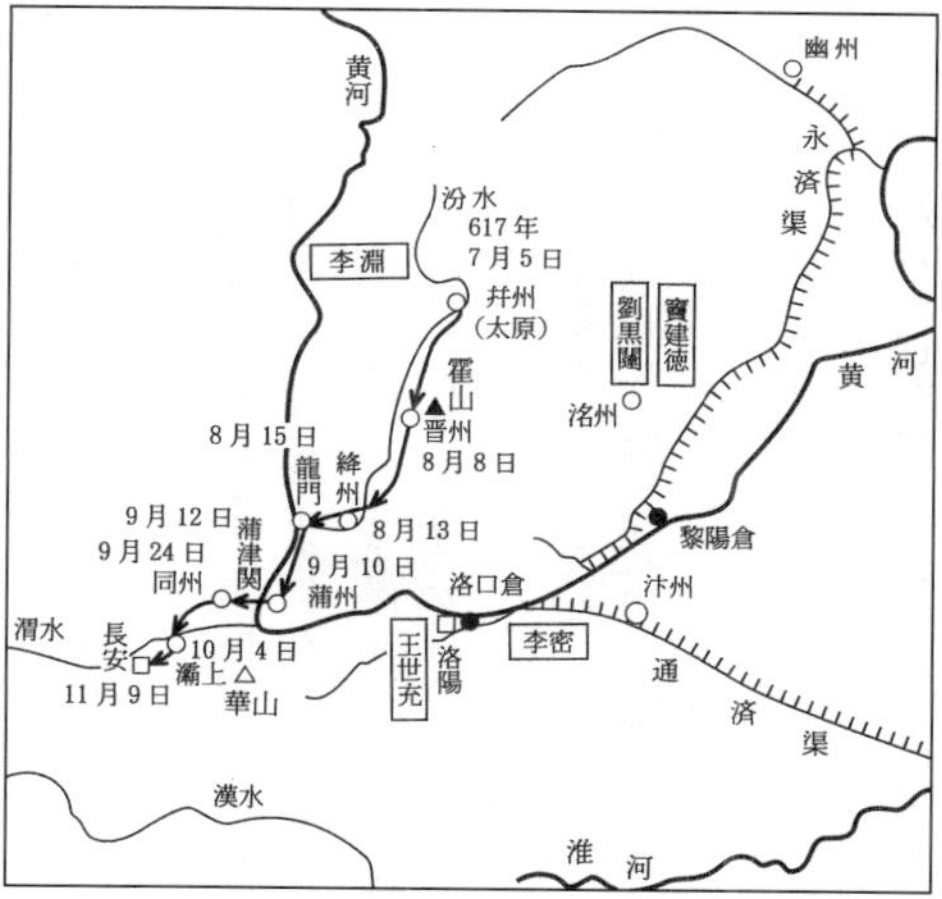

唐李淵挙兵路と隋末群雄割拠図

農民あがりの竇建徳らが、なぜそれほど強力な存在になりえたかといえば、なによりも、河北民衆が一つにまとまった勢力であったからである。そもそも河北一帯は、隋の高句麗遠征の通路にあたり、そのしわ寄せを一番受けた地域であり、とくに民衆側の激しい反隋活動が展開された。竇建徳も劉黒闥もそのなかの一介の農民から、義侠心にあつい人物として信頼を集め、指導者に押し上げられ、夏《か》という国をたてた。

記録によると、索漠たる動乱の世にありながら、唯一この夏国にだけ、盗賊も殺し合いもない独特の社会が出現したという。隋末に登場する反乱では、彼らに代表される多彩な活動のあったことも記憶されてよい。

しかも、ここはかつての北斉《ほくせい》の中心支配地域にあたり、その北斉を潰した北周とつづく隋の支配勢力、いわゆる関隴集団に、特別の敵愾心《てきがいしん》をもやす気風がのこされ、それが竇建徳らの行動にも投影されていた。関隴集団にたいして、この地一帯の政治勢力は山東集団と総称される。唐の李氏は関隴系の枢軸をになう家柄であるから、唐と竇建徳らとの対決は、一面で関隴系対山東系という構図を必然的に帯びざるをえなかったのである。

とまれ、唐は、最後は北方の突厥《とっけつ》の力も引きこんで執拗に抵抗する劉黒闥を倒し、統一の趨勢を確定的にした。武徳六（六二三）年の始めのことであった。

ところで、あの当初優勢を誇った李密はというに、それより早く、洛陽で全権を握って頭角をあらわしてきた王世充《おうせいじゅう》との消耗戦に一敗地にまみれていた。そして、同姓で関隴系ということを頼りに、李淵のもとに帰投した。

彼は、心中、一時唐側に身を置き、そのなかで力を蓄え、再起のきっかけをつかむことを期した。だが唐側は、野心に満ちた虎をみすみす野に放つほど甘くはない。結局、李密は李淵のもとから逃亡を企て、殺されるはめとなった。一代の風雲児の末路はかくもあっけなく、あわれであった。

隋末、童謡「桃李子」のなかで予言された李氏とは、こうして李淵その人であったことを明らかにする。歌詞にみえた「花園」とは、長安宮中に美しく咲く花園にほかならなかったのである。

唐は、他の群雄・群盗に遅れて動きだしながら、いちはやく他を制することになった。李氏の家柄の良さと、李淵自身の隋官界での地位の高さからくる隠然たる影響力が、関隴系を中心に、広く人びとを引きつける力となったことが、その大きな要因にあろう。

李淵はまた、決起の前、太原留守として当地の行政権を握り、軍事力を蓄えることができた。太原が隋末動乱の中心からはずれていたため、周辺勢力との抗争に、あまり力を使いきらなくてすんだことも、幸いであったというべきである。李密はそうした環境や条件の点で恵まれなかったのである。

しかも、李淵には手足となる息子たちがいた。長男が建成、次男が世民、四男が元吉《げんきつ》といい、旗揚げの時がそれぞれ二十九歳、二十歳、十五歳、ちょうど父親の期待にこたえられる年齢に達していた。彼らは母竇《とう》氏から生まれた同腹の兄弟であるが、なかで建成と世民は、その準備段階から実際の戦闘まで、すべてに率先して動き、唐朝を興す牽引力となった。父親たる李淵は、二人の背後から指揮するだけで十分という、これまた有利な立場にあった。

だがじつは、このことがのちの新たな頭痛のタネとなる。唐が発足すると、建成は皇太子となり、世民は秦王《しんおう》に、元吉は斉王《せいおう》にとつけられた。皇太子とは儲弐《ちょじ》の身、つまり世継ぎとして、皇帝のそばに控え、皇帝の万一に備えなければならない。唐もそのことは同じで、そのため、かわって秦王に、その後の対外戦の全責任がおわされることになった。秦王は以後数年間、東に西に席を暖める暇もないほど動きまわり、唐の基礎を築きあげたのであった。

彼は戦えば必ず勝利するといわれる戦上手で、若いながら、先頭にたって敵にぶつかる勇猛さと、事態を的確に判断して敵の弱点をつく老獪さとをあわせもっていた。この過程で、彼は統治者としての評判を高め、かたわらに有能な部下を集め勢力を養った。これをみて、皇太子はおもしろくなく、激しいライバル意識を燃やす。両者の間に、次第に一触即発の緊張が高まっていくのは必然のことであった。その間に立って、皇帝李淵はいかんともし難く、手をこまねいて成り行きを見守るよりほかはなかった。これをどう決着づけるか、唐は全国制覇のつぎに、この課題に直面したのである。

第三章　玄武門の変

唐の長安は、隋が成立直後に新たに築いた大興城《だいこうじょう》を、さらに整備し完成させた壮大な都城である。外城の周囲は、南北が八千六百メートル余で、東西が九千七百メートル余という、東西にやや長い方形をとり、内部が碁盤の目のように区切られる。そしてその北側には、王朝全体の中枢部をなす区域が設けられた。北の宮城《きゅうじょう》と南の皇城《こうじょう》とがあわさってできた、いわゆる内城がそれである。

皇城とは中央の関係機関が軒をつらねる官庁街であり、在京の官史、すなわち京官《けいかん》が、城内の自宅からここに通勤する。たいする宮城は、南の承天門《しょうてんもん》から入って最初に威容をあらわす太極殿《たいきょくでん》《たいごくでん》、さらに奥の両儀殿《りょうぎでん》とを中心とする公的政務にかかわるブロックと、その北側一帯の、池や樹木のあいだに多くの宮殿や亭《あずまや》が配される皇帝の私的生活のためのブロックの、大きくふたつに分けられる。さらに、宮城の東側には皇太子が居住する東宮《とうきゅう》《とうぐう》があり、西には掖庭宮《えきていきゅう》といわれる後宮の女性たちの住まう一帯がある。

なお、唐初のことでいえば、高祖の三人の息子たちは、長男建成が皇太子として東宮に住む。これにたいし、秦王世民は大極宮ブロックの西北の承慶殿《しょうけいでん》に、斉王元吉は同ブロック東北の武徳殿《ぶとくでん》の北側に、それぞれ屋敷を構えたといわれる。彼らの配置に高祖が気を遣った結果である。東宮にたいする西宮ともいうべき場所に世民を置いて釣り合いをとり、建成に近い元吉を東宮の隣に配する、といった具合にである。建成と元吉はその隣りあった場所をさかんに行き来し、世民を亡きものにせんとの密謀をこらすのである。

この太極宮の最奥には、北側の門がある。そこを出ると、あたりはなだらかな高台になり、一帯には変わった木々が植えられ、珍獣異禽《ちんじゅういきん》が放たれた御苑が広がる。その高みからは、南は長安の町並みが望まれ、北に目を転ずると、黄褐色をした渭水《いすい》が西から東にむかってゆったりと流れるのが見える。このあたりを、当時の人びとは龍首原《りゅうしゅげん》とも呼んだ。ちょうど、長安の南方に連なる秦嶺《しんれい》の山中から出てきた龍が、そこで首をのばし渭水に口をつけて水を飲む姿にみえたからである。

さて、太極宮の北門であるが、そこは内城と外城の城壁が重なったところで、北を固める重要な城門にあたる。そのため、青龍《せいりゅう》（東）、白虎《びゃっこ》（西）、朱雀《すじゃく》（南）、玄武《げんぶ》（北）という四神の名からとって、玄武門とよばれた。これにたいする皇城の南門を朱雀門というのも、同じく四神に由来する。その位置からも明らかなように、朱雀門から承天門という南側の門が、表門であり正門であるのにたいし、玄武門は、一般的にいって皇帝のプライベートあるいは奥向きにかかわる出入口としてあった。

その普段はあまり人目にふれることのない玄武門の場所が、突如、クローズアップされた。世にいう玄武門の変である。唐を創業した高祖李淵の跡目をめぐる兄弟争いが頂点に達し、そしてはじけたところのクーデターである。この結果、次男の世民が権力を握り、二代

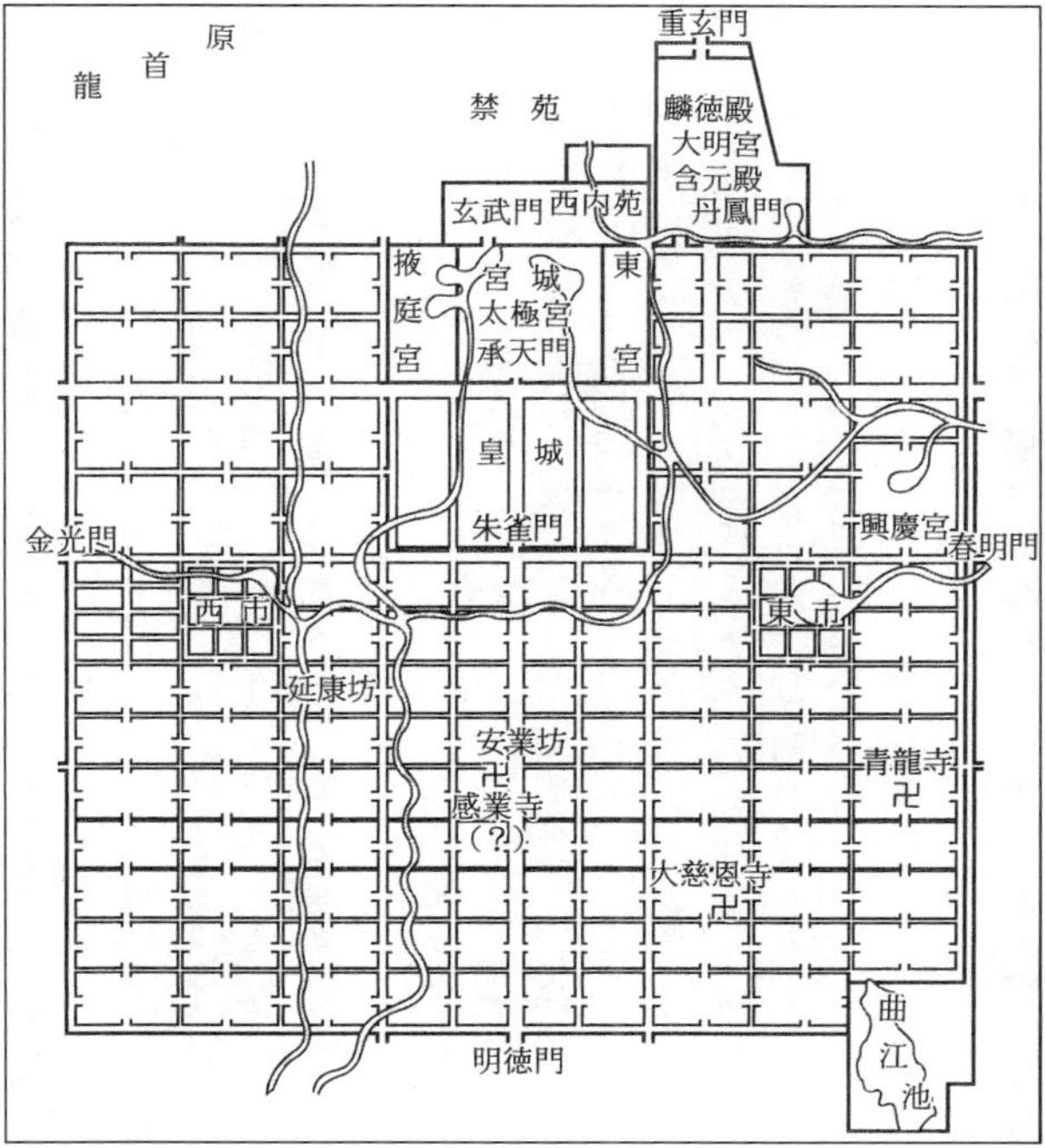
龍
首
原
重玄門
禁　苑
麟徳殿
大明宮
含元殿
丹鳳門
玄武門
西内苑
掖
庭
宮
宮　城
太極宮
承天門
東
宮
皇　城
朱雀門
金光門
興慶宮
春明門
西　市
東　市
延康坊
安業坊
卍
感業寺
（?）
青龍寺
卍
大慈恩寺
卍
明徳門
曲
江
池

唐長安城図

目の太宗となる。この彼こそが、わが則天武后にとっての最初の男となるのである。

武徳九（六二六）年六月四日の未明、十名ほどの騎馬の一隊が玄武門の前に立った。いずれも甲冑《かっちゅう》に身を包み、腰に大刀を帯び、また矛をもち、脇には弓をかかえた屈強な男たちである。白みかかってきた明るさのなかで浮かび上がるそれぞれの表情は固く、唇をぎゅっと結び、目をぎらぎらとひからせて前方をにらむ。全身からは激しい緊張感と、強い気迫がほとばしる。

その到着をまっていたのだろう、内側から門扉が静かに開けられ、番兵たちが一礼して彼らを招じ入れる。一隊を率いていた一人が、各人のつく部署を手短に指図する。そのあと彼は、まもなく繰り出してくるであろう敵に対するべく、楼門上に登っていった。

歴史上に有名な玄武門の変はこうして幕が切って落とされた。そこで全体を指揮した人物は、いわずと知れた秦王世民その人である。そして彼に随従したのが、長孫無忌《ちょうそんむき》、尉遅敬《うっちけい》徳《とく》、侯君集《こうくんしゅう》、張公謹《ちょうこうきん》、屈突通《くつとつつう》といった秦王府に属する子飼いの面々であった。このなかには、のちに名宰相と知られる房玄齢《ぼうげんれい》や杜如晦《とじょかい》も含まれた。が、なんといってもこの日一番の働き頭は、武将で忠義心にあつい尉遅敬徳であった。

世民らが玄武門で守りを固めてからほどなく、東から別の騎馬に乗った一隊が、周囲を警戒しながら近づいてきた。夏の朝は早い。日の出にはまだ間があるが、あたりはすでにすっかり明るくなっている。彼らの中心にいるのが、皇太子の建成と斉王元吉であった。東宮の北門を出て、玄武門に至る途中の臨湖殿《りんこでん》のあたりまできて、彼らはどうも様子がおかしいと感じた。いつもは梢の間で忙しくさえずる朝の小鳥の声も、今日は静まりかえっている。やや思案ののち、急ぎ轡《くつわ》をめぐらし、東宮にとって返すことにした。東宮にはいざという時に備え、二千の兵を待機させてあった。

そもそも、何故この日、世民は玄武門を押さえる行動にでたのか。世民側と建成・元吉側との長い対立と挑発の経緯はさておくとして、その直接の発端は前日の三日の日のことにあった。

その日、世民は父高祖に、ひそかにこう訴えた。

「建成らが陛下の後宮の女性たちと淫らな関係にあります。また彼らは私めの殺害を目論み、権力の独り占めを図っております」

高祖はそれを聞いて驚愕し、では翌四日に関係者を喚問し、白黒をはっきりさせよう、と伝えた。

矢は放たれた。先んずれば敵を制すだ。あとは相手を倒すまでやりぬくしかない。世民と部下たちはそう決断し、つぎのような筋書きをたてた。建成らは高祖に呼びだされ急ぎ参内しようとする、当然、不意のことで準備もなく、おそらく十分な護衛も連れていない、また門内へは兵を連れて入ることは許されない、その機をねらって玄武門で討てば、建成と元吉を一度に難なく捕らえることができる。彼らを押さえれば、その軍勢は主を失い、もはや動きがとれなくなる、と。

一方、世民が高祖へ訴えたこと、それに高祖がどう回答したかの一部始終は、じつは事前に建成側に漏れていた。高祖のそばに仕える皇太子側の宮女の一人が、こっそり伝えていたのである。それを聞いて、彼らは参内せず、事態を東宮で静観することも考えたが、それでは外の動静に遅れをとるかもしれない、むしろ世民に先んずるのが得策と思いなおし、早朝準備を整えて玄武門にむかったのであった。

だが彼らは、一足先に玄武門を押さえられてしまっていた。しかも世民とその部下は、唐の天下統一戦で先陣をきって動きまわった一騎当千のつわものであり、戦いの何たるかを熟知している。その彼らが覚悟を決め行動にうってでた。これほど恐ろしく、強力なものはない。建成側は、そうした彼らの動きをやや甘くみていたというべきであろう。

臨湖殿まできて引き返そうとする建成と元吉を、世民は必死に追いかけた。もしここで彼らをとり逃がし、東宮に入られてしまうならば、計画は水泡に帰してしまう。部下たちの思いも同じで、尉遅敬徳も番兵らの七十騎を率いてつづいた。

大声で迫ってくる世民らをみて、元吉は馬上から再三、弓に矢をつがえようとする。だが、あわてているため弦にうまくかからない。そうこうしているうちに、世民の放った矢が建成の胸を射ぬいた。彼はその場でどうと倒れ、絶命した。また左右の者が射た一本が元吉に当たり、落馬させた。

その時、走りこんできた世民が林の木の枝に体を引っかけ、もんどりうってこれも落馬した。あまりの痛さで起きあがれない。それをみた元吉がえたりと迫り、世民の手にする弓を奪いとり、首を絞めようとした。危機一髪、尉遅敬徳が馬を飛ばし、救いに入った。元吉はやむなく傷ついた体を引きずり、徒歩で自分の屋敷に逃げかけたが、背後から敬徳に矢を射かけられた。彼もここで命をはてた。

その間の所要時間はそれほどたっていない。兄弟の権力をめぐる長い確執は、このような形であっけない結末をみたのであった。ただ、事はそれで終わったのではない。世民らは、急いで建成と元吉の亡骸をもって、玄武門にまでもどった。

世民にはすぐになすべきことがふたつあった。ひとつは、東宮から繰り出すであろう二千名という兵士の攻撃をどうはねのけるかである。その一方で、みずからがクーデターを起こし、全権を掌握した現実を、一刻も早く高祖に認めさせなければならなかった。

予想どおり、東宮の北門から軍兵が押し出してきた。彼らはまだ自分たちの主君が殺されたことを知らず、必死の形相で、切っ先鋭く攻め立てる。世民の兵五百も助けに入るが、その鋭さにたじたじとなる。そこで、世民側は建成と元吉の首をかかげていった。「お前たちの主君は、これこのようにもう死んでおるぞ。これ以上無駄な戦をするな」。

兵士たちは、それをみて戦意を失った。

この戦闘のなか、腹心の尉遅敬徳は世民の命をうけ、手勢をしたがえ、高祖のいる内殿に急いだ。玄武門から近いその場所には、両軍の激しくぶつかる音や喚声が聞こえ、流れ矢も飛んでくる。高祖は近臣と一緒に、池に浮かべた舟に避難していた。そこに、鎧を着け、矛を手にした尉遅敬徳が現れたわけで、高祖は肝を潰していった。

「今日の乱の張本人は誰じゃ。お前は何をしにここに来たか」

「皇太子と斉王が反乱を起こしたため、秦王が兵を挙げて誅殺したのです。陛下のお身を案じ、私めを警護によこしたのです」

尉遅敬徳は、すぐに高祖の身辺に兵を配すると、なお戦闘をつづける東宮軍らに、秦王の命令に服するように手勅《しゅちょく》を発することを要請した。この結果、東宮側の抵抗の名分は失われ、彼らはちりぢりになって逃げだし、世民の勝利が確定した。

権力闘争とは、本来、食うか食われるかの命がけのものである。まして唯一絶対の皇帝をいただく中国王朝にあっては、なおさらである。もし中途で鉾を収めたとすれば、いつ何時《なんどき》皇帝の気が変わり、敵対側が息をふきかえし、立場が逆転するかわからない。逆転すればすべてが終わりとなる。世民は、建成や元吉らのさまざまな挑発を受けながら、ぎりぎりのところまで耐えた。いったん決起すれば最後まで行きつくしかない、という重みを十分理解したからにほかならない。

建成側はその詰めが甘かったがゆえに、すべてを失うはめとなった。ただ彼らの側に人を欠いたわけではない。むしろ皇太子として、優秀な人材が配されていた。のち太宗朝の名臣として活躍する王珪《おうけい》や魏徴《ぎちょう》らはそこからでている。魏徴ごときは、秦王側への対抗心から、早く世民を除くよう、手をうつことを主張した。後日、そのことを世民から責められたとき、彼は、堂々と答えた。

「もし皇太子が私めの言を聞いていれば、玄武門での禍《わざわ》いを受けることはなかったはずです」

結局、建成は、そうした臣下の意見をいれず、弟を殺すまでの決断を下せなかった人間的弱さ、総領としての人のよさが、命とりとなったといえよう。

こうして玄武門の変は終わった。父高祖の承認もえないまま兵をくり出し、兄と弟を殺して権力に手をかけた以上、父すらそのまま皇帝の位に置いておくわけにはいかない。尉遅敬徳を廷内に送りこんだのは、身辺警護に名を借りた実権の奪取であった。事態が収まると、もはや自分の出る幕はないとさとった高祖は、さっさと位を世民にゆずり、隠退の生活に入った。旗揚げのときの優柔さにみられたように、もともと権力の座にそれほど執着するわけでなかった高祖にとって、半分はこれを機にのんびり暮らすことができる、という思いが強かったかもしれない。

この時、高祖は六十一歳。そして世民は、わずか二十九歳の気鋭、この青年皇帝太宗のもとに、後世、「貞観の治」と称される新政が開始されることになる。高祖は、以後、実質的に幽閉の身となって外界と関係をいっさい断ち、貞観九（六三五）年五月、天寿をまっとうし、七十歳で逝去した。

玄武門の変の歴史的評価をめぐって、建成側に結集したのが西魏、北周以来の中枢をになってきた関隴系の旧勢力で、対する世民側が山東系の新興勢力に支えられる、といった見方がある。つまり、変は唐における関隴系対山東系、旧勢力対新興勢力という対立の第一ラウンドであり、結果は後者が勝利した、というのである。

確かに、そうした解釈につながる一面がまったくないわけではないが、やはりつきつめれば、変は、高祖李淵の跡目をめぐる骨肉の争いというところに帰着する。彼ら兄弟は、最初から仲違《なかたが》いしていたのではない。皇帝という権力の座が目の前に迫ると、互いに意識しあい、周囲もそれを煽り、ぬきさしならぬ事態へと突入した、といってよいだろう。

ただ、彼らにとって不幸であったのは、長男に比して弟世民の働きが大きく、世間の評判がそちらに傾いていったことである。建成は世民より九歳年上で、早くより父を助けそれなりの手柄をたて、決して凡庸な人間ではなかった。だが世民の方は、やはり目立つ存在であった。

事に臨んでの沈着な判断、すばやい対応、勇猛にして果敢な行動力、それら武将としての条件を世民はすべて備えていた。もって生まれた資質といってよいかもしれない。こうした自己の力が自信に転じたとき、世民自身、兄の風下にたつことをいさぎよしとしなくなる。

そしてそこに、もう一人の弟、元吉が加わり、兄弟関係を複雑にさせる。彼は、世民より五つ年下で、唐が太原で決起したときは十五歳、そのため戦陣に加わらず、後陣の固めを命じられた。だが、のち北から賊の劉武周《りゅうぶしゅう》に攻められると恐れをなし、太原を捨ててこっそり逃げ出した。彼は肝っ玉は小さく、わがままで、武将としては失格であるが、そうした人間にありがちな権力への執着心だけは人一倍強かった。

この元吉が長兄の建成につくのは当然の成り行きであった。統一戦に赫々《かくかく》たる武勲をあげ、世評も高い次兄の存在は、眼前に大きくたちはだかる壁として、まず排除される必要があり、建成とは利害が一致する。彼は、その上で長兄を倒せば、権力が容易にころがりこんでくると読んだ。そのため、建成と世民との対立を煽り、さまざまな機会をとらえて世民の暗殺と、その勢力の削減を企てたのである。

跡目をめぐって、兄弟が激しくしのぎを削りあう。その終着点が玄武門の変となった。代替わりに際しての争いは、じつは当時、決して特殊な事件とはいいきれなかった。よく知られた先例に、すぐ前の隋の煬帝の場合がある。文帝のやはり次男であった彼は、策略をもちいて皇太子であった兄を失脚に追いこみ、父をも暗殺し、帝位についたというものである。唐朝では、これ以後も同様の問題でつねに頭を悩ますことになり、結局、いわゆる嫡子が相続する慣行は唐一代をつうじて定着することはなかった。

なぜ、このような混乱が避けえなかったのか。その大きな理由は、隋朝にせよ唐朝にせよ、それぞれの王室とその下に結集した人間たちに流れる異民族の血と、そのなかで形成された気風にある。もちろん、ここにいう異民族とは、北方遊牧系民族を指す。隋唐王朝は、漢民族と北方民族との、いわば融合の上に出現した王朝であった。

周知のごとく、前二〇二年、高祖劉邦《こうそりゅうほう》によって始められた漢王朝は、前漢と後漢をあわせておよそ四百年つづいたのち、曹操《そうそう》や孫権《そんけん》、それに劉備《りゅうび》や諸葛孔明《しょかつこうめい》などの英雄が活躍した三《さん》国志《ごくし》の時代をへて、南北分裂の時代へと突入する。その分裂の時代をになったのが、一方は漢族社会の上に力をつけてきた豪族と貴族たちの勢力、もう一方は、このころ北や西や東北の方面から中国農耕世界に移動してきて立ちあがった遊牧系民族のものたちであった。

遊牧系民族は匈奴《きょうど》、鮮卑《せんぴ》、羯《けつ》、氐《てい》、羌《きょう》の五族からなって、五胡《ごこ》と通称されるが、最後にこのうちの鮮卑の拓跋《たくばつ》部族が華北《かほく》の漢族社会をまとめ、最初の征服王朝、北魏《ほくぎ》をうちたてた。もっとも北魏は、征服王朝といっても、後世のそれとは違い、いかに漢族に同化するかに腐心し、みずからの言語や風俗習慣を捨てようとつとめた。あげくは、漢族風の貴族的な家柄主義をもちこんで、もともと横の結びつきや個人の資質を重んずる遊牧的観念をずたずたにしてしまった。

北魏はこのように漢化の道を突っ走ったが、反面、彼らが中国世界に影響を与えたことも忘れてはならない。仏教が民衆を救済する宗教として、この地に根をおろすのも、五胡から北魏の時代であった。人びとが馬に乗るためにズボンをはき、椅子に座り、ベッドで休む生活を始めたのも、この時期からのことであった。それまでは、われわれ日本人が着る和服に似た衣服をまとい、床に正座するスタイルが日常の形であった。

ともあれ、北魏は、いかに漢族社会のなかに生きる場を求めるかという立場から、徹底した漢化政策に走ったわけであるが、結局、足もとの反対によって挫折する。六世紀前半、政権を支えた北方系兵士たちの一連の反乱によってである。なかでも、北辺の守りにあたっていた六つの軍鎮（六鎮《りくちん》）からの動きは激しかった。彼らは、同じ鮮卑北族系出身の兵士でありながら、家柄主義によって、社会の底辺に押しこめられる危機に直面したからである。六鎮の兵士たちおよそ二十万人は、大きなまとまりとなって南下し、そのなかからつぎの時代をリードする二人の指導者を押し出すことになった。一人は六鎮の一つ武川《ぶせん》鎮に出た鮮卑人の宇文泰《うぶんたい》、もう一人はやはり鮮卑人で六鎮の懐朔《かいさく》鎮に出身した高歓《こうかん》というが、ことに前者は、西の長安によって西魏をたて、これが北周となり、その系譜から隋・唐が生まれたのであった。

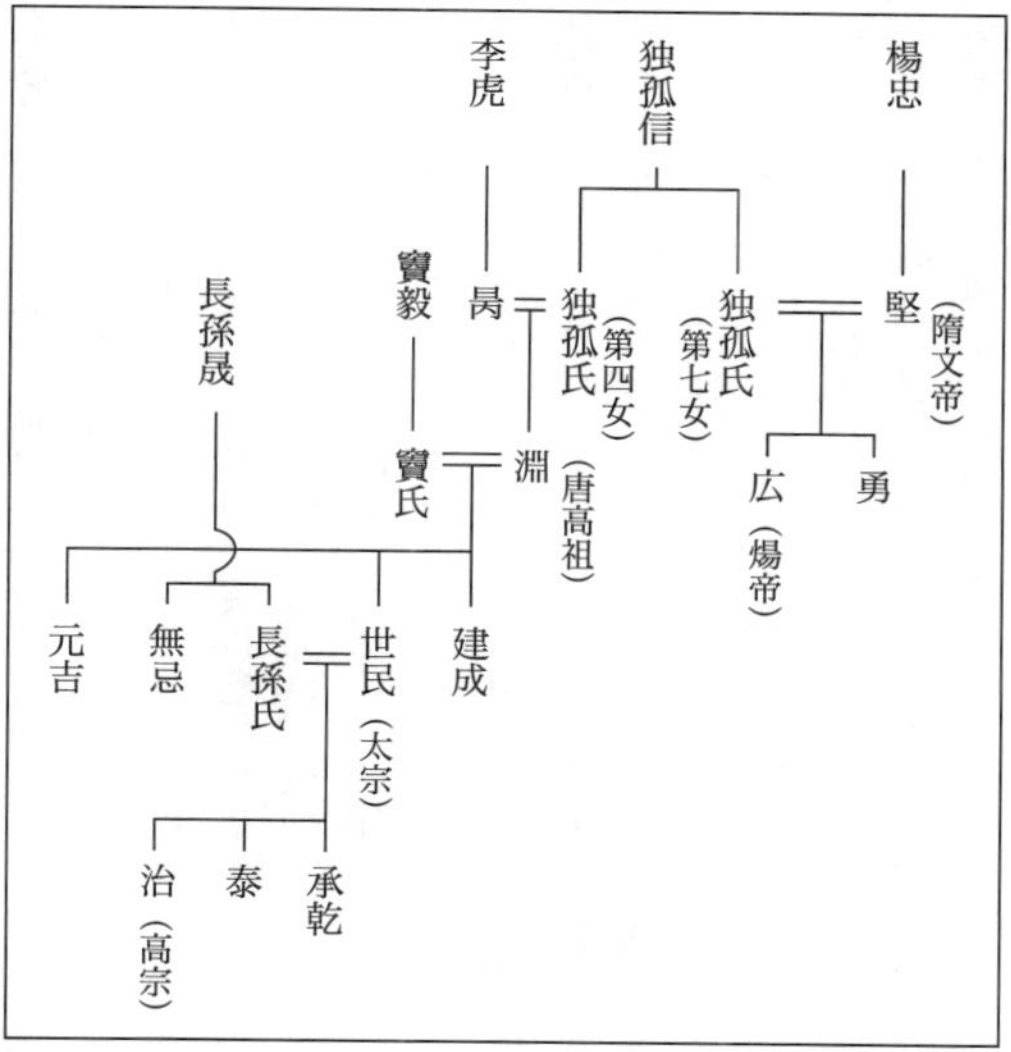

唐朝李氏系図

宇文泰側に結集した勢力は、けっして強くはなく、ためにしばしば高歓の東魏軍に攻めこまれ、苦境に立たされた。そこで彼は、北族系の兵士とその将帥を主軸にしつつ、さらに多くの漢族系豪族や農民を組織し、国軍の充実をはかった。こうしてできた軍事制度を府兵制《ふへいせい》とよぶ。かくして、西魏から北周にかけて、府兵制を媒介にして、北族と漢族という別個の力が協力しあう関係ができ、他を圧する新たな統一のエネルギーが用意された。この間、両民族の指導層の交流も進み、独自の政治集団が形成された。これがいわゆる関隴集団である。

この集団の主力メンバーの一人に、李虎《りこ》という者がいた。唐を興す李淵の祖父である。隴《ろう》西《せい》(甘粛《かんしゅく》)の李氏と名乗り、漢族貴族の出のようにみえるが、どうもそのあたりは漠然としている。ただはっきりしているのは、彼のころまで武川鎮に住み、北魏末、中国内地に移って頭角をあらわし、最後は宇文泰政権の柱国という元勲の地位におさまった、ということである。ここからみて、その家は鮮卑系かあるいは鮮卑化した漢族となろう。

しかも、李虎の息子が李昞《へい》で、妻がやはり西魏の元勲となる独孤信《どくこしん》の第四女であった。独孤氏とは匈奴の独孤部の血筋で、この二人のあいだに生まれたのが李淵その人であり、かりに李氏が純粋な漢族系であったとしても、この段階ではその純粋さは失われる。さらに李淵の妻で皇后となる竇《とう》氏は、もとは紇豆陵《こっとうりょう》氏といい、北族に出ることは明らかである。

李世民ら兄弟はこの二人のあいだに生まれた。また世民の皇后となる長孫氏も、本姓が拓跋といわれ、これまた鮮卑である。漢族と北族遊牧系、それも鮮卑、匈奴、トルコなどの雑多な民族の血が、混然一体となって唐室のなかに脈うっていた。唐はこの意味でも、五胡に始まる時代の頂点にたつべき王朝であった。したがって、唐という王朝そして時代は、通常の漢民族的といった観念的な見方で割りきるとすれば、誤解をよぶだろう。歴史上、他に例をみない開放性や国際性の豊かさも、彼らの民族性と無縁ではない。

話をもとにもどそう。玄武門の変のような代替わりにさいしての争いがなぜ起こるか、であったが、もはや改めて説明するまでもないだろう。遊牧民的な観念からいえば、成人した年上の息子たちはつぎつぎと独立し、最後に末子《ばっし》が親元にのこり、その財産をつぐ。長子を正嫡《せいちゃく》とするのは、農耕社会に定着した考え方であった。

半分以上を遊牧系の血が流れる唐室にとって、すでに長い漢化の道程があるからといって、おいそれとは同化しきれるわけにはいくまい。その血が時に噴き出すのも当然のことで、同じ境遇からきている周囲の官人たちも、そうした動きに理解を示す一面をもっていたのである。唐という時代を特徴づけ、めりはりをもたせたひとつの要因は、この血の問題にあった。

ちなみに、唐代は女性が表によくあらわれた時代でもあった。本書でとり上げる則天武后こそは、その代表格であった。なぜ彼女らがそうも活発でありえたのか。やはりこれも、遊牧系の血と観念がかかわるのではないか。それによって、儒教的、伝統的な枠組みが崩され、新たな時代の空気が醸成され、女性も馬に乗り自分の力で生きる場がうまれた、と考えられるからである。

そして唐が終わると、とたんに女性の足の成長を幼時の状態におさえこみ、男に依存するなかでしか生きられない、纏足《てんそく》というグロテスクな習俗が始まる。これはまさに唐にたいする反動の姿でもあった。これからみるならば、唐という時代は、ある種の健全さを発揮した時代であったことがわかるだろう。そうした健全さのなかに則天武后は登場するのである。

第四章　唐太宗と貞観の治

こうして第二代皇帝、太宗の時代がやってきた。彼の治世は、唐代では玄宗《げんそう》につぐ二十三年の長きにわたり、貞観《じょうがん》の治《ち》という名で、統治のよくいきわたった時代として知られている。

——貞観の初めは、全戸が三百万にも満たず、絹一匹《いっぴき》が米一斗《いっと》にもあたった。ところが、四年になると、米の値段は一斗四、五銭に下落し、家の戸は何ヵ月も開けたままでも泥棒にあわず、馬や牛は平和のために野を覆うほどに繁殖した。人びとは遠方に旅するのに、自分の食糧を携帯していく必要はなかった。人口も増え、物産も豊かになり、さらに中国を慕って移り住んだ周辺民族のものが百二十万人にのぼった。この年、全国の犯罪による刑死者が、わずか二十九人にすぎなかった。

これは正史『新唐書』の食貨志《しょっかし》にのる有名な一文である。絹一匹が、当時ほぼ平均一千銭（文）になるとすると、主食としての米の値段は、貞観に入って四年ほどで、絹一匹分にあたる一千銭の高値から、わずか四、五銭にと、二百分の一以下に下落したという計算になる。この数年間で、平和、豊作、そして社会の安定が得られ、人びとが生活を謳歌するゆとりをもたらしたと、文字どおりに理解すれば、そうなろう。

年	戸　数	口　数	毎戸平均口数
隋 大業5（609）	8,907,546	46,019,956	5.17
唐 武徳間（618〜626）	2,000,000余		
貞観13（639）	3,041,871	12,351,681	4.31
永徽元（650）	3,800,000		
神龍元（705）	6,156,141	37,140,000余	6.03
開元14（726）	7,069,565	41,419,712	5.86
天宝14（755）	8,914,709	52,919,309	5.94

隋唐間戸口変動表

だが、実情は必ずしもそう簡単ではない。確かに、国内の敵対する勢力は平定されたが、まだ北から西にかけての異民族の動きが不安定要因としてのこり、農民の徴発はつづいていた。

唐初の戸数が約三百万であったという。一戸あたり五人とみると、ほぼ千五百万人となる。前代の隋の最盛期には、約九百万戸、四千六百万人であったというから、唐初はその三分の一に急減した。ただ誤解してはいけないのは、その間に隋末の動乱がはさまれているからといって、何千万もが一時に死んだわけではない。これらの数はあくまで当時、国家が把握しえたものを表している。してみると、唐初政権は、隋の三分の一程度の基盤しかもちえず、民衆を十分把握するだけの実権の確立には、まだほど遠い状態であったことがわかるだろう。

では、貞観の治とよばれる太宗の政治の特質はどこに求められるのか。

――人の利と時の利

太宗の時代は、端的にいって、この両面がもっともうまく現れ、かみ合い、政治を彩った時代であった。太宗は、そうした時流をうまくおさえて乗りきった強運の皇帝でもあった。

人の利といえば、隋末の混乱によって、社会全体が大きくかきまわされる。その渦中から、多様な個性をもつ人材が頭を出し、そしてこれまた太宗という強い個性のもとにひき寄せられ、互いに力をあわせて新政を担った。社会はそうしたなかで、索漠とした世相を脱し、落ち着きをとりもどした。

一方、太宗は時の利にも恵まれた。隋末、各地に登場した群雄たちは、彼の即位前に姿を消し、またこれ以上の戦乱を望まない世情が形成されていた。時代は彼のような人物のもとで安定を求めており、そのような背景の上に、政治体制は着実に整えられたのである。

対外的にも有利に動いた。長く中国側と対立し、隋末には中国国内が分裂するなか勢力を強め、唐になっても略奪、侵冦をやめなかった突厥《とっけつ》（東突厥）が、太宗の世に入ると次第に力を弱め、貞観四（六三〇）年の春に唐に降《くだ》ってきたのである。右にあげた『新唐書』の記事で、貞観四年を大きな転機と扱うのは、まさにこのことを指すものである。

そもそも突厥は、六世紀のなかごろから、モンゴル高原より天山《てんざん》山脈にかけての広大な遊牧地帯を背景に、急速に勢力をのばしてきたトルコ系騎馬民族である。北アジア全体を最初にまとめたのが匈奴であったとすれば、突厥はそれをつぐ第二段階の盟主で、今日、小アジアに住むトルコ民族の源流にあたる。

彼らは一時、東西に分裂したり、隋の分断策のために逼塞《ひっそく》を余儀なくされたりもしたが、隋末、中国内地の動乱に乗じて勢いをもり返し、中国側をしのぐ勢力となっていた。彼らは、五胡の諸民族が中国農耕社会に進出するなかで、結局その世界にとりこまれてしまったことを知っている。その轍《てつ》をふまないために、隋末に登場した国内群雄を互いに争わせて分裂状態をつづけ、遠隔操作による間接統治を目論んだ。

唐初の政権は、その網をくぐりぬけ、国内を固めたが、つぎにこの北の強敵にどう対峙するか、がのこされていた。

玄武門の変が終わって、世民が皇帝についたばかりの八月のことである。突如、突厥の始《し》畢《ひつ》（シビ）可汗《かかん》が軍をひきいて、長安の北の渭水にかかる便橋《べんきょう》という浮橋の北岸に姿をあらわした。その一報が入ると、太宗はすぐさま数名の近臣だけをともなって玄武門をとび出し、便橋の南に立った。近臣がはらはらするなか、対岸の始畢可汗にいった。

「唐はなんじ可汗と和親を結び、これまではかりしれない金帛《きんぱく》を贈ってきた。なのに、恥知らずにもその約束に背いて深入してきた。唐はこれを絶対に許さない」

可汗は驚いた。クーデターで権力をにぎったばかりの若造のことだ、内部の固めもできておらず、あわてふためき何もできないだろう、そうたかをくっていたからである。のみならず、そのあと続々とくり出し対岸を覆いつくした唐軍の偉容さにも圧倒された。可汗はあわてて和議を結ぶと、ほうほうの体《てい》でひき下がっていった。

太宗はこの機会に二つのことをねらった。いうまでもなく、ひとつは、突厥にたいし断固たる姿勢を示し、彼らに一歩もつけ入る隙を与えないこと、ふたつ目は、外敵の侵攻に果敢

吐蕃（チベット）使者に接見する唐太宗（伝閻立本画「歩輦図」）

にたちむかう意思と行動をつうじて、玄武門の変で生じた朝廷の動揺や緩みをまとめ直し、新帝としての存在感を印象づけることであった。

強盛を誇った突厥は、以後、内部から自壊が進み、それに唐側の攻勢が加わり、数年であっけなく解体に追いこまれた。と、その配下についていた諸部族が、掌《てのひら》を返すように先を争って唐側に降ってきた。彼ら君長たちは太宗に、

——天可《てんか》汗《かん》（テングリカガン）

という称号を奉った。遊牧民諸部族の最高の長ともいうべき名号であろう。

中国唐の皇帝にして、遊牧民にたいする天可汗という、両世界にまたがる最高位に君臨しえたのは、かつて例をみない。太宗にとって、これは思いもかけない展開であったのではないか。

太宗は、皇帝になってつねに心においたことは、隋の煬帝の存在であった。彼は、自分が煬帝に共通する側面を多分にもつことを意識していた。

まず次男で、兄を退け、父にせまって位についたという似かよった背景をもつ。ともに創業の主につづく二代目であり、初代が拓いた道を発展させ、より強固な支配体制を整え、王朝の基礎を安定させる、という責務をおわされた立場にあった。両人はまた、能力において決して凡庸ではなく、政治の目指す方向も手法も、結局はほぼ同じところに帰着するのは避けえなかった。

たとえば、府兵制という軍事の制度がある。六世紀半ばの西魏の時代に成立し、唐太宗の段階で完成した、といわれる。これは、各地方に軍府《ぐんぷ》という機関をおき、そこから兵士を組織し、訓練し、中央や辺境に動員していく形をとる制度である。兵士は農民から選ばれ、軍府（正式には、煬帝時には鷹揚府《ようようふ》といい、太宗期以降は折衝府《せっしょうふ》という）に二十歳ごろから六十歳まで所属するがゆえに、府兵《ふへい》とよばれた。府兵制という名もこれに由来する。だがこれを、皇帝から府兵まで一本の指揮系統でむすばれる、より整った制度にまでおし上げたのは、煬帝であった。太宗のそれは、煬帝の踏襲であったといっても過言でないのである。

土地制度としての均田《きんでん》制にしても、税制としての租庸調《そようちょう》制にしても、あるいは三省六部《さんしょうりくぶ》制で知られた中央の官制にしても、太宗の段階で完成したとふつういわれる。しかし実質的には、煬帝時までにできていたものに、若干の手直しを施したにすぎなかった。

太宗は新たな政治を手がけようとすればするほど、煬帝の影を感じ、その政策に近づかざるをえなかった。煬帝の存在はそれだけ大きかったことになるが、それでは太宗の立つ瀬がない。なんとしてでもその影を拭いさり、独自の立場をしめす必要があった。貞観の治が成立するひとつの意義はそこにあった。

太宗は煬帝との違いを際だたせるために、煬帝の人となり、またその政治がいかに酷かったか、あらゆる機会をとらえて強調した。その対極に名君たる自分がおり、煬帝の暴政にかわる良政がおこなわれる、という構図を描いた。臣下たちもそれを意識して、名君たるもののあり方をさかんに進言し、かたわら太宗の名君ぶりの喧伝《けんでん》に、これつとめた。

——曰く。煬帝は臣下を信用せず、すべて一人で専断しました。ために臣下は上の顔色をうかがい、諸々とその命にしたがうだけで、その暴政を抑えることができませんでした。陛下は臣下を選んで責務を分担させ、自身は一歩さがった高みから、それぞれの仕事ぶりを統括する手法をとっております。政治はこのような信任、分担の関係においてうまくいきます。

——曰く。煬帝は虞世基《ぐせいき》のような佞臣《ねいしん》だけを信任し、その結果、部下の反乱によって殺される憂き目にあいました。君主たるもの、平等に耳を傾け、広く意見を受け入れる姿勢をとることで、煬帝の二《に》の舞いをふまないようにできます。

——曰く。隋の虞世基らは、煬帝に媚びへつらうなかで富貴を独り占めし、あげく煬帝ともども殺された。臣下たるもの、どのような主君のもとでも阿諛追従《あゆついしょう》するならば、国は滅び、みずからも生き延びることはできない。このことを肝に銘じ、諫言《かんげん》につとめるようにせよ。

——曰く。煬帝は臣下を猜疑《さいぎ》し、朝廷に臨んで彼らと意見を交わすことは少なかった。だが朕はそうではない。臣下とひとつ体のごとく信頼しあっている。

――曰く。隋の蓄え、人口、兵力、いずれをとっても今日の唐に勝っていました。そうした富強にもかかわらず、隋は苛斂誅求《かれんちゅうきゅう》をつづけ、遠征をやめず、滅亡までつき進みました。これを鑑として、贅沢を排して倹約につとめ、忠臣を近づけ佞臣を遠ざける必要があります。

――曰く。昔から、国の興亡は、蓄えの多寡にあるのではなく、民衆の苦楽にあります。その近い例が隋です。隋は煬帝時代に、洛口倉《らくこうそう》や東都（洛陽）、西京《せいきょう》（長安）の倉にしこたま貯めこんだのに、結局なんの役にもたてられず、敵側を利する結果に終わってしまいました。

――曰く。煬帝時代は、わずかの疑いでも拷問によって罪に仕立てあげ、無実の罪で殺される者が多かった。臣下もそれがわかりながら、あえて反対せず、ほおかぶりしてしまった。これは煬帝の無道と臣下の不忠によるものである。

――曰く。煬帝は豪壮な宮殿を造り、行幸《ぎょうこう》を重ね、各地に離宮別館を設け、広い馳道《ちどう》（高速道路）を開くなど、民力をつかい尽くして反乱へと追いやり、末年には一片の土地すら失った。したがって、民力を軽々しく用いることを避け、民の安静につとめなければならない。

――曰く。煬帝の兵力は十分すぎるほどあったのに、隋は滅びた。お前たち大臣が民衆の生活を安定させるならば、これこそ朕の兵力である、等々と。

煬帝の暴政にかわる良政をおこない、名君たる姿を内外にアピールする立場から、太宗は、臣下の意見、つまり諫言に熱心に耳を傾ける努力をした。煬帝が一部の佞臣の耳触りのよい言葉だけを聞き、自己中心に政治をすすめ、国家とみずからをうしなった。その姿勢を「偏聴《へんちょう》」というとすれば、かわって彼は「兼聴《けんちょう》」を標榜した。できるだけ広く、耳に痛い内容も平等に聞きいれ、それを政治に反映させる、というのである。

政治とは、そして王朝とは、本来、皇帝ひとりのためにあるのではない。才能ある臣下たちが皇帝のもとに集まり、たがいに協力し、私欲を捨て、至公の精神にたつて新しい政治を実現する、太宗は当初、それを真剣に考え、取り組んだ。彼の気持ちは煬帝とその隋を否定するだけですまなかった。実の兄と弟を殺し権力をにぎったという、暗い過去があった。それを消しさり、みずからの正当性を獲得する必要にも迫られていた。彼の新たな政治への真剣さには、そうした一面も作用している。

太宗が「兼聴」を実践するためには、諫官《かんかん》に人を得なければならない。そこで白羽の矢をたてたのが、魏徴であり、王珪であった。やや遅れて馬周《ばしゅう》がこれに加わった。

当時、正式に諫官とよばれるものは、門下省《もんかしょう》の諫議《かんぎ》大夫《たいふ》（官位正五品上、定数四人）とその下の左補闕《さほけつ》（従七品上、二人）、左拾遺《さしゅうい》（従八品上、二人）であった。また、これとは別系統に御史《ぎょし》台《だい》があり、皇帝にかわって官僚全体の違法や政治上の不正などに監視の目をむけるところから、やはり諫官に近い職務もになった。なかでも侍御史《じぎょし》（従六品下、四人）、殿《でん》

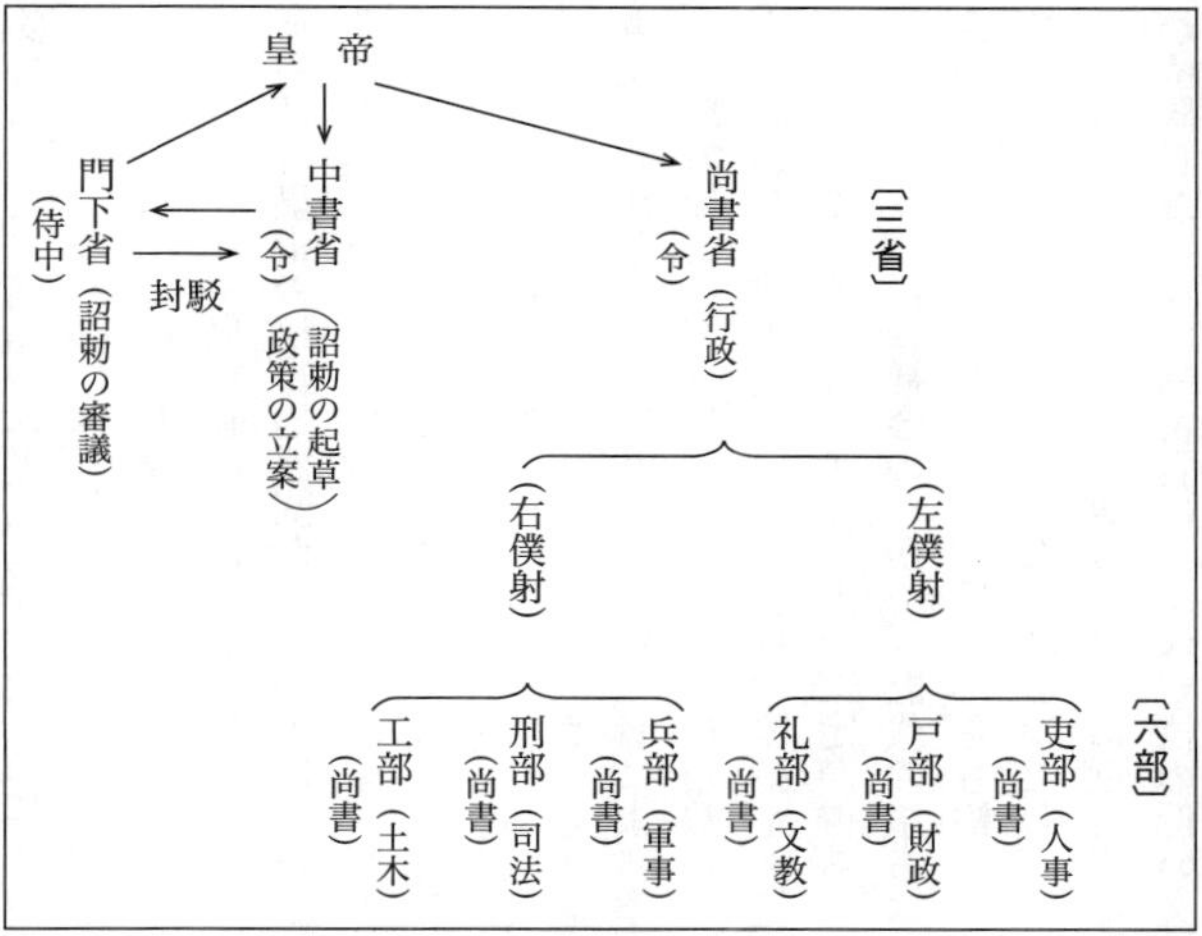

唐中央官制（三省六部制）図

中侍御史《ちゅうじぎょし》（従七品上、六人）、監察御《かんさつぎょ》史《し》（正八品上、十人）がそれにかかわったとみられる。これら両系統は、いわば車の両輪のごとく政治をささえる位置にあり、台諫《だいかん》とも称される。ちなみに馬周は、この監察御史から出発して、諫議大夫に進み、一貫して政治のあり方に正論を吐きつづけたことで知られる。

ここで唐の太宗期に完成をみたとされる中央の官制、三省六部制について簡単にふれておこう。

まず、皇帝に直属してその諮問にこたえ、詔勅の起草や政策の立案にたずさわる機関として中書省《ちゅうしょしょう》がある。そして中書省でたてられた政策や詔勅が先行の規定や従来の慣行に齟齬《そご》していないかを点検するのが門下省となる。

案件はここで審議をへたのち、尚書省《しょうしょしょう》にまわされ、その中身に応じて六つの行政官庁、吏《り》戸礼兵刑工《これいへいけいこう》の六部《りくぶ》にふり分けられ、実施に移される。わが国の内閣にあたるのが尚書省で、その下の六部とは、財務省や文科省といった各省庁に相当する。

　このように中央官制における三省は、いちおう三権分立の体制になっていた。なかでも門下省は、皇帝の秘書的機関たる中書省にたいし、一歩離れた立場から皇帝権を制約する役割をにない、分権を直接的に示した。本来、皇帝権力というものは、権限を一手に集中させ、みずからを掣肘《せいちゅう》する存在を認めないものである。なぜ、このような機関が存立しえたのか。

　なによりも忘れてはならないのは、当時が貴族制の影響をのこす時代であったことである。魏晋《ぎしん》から南北朝《なんぼくちょう》にかけて、さまざまな王朝が武力でもって興り、武力でもって倒されてきた。しかし、そうした成り上がり者による権力争いがくり返されるのを尻目に、貴族たちは、地方社会に根をはり、中央官界に隠然たる勢力をたくわえ、生き抜いた。人びとも、短命におわる歴代王朝以上に、貴族の家柄や血統を重視した。王朝側にとって、これら貴族をとりこむことで、はじめて権力の安定が得られる、そういう状態が長くつづいてきた。

　そのように貴族社会のなかで、歴代の皇帝はみずからの息のかかった者を要職にすえて、政治の主導権をにぎる一方、貴族たちも権力のなかに組みいれ、政権の安定をはかろうとする。このような過程から、次第に貴族たちが結集し、その意向を代弁する機関として定着をみたのが門下省となる。他方、皇帝に近侍する秘書役的立場から発展したところに、中書省が位置した。なお尚書省は、漢代、位の低い文書係から政治の中枢をあずかるに至った尚書を嚆矢《こうし》とし、のちに中書にその権限を奪われた結果、行政機関に転化したものである。

門下省は貴族社会を基盤にして成立した。それがもつ一定の独立性、チェック機能はそうした面から理解することができるだろう。言論をあずかる諫議大夫らはこの門下省の主要な職域を代表するものであった。

なお付言すれば、門下省には、中書省からの案件をつき返す権限が認められていた。それを封駁《ふうばく》という。ただこれは、ときに皇帝の意思に反対するほどの重い意味をもつわけで、実際どこまで発動されたかははっきりしない。しかも隋唐の統一政権下になると、皇帝権が強まる一方、貴族の力は確実に抑えられていく。それにあわせて皇帝直属の中書系統が権限をまし、門下省の地位の低下はまぬがれえなかった。いわば太宗の時代は、太宗自身の自己抑制もあって、三省がほぼ対等の関係にたって有効にはたらいた最後の段階となるのである。


太宗は、煬帝を意識し、それとは決定的にちがう君主であることをあらわすべく、己れを抑え、諫言を謙虚に受けいれようとした。そうしたなかで、太宗が魏徴らと交わした問答は、のちに呉兢によって『貞観政要《じょうがんせいよう》』としてまとめられた。本書は、後世、為政者のあるべき姿を示した政論書として広く読まれ、太宗を名君とする見方の定着におおいに貢献した。日本でもとくに江戸時代によく読まれ、中国史上の名君として彼の名を刻印したのであった。

もうひとつ、太宗の政治を特徴づけたのは、房杜《ぼうと》の通称で知られた、房玄齢《ぼうげんれい》と杜如晦《とじょかい》とい

杜如晦

房玄齢

う二人の名宰相の存在であった。二人とも唐軍が長安を陥落させる前後に、秦王世民の幕府に迎えられ、以後、秦王の権力奪取のために画策し、玄武門の変の実行に関与した。

――秦王府の中で憚《はばか》るべき者は、杜如晦と房玄齢のただ二人だけだ。

玄武門の変のおこる前、皇太子建成は、そういって二人をおそれたという。

太宗の懐刀として二人は、そのあと体制の整備、政治の安定のために心を砕いた。太宗の治世がはじまった貞観初年、杜如晦は四十三歳で房玄齢が五十歳、若き君主を補佐するのにちょうどよい年まわりであった。ちなみにこのとき魏徴は二人と同年代の四十八歳であった。貞観の治は、このような年代の者たちによって始められたことは記憶されてよい。

房玄齢の政治手法は、公平さと謙虚さを旨とし、人の意見をじっくり聞き、事態をよく見極めた上で、手堅く案件をまとめあげる。これにたいし杜如晦は、目から鼻にぬける明晰さをもち、政務を処理するのはてきぱきと流れるごとく、その判断力は果敢で的確であった。

——太宗が房玄齢にはかって事を決しようとすると、そのたびに玄齢は答えていった。如晦の判断を仰ぎましょう。そうしないかぎり、最終的に決められません。

これは二人の対応ぶりをよくしめす話である。一方が努力型にして熟考型、他方が天才型にして能吏型と、まったく対照的なタイプであり、それゆえ互いに相手を尊重し、補い協力しあっていくことができた。

ただ、杜如晦は貞観四年に四十六歳で死ぬ。その点から、後世、二人が並んで貞観の治をとり仕切ったかのごとくみられるのには、やや誤解がある。彼の死後、房玄齢が政務全般に目配りし、かたわら魏徴が諫官として発言をつづける形が定着する。太宗の政治は、この両頭だてのバランスの上にすすめられた期間の方が長いのである。

房玄齢は、太宗の死に先立つこと一年の貞観二十二年に世を去るが、その間、彼は太宗の背後にかくれ、政務の処理に没頭し、宰相としての明確な意見の開陳は避けている。とくに貞観の後半期になると、その傾向は強まる。あたかも、太宗の影に徹し、無言のなかで意思を示すかのように、である。

房玄齢と太宗の関係を物語るのに、こんなエピソードがある。

貞観二十一年、太宗は、避暑のために、長安の南、終南山《しゅうなんざん》の麓にある翠微宮《すいびきゅう》にでかけ、房玄齢を留守の責任者にのこした。太宗は翠微宮で、司農卿《しのうけい》の李緯《りい》を戸部尚書に発令したが、そのあと房玄齢の反応が気にかかり、たまたま都から来た者がいたので、こっそりそのことを聞いてみた。すると、彼が答えていうのには、「房玄齢様は、うむ、あの男はいい口髭をしておる、と申したきりで、それ以外には何もありませんでした」と。それを聞くと、太宗は、すぐに李緯を他官に出してしまった。

房玄齢は知っていた。太宗の政治への姿勢はかならず変わる。煬帝の暴政を意識し、その轍をさけようと抑制し、また自己をそう演出した当初の段階から、すべてに自信をもち、みずからを中心にすえなければおさまらない形へと、である。人間である以上、年月がたてばはじめの意欲も緊張感も薄れゆくのは避けえない、みずからを律することで、すこしでも平衡を保たせよう、彼はそう達観していた。

万事こんな調子であるから、正面から衝突することにはならない。二十年をこえる太宗のもとでの宮仕えで、唯一度きつい譴責《けんせき》をうけただけであった。太宗はおりにふれて、彼を漢の蕭何《しょうか》になぞらえた。かの漢の高祖劉邦の決起から、項羽《こうう》との激しい抗争、その後の国づくりまで、劉邦の背後からだまってささえつづけた漢の宰相が、その人である。太宗は房玄齢に全幅の信頼をよせたのであった。

太宗の姿勢は、たしかに貞観十年ごろから変化がみえた。それを感じとった諫官からは、貞観の始めの姿勢を想いおこすようにとの意見が出はじめる。だが彼らの提案も、かつてのように必ずしも尊重されなくなる。諫官が制度としてあっても、それが有効に機能するか否かは、結局は対応する皇帝の問題に帰着するのである。

第五章　太宗の後継問題

太宗は隋の煬帝の暴政を批判し、煬帝のたどった道に二度とふみこまないことを表明した。そのためにご意見番たる諫官をはじめとする臣下たちの言に、謙虚にそして熱心にしたがうようにした。世にいう貞観の治の名も、名君としての声価も、そのようななかで定着をみた。

だが、諫言にしたがうとは、じつは大変なことである。政務の合間の息抜きで、馬を駆って郊外にでかけようものなら、君主たるものそんな軽はずみな行動は許されません、馬から落ちたらどうしますか、民草の生活を荒らしてはなりませぬ、等々の批判がふきでる。鷹を飼ったり、鸚鵡《おうむ》を飼育するだけでも、人の心は弱いもの、これがどのような贅沢につながるかわかりません、と意見される。こうしたことにも、なるほど、もっともだ、と聞かなければならない。皇帝はプライベートな楽しみをもちえないのである。

貞観のはじめのあるときには、こんなことをいい出してくる民間人がいた。

「君側の佞臣《ねいしん》を除いて下さい」

「それは誰のことか」

「わたしは市井にいるためわかりません。そこで陛下が臣下を試しに怒ってみせて下さい。

それに毅然としているのが正しい者で、媚《こ》びへつらうのが悪い者です」

　このようないいかげんな申し出にも、太宗は丁重に応対し、お引き取りを願った。スタンドプレーによってみずからを売りこもうとするのはわかっているが、適当にあしらえば、言《げん》路《ろ》を閉ざすものとの評判がたてられる。太宗はそれを気にしたのである。


　太宗の治世も後半になると、さらに彼は、自分が後世にどのように伝えられるか、強く意識しはじめる。自分は一生懸命、政治に取り組んできた、臣下の意見をよく聞き、社会の安定にもつとめ、煬帝とはちがい、名君たる評価を受けてよいはずだ。内心そうした自負を抱きながら、逆にそれゆえ史書にどう記されるか、気にかかって仕方なかった。

　あるとき、太宗は褚遂良《ちよすいりよう》にたずねた。「そなたは、起居注《ききよちゆう》（皇帝の言行録）をあずかる立場にあるが、ひとつ、その中身をみさせてもらえまいか」。

　褚遂良は答えた、「史官《しかん》は君主の言動のよい点、悪い点、すべてを記します。それは君主に間違いを犯させまいとするためであって、無理に中身をみるなどとは聞いたことがありません」。

「では、朕に悪いところがあれば、そなたはかまわず書くのか」

「わたしの仕事が史官である以上、書かないものは何もありません」

　そして二人の会話を、劉洎《りゆうき》が締めくくった。

「かりに褚遂良に書かないようにさせても、天下がそれを記します」と。

事実を直筆《ちょくひつ》して後世に伝える、それが史官たるものの職務であるという倫理観は、中国で早くから形成されていた。それによって君主の非道を正し、行動を律し、政治の正常さを保たせる、という。もちろん、史官の中立性がいつの時代にも守られてきたわけではないが、その直筆という行為のもつ重さを認めるという、ある種の不文律ができあがっていた。

太宗はそこにふみこもうとしたのである。誰でも自分が史書にどう記されるかみてみたい。だが、それは通念として許されない。かわりにみずからの行動を律することで、その姿を直書してもらい、後代に名をのこす。そうした君主と史官との関係を、自己の側にひきつけたい、というのである。

そのときは、太宗はいったん引き下がったが、やはり気になって仕方がない。しばらくたってから、今度は宰相として国史を監修する立場にあった房玄齢に相談した。房玄齢は同様に断ったが、太宗は、

「朕の場合は他の者とはちがう。帝王たるもの、それをみることで、のちの戒めにするのだ。なんとかしてくれ」

とねばった。房玄齢はやむなく、『高祖《こうそ》実録《じつろく》』と『今上《きんじょう》（太宗）実録《じつろく》』とにまとめ、閲覧に供した。

太宗が気にかかっていたのは、いわずと知れたあの六月四日のこと、つまり玄武門の変での行動がどう記されているかであった。だが肝心なその部分は、ぼやかされてしまっている。もちろん、上覧に先立ってひそかに書き直しがなされたのである。房玄齢らにしてみれ

ば、兄と弟を殺害したことや、父から実権をむりやり奪ったことを、本人がみるのがわかっていて、ありのまま記すわけにはいかない。それと知らない太宗は、大いに不満を示し、みずから直筆するといって書き改めた。君主の側が国史を閲覧できる悪しき先例を、太宗はここに開いてしまったのである。

歴史への関心は、彼はことのほか強かったといってよい。この時期、南北朝代の欠けていた正史が集中的に編纂された。『晋書《しんじょ》』『梁書《りょうじょ》』『陳書《ちんじょ》』『北斉書《ほくせいじょ》』『周書《しゅうじょ》』『隋書《ずいしょ》』それに『南《なん》史《し》』『北史《ほくし》』などであるが、これには太宗の全面的な支援があった。なかでも三国時代のあとにくる西晋と東晋の歴史をまとめた『晋書』では、巻頭の宣帝《せんてい》（司馬懿《しばい》）本紀と武帝《ぶてい》（司《し》馬炎《ばえん》）本紀にみずから筆をとっている。皇帝がこのように実際に正史の執筆にかかわった例は、太宗をのぞいて、後にも先にもない。

なぜ、彼がその両本紀を書いたのか。晋朝が南北朝の分裂をはさんで唐と対極の立場にあったこと、その晋が一時、統一に成功しながら、結局は長い分裂の端緒を開いたことに、唐を創業した者として無関心でおれなかったからである。司馬懿（仲達《ちゅうたつ》）は、あの五丈原《ごじょうげん》で諸葛孔明と戦った人物であり、晋（西晋）の基を築いた。司馬炎は懿の孫で、三国の分立を終わらせ、西晋の初代皇帝となる。太宗は、司馬懿に魏の実権を奪っていくさまを、司馬炎には権力をにぎったのちに安閑として将来への備えを忘れたさまを見、それを他山の石としようとしたのであった。

歴史への関心と記録への執着、そこにはなにかしら異常な影がつきまとう。みずからを栄えある唐朝の創業者と認め、また後世の評価にたえうる名君たる自負があれば、もっと泰然とかまえていてよいはずである。よい治績をあげ、民衆の信望をうければ、答えはおのずからはっきりする。むしろ中立を保つ史官の手にゆだねておけばすむことである。にもかかわらず、それができなかった。なぜだろうか。

その一つの理由は、体に流れる非漢族の血にある。すでに何代かにわたる漢化の過程をへて、風俗習慣も言葉も、そして教養も漢風となっている。しかしそれでもってすべて鮮卑的遊牧的気風から脱しえたかといえば、一抹の不安がのこる。なによりもその血統が、顔つき体つきが、鮮卑北族そのものであった。漢族と同じだとおもい、その歴史をみずからの歴史と意識すればするほど、では漢族たちははたしてそうみているのか、彼らは本当のところどうなのかという疑念にとらわれる。太宗の心の底には、いつもそうした鬱屈《うっくつ》した感情がうずまいていた。

そしてもう一つ、彼は晩年において、より深刻な問題に直面していた。後継者をだれにするかである。兄弟との死闘の末に帝位についたことは、太宗のコンプレックスとしてついてまわった。自分の後継ぎだけにはその轍はふませない、そうかたく決意してきたのに、同じ事態におちいった。みずからの不明がもたらした結果と恥じ、その汚点をとりつくろい、唐の永続を願う思いをつよくする。歴史への彼の傾斜はそうした点とも関係する。

太宗は正妻の長孫《ちょうそん》皇后とのあいだに、三人の息子があった。長男で皇太子となる承乾《しょうけん》、魏《ぎ》王《おう》の泰《たい》、晋王《しんおう》の治《ち》である。

いったい長孫皇后という女性は、まれにみる賢夫人であった。父は隋の高官の長孫晟《せい》、関《かん》隴《ろう》系の正統をくむ出身で、十三歳で嫁いでから、三十六歳の若さで死ぬまでの二十三年間を、一貫して内助の功につとめた。とくに玄武門の変前夜の緊迫した事態にあって、義父の高祖によくつくし、奥向きの女性たちにはうまくとり結び、夫の不利を埋めようとした。后には兄がいた。長孫無忌《むき》という。彼女と太宗は三つちがいであるから、無忌と太宗はほぼ同じ年とみられる。それにふたりは幼な友達で、肝胆相照らす仲であった。つねに太宗と行動をともにし、玄武門の変に至る危機をその片腕となって乗り越え、以後、元勲として政界に重きをなした。

周知のごとく、貞観年間の政治は、房玄齢や杜如晦、魏徴や王珪など多彩な顔ぶれによって担われたが、じつをいうと彼らのほとんどは関隴系ではなかった。房玄齢は北斉系で、隋末、隰城《しつじよう》（山西汾陽市）の県尉《けんい》（警察署長）をしていて、長安入城を目前にした世民（太宗）に面会を求め、自分を売りこみ、その幕府に入ったのであった。

魏徴もやはり北斉系で、大志を抱きながら活躍の場を見いだせずにいた。隋末、李密の反乱に加わり、そして唐に降ったことはすでに述べたところである。王珪にしても、祖父は南朝梁《りよう》の将軍と知られた王僧弁《おうそうべん》、父の代に北斉に亡命した家の出であった。本人は隋で、煬帝の弟の漢王諒《かんおうりよう》がおこした反乱に関係して、長い亡命生活をつづけ、唐が長安に入ったのちに皇太子建成の東宮に仕え、さらに太宗に転じたのであった。

ただ、杜如晦だけは、北周に仕えた家の出で、京兆《けいちょう》（長安）杜陵《とりょう》の杜氏という名門の流れをくむ。しかし政権の中枢にかかわるほどの立場にはなく、関隴系といったとしても、その周辺の存在であり、彼自身、隋末に滏《ふ》陽《よう》県（河北磁県）の県尉という低いポストにつけられた。のち官を棄てて家にもどっていたところで、世民の幕府の一員となり、ついで房玄齢の紹介によって、世民に本格的に認められることになったのである。そうした経緯をみると、彼の関隴系という立場は、のちの活躍にはそれほど大きなウエイトを占めていなかったといえよう。

　彼らに代表されるように、太宗朝で政務の実際を担ったのは、個人的資質が認められてのものであって、関隴系か否かは二の次とされている。だが関隴系はそれによって席をすべて譲ったかといえば、そうでない。背後でがっちり実権をにぎっていた。その中心が、長孫無忌その人であった。太宗朝の政治は、いわば二重の構造をとり、太宗はその両側に足をかけていたのである。

魏徴

　話を長孫皇后にもどそう。彼女は皇后になったのちも、政治の表に出ることを避けつづけた。のみならず、兄や一族のものが重用されることも嫌った。外戚が権力をにぎる弊害、それによる長孫氏がすべての矢面に立たされる危険性を恐れたためである。彼女は、死の床で最後の声をふりしぼり意見をした。

「今、房玄齢は些細《ささい》なことで陛下の譴責《けんせき》にあい、蟄居《ちつきょ》を命ぜられております。しかし玄齢はこれまでずっと陛下にお仕えし、秘密の計画や重要な仕事にすべてかかわり、本当に信用できる人物です。どうか、このようなものをわずかな過ちで失うようなことはなさいませぬように」

関隴系と非関隴系とによる対等の協力関係、それこそが権力の安定に欠かせない、彼女はそうみてとっていた。

惜しいことに、彼女は貞観十（六三六）年の六月、わずか三十六歳で亡くなった。心の支えを失った太宗の痛手は大きかった。彼の政治の手法がこのころより変わっていくのも、彼女の死とけっして無関係ではないだろう。しかし、それにもまして、のこされた息子たちに与えた影響ははかり知れなかった。そのとき、長子の承乾が二十歳前後で、泰が十九歳、そして治はまだ九歳の子供である。彼らの生き方は、これを境に一変するといってもよかった。

その影響はまず承乾の上にあらわれる。

彼は、まだ秦王であった父世民と長孫氏との最初の子として、かわいがられて育った。皇太子になっては明敏さを発揮し、政務をとらせてみると、要所をおさえ的確に対処する。太宗は喜び安心した。これで自分のときのような跡目争いをせずに、嫡子《ちゃくし》に後を譲っていく正常な筋道がつけられた、彼はそうおもったのである。

ただ承乾は、幼いときに小児麻痺にかかったのだろうか、片足が不自由というハンディを負っていた。そのためもあってか、成長するにともない、外見を一生懸命とりつくろう一方、内側ではまったく別の行動をとる、二重人格的性格を形成した。だが、母長孫氏が存命中は、それはまだ表ざたになることもなく、あってもたかが知れていた。

長孫氏が死んだころから、太宗の承乾をみる目が変わってきた。一歳ちがいの弟の泰への偏愛ぶりが目立ちはじめ、その分だけ承乾に冷淡になったからである。泰は兄とちがって体がでっぷりと肥え、動きは緩慢であったが、逆に大人《たいじん》の風格をただよわす。しかも泰は、父に気にいられるツボを心得ていた。かつて父が秦王時代にしたと同じように、自分も周囲に多くの文学の士をあつめ、文学や学問を愛好する姿をみせることである。太宗はよろこび、彼のために文学館を造ってやった。泰はその学者連中を動員して、唐初の地誌地理をまとめた『括地志《かっちし》』を編纂し、父を大いによろこばせた。

こうした動きは、承乾をいたく刺激せずにはおかない。ただでさえ、世をゆがんでみがちなところに、父の泰にたいするかわいがりようである。かつての父の先例もある。父は泰を後釜にすえようと考えているのではないか、不満と不安はつのっていく。母がいれば、それをフォローしてくれるはずなのに、いまや立場を代弁してくれる人もいない、彼は孤立感を深めていった。

承乾は心の憂さをはらすために、東宮に俳優や楽人《がくじん》をかかえ、歌舞音曲をよくしたが、そのなかに美形で歌や舞に長けた十数歳の少年がいた。名を称心《しょうしん》という。承乾はその少年を溺愛し、倒錯した性的関係にのめりこんでいった。これを聞いた太宗は激怒した。ただちに称心をひき離すと、とりまきともども処刑したが、しかし事態はそれで一件落着するどころか、いっそうむずかしくなっていった。

承乾は称心を忘れられなかった。想いはむしろつのるばかりである。東宮のなかに一室を建て、その肖像を彫らせて安置し、朝な夕なにまつり、周りをぼろぼろと涙をながして彷徨《ほうこう》する。はては宮内の一角に塚をきずき、碑をたて、哀悼の気持ちをあらわす。この異常な心理状態のなかで、称心との関係を密告したのは弟の泰の仕業にちがいないと逆恨みし、いつかその仇はきっととってやると心にちかった。

数ヵ月もたつと、承乾はそれまでのことをけろっと忘れたかのように、新たな動きをはじめる。つぎにやったのが、配下の奴隷たち数十人に楽器を習わせ、胡風の髪形に結わせ、絹の服を着せ、歌ったり踊ったり、昼夜をわかたず大騒ぎすることであった。

さらに、大きな銅製の釜と鍋を用意し、盗んできた牛や馬の肉を煮こみ、配下の者たちと車座でくらう。はては顔つきが突厥人に似た者を選抜してグループにわけ、突厥風に辮髪《べんぱつ》をし、羊の皮衣を着せ、たがいに戦争ごっこをさせてよろこぶ。承乾自身、庭に突厥のパオを張ってその中で寝起きし、食事は丸焼きした羊肉を腰の剣できりさいて食べ、いっぱし遊牧社会の長になったつもりとなる。

あるときは、みずからを突厥の可汗にみたて、その葬式遊びをした。部下たちが大声で泣き悲しみ、馬にのって周りをまわり、ナイフで顔を傷つけて弔意をしめす風習をみていたのち、彼はやおら立ち上がっていった。

「もし俺が帝位についた暁には、数万騎の兵をしたがえて西突厥可汗の阿史那思摩《あしなしま》のもとに身を投じ、その諸侯の一人にしてもらおうと思うが、どうだ」

またこういった。

「俺が天子になったら、好き放題にするぞ。諫《いさ》める者がいたら片っ端から殺す。五百人ほど殺しまくれば、反対するやつもいなくなるはずだ」

彼は、ひたすら内側の世界にとじこもり、自暴自棄となり、狂気をおびていく。周囲の説得にはもはや耳を貸さない。身体のハンディ、母の死、弟との確執、父との反目、それらの重い問題をかかえこむなかで、緊張の糸が切れてしまったのだ。そのはてに、突厥の遊牧的世界に自己をスライドさせ、すべての拘束からとき放たれた姿を夢想する。それは鬱屈した感情の裏返し、現実逃避の表現であるが、同時に、体内に流れる遊牧系民族の意識がよび覚まされた結果でもあった。

正常な感覚を失った承乾は、弟泰への恨みをますますつのらせ、ついには刺客を放ち、暗殺をはかる。結局それははたせなかったが、となると、あとは父太宗を倒すしかないところまで進む。そのころ、承乾のもとには、太宗朝に受け入れられなかった不満分子や次代に期待をつなぐ野心家たちが出入りしていた。太宗の弟の漢王元昌《げんしょう》や兵部尚書の侯君集《こうくんしゅう》らである。これらの者たちと、たがいの腕の血を一枚の布にしみこませ、それを燃やした灰を酒にいれて飲みほす、という秘密の儀式によって、生死をともにする契りをむすんだ。

ちょうど同じ時期の貞観十七（六四三）年の初め、山東の斉州《せいしゅう》で、斉王李祐《りゆう》の乱がおこった。李祐は、承乾の異母弟にあたる。生来、素行がおさまらず、それを太宗に譴責されたことを根にもち、先の見通しもないまま反乱にでたのであった。この報に接した承乾は、腹心の紇干承基《こつかんしょうき》らにつぶやいた。

「わしの住む東宮の西塀から皇帝の内裏《だいり》まで、わずか二十歩《ぶ》（三十メートル）しかない。諸君らと起てば、斉王のごときとちがって、一挙に大事がなしとげられるのだ」

承乾はいよいよ実行へと意識したのであるが、その矢先、足元から密謀がもれた。紇干承基によってである。じつは承基は斉王の乱にも裏でかかわっており、そのかどによって逮捕され、死刑を宣告された。彼はそこで死刑をまぬがれるために、もっと大きな秘密の企てを告発したのであった。

こうして皇太子承乾のクーデター計画は発覚し、関係者は一網打尽となった。承乾は皇太子位を剝奪されて庶人《しょじん》とされ、黔州《けんしゅう》（四川）に流された。皇太子という地位の重さにつぶされまいと、必死に肩肘を張って生きてきた彼にとって、この結末でやっと安らぎの場が見いだせたのではなかったか。彼はこの配所で一年後に死んだ。

だが、これで終わったわけでない。承乾失脚後の皇太子にだれをつけるかがのこされた。しかしこの問題は、それほどやっかいになりそうにはみえなかった。太宗のかわいがる、自他ともに本命視された魏王泰が控えていたからである。

太宗は、魏王の立ち居振る舞いや学問好きの姿を、好ましくおもった。太った彼のために、宮中で輿《こし》にのることをとくに許してやる。わざわざ長安城内の延康坊《えんこうぼう》にある泰の屋敷まででかけ、そのおり付近の住民の租税を免除し、また大赦令を出してやる。のちに承乾が命をねらいはじめると、安全を理由に宮中の自分の近くに住まわせようとして、そのあまりのかわいがりようを魏徴につよく諫められる始末であった。

このような寵遇《ちょうぐう》ぶりをみれば、承乾でなくとも感情を害するのは当たり前である。後継をめぐっては自分と同じ道をふませない、そう決意したはずであるのに、当の本人から戒めを破り、同じ結末をもたらした。承乾が狂乱にむかった責任の一端は、父が負わなければならなかった。ことここにいたって、太宗は事態の深刻さを理解し、激しくみずからを責めた。

太宗が冷静さをとりもどすのをまって、長孫無忌や褚遂良らは、皇太子には晋王治こそが適格であると申しでた。その言い分はこうである。

「そもそもこのたびの不幸な結果は、陛下が嫡子と非嫡子との関係を乱し、弟君の魏王を分をこえてかわいがったことによります。また陛下の寵愛をよいことに、兄の承乾と張りあい、追いおとしを画策した魏王側にも責任があります。陛下は承乾が庶人として生きながえることを願っておりますが、かりに陛下万歳ののち、魏王が帝位につくようになれば、当然、承乾は生きておれません。それに晋王も、魏王と後継を争う立場にたった以上、やはり生きていることはできますまい。晋王は孝行心にあつく、やさしい性格の方であります。すべてまるく収めるために、ここは晋王を皇太子にされるのが、一番よいでしょう」

長孫無忌

太宗はなお泰を皇太子にとこだわったが、すっかり弱気になっていた。しかも政界に隠然たる勢力をもつ長孫無忌と、彼と行動をともにする褚遂良らの説得である。結局、その言を受け入れ、治が新皇太子にあげられた。この決定がくだるや、皇太子になることを確信していた泰は、一転、幽閉の身におとされる。そして均州《きんしゅう》の鄖郷《うんきょう》県（湖北）で十年ほど生き、三十五歳で死んだ。

かくして皇太子問題に決着がつけられた。当初、予想だにされなかった太宗の第九子にして、わずか十六歳の晋王治に白羽の矢がたてられたのである。貞観十七（六四三）年四月のことであった。この彼こそが、唐三代目の皇帝にして、わが則天武后を世にだした高宗その人であった。

それにしても、長孫無忌らはなぜ治を推す挙にでたのか。考えてみれば、それはひとつの賭けであった。当時の情勢からいえば、魏王がつくことが順当であるとみなされた。なによりも、太宗自身早くから彼をかわいがり、格別の扱いを許してきていたことは、だれもが知るところであった。李泰本人、年齢的にも、風格や識見の面からも、また父太宗にたいする孝養の点からも、ほとんど申し分がなかったといってよい。自他ともに皇太子は泰、と認めるのは当然の成り行きであった。

ただ、李泰には責められるべき点があった。太宗の寵愛をよいことに、兄承乾をないがしろにし、みずから皇太子位をねらう動きをあらわにした。これを苦々しくみていたものたちがいたのである。そうしたとき、彼はもうひとつ、反対派に乗ずる口実を与えてしまった。自分の対抗馬に浮上してきた弟の李治にたいし、「お前は、承乾の配下であった漢王元昌と仲がよかったな。あとで問題になるかもしれないぞ」とおどしをかけ、対抗馬からおりるように暗示した。このことが太宗にばらされると、将来、泰が帝位につくことになれば、治は生きていくことは許されない、泰とはそうした度量の狭く不誠実な人間で、後継にはふさわしくないと、長孫無忌らによって一気にたたみこまれたのである。

長孫無忌はここで、なんとしても晋王をおし立てなければならなかった。無忌には、太宗のもとで統一事業から玄武門の変、そしてその後の政治をになってきた元勲にして、関隴系勢力の中心である、という自負があった。その立場を太宗亡きあとも維持していくには、後継問題は彼の主導で決着がつけられる必要があった。だが魏王といえばすでに二十四、五歳、世間を自分の目でみ、判断できる分別ある年齢に達していた。しかもけっして凡庸ではない。いまさら無忌が彼の擁立に動いたとしても、どれだけ影響力をのこせるか疑わしい。

加えて、泰を熱心に推した中心人物が、岑文本《しんぶんぽん》や劉洎《りゅうき》であったことである。この両名とも、南朝系で、隋末、揚子江中流域で勢力をふるった蕭銑《しょうせん》に仕え、のち唐に降った者であった。泰が帝位を襲うことになれば、彼ら非関隴系の者たちが実権をにぎる結果になるかもしれない。それは絶対に避けなければならなかった。

これにたいして、晋王は、まだ年が若いうえに、気が弱く病弱ときていた。本来、帝位をつぐにはたよりない男であった。しかし長孫無忌にとっては、むしろこの方が好都合であった。伯父であり、創業の元勲であり、皇太子擁立に恩義がある。みずから後見役となり、太宗の敷いた路線をとりしきっていける、彼はそうふんだのである。

承乾失脚後の皇太子位をめぐって、魏王に傾いていた大勢を、長孫無忌らは、晋王に変えてしまった。それはまさに政変といってよい事態であった。太宗は、自分のきずいてきた体制と政策が守られていくには、なまじっかできる者より、治のような性格の者がよいかもしれない、と自分自身を納得させ、長孫無忌らに後事を託したのであった。

だが、あにはからんや、その彼らが期待をこめた高宗のもとで、長孫無忌や褚遂良らは悲惨な結末においこまれ、太宗の路線は変更され、はては唐朝そのものが否定される状況がつくりだされた。高宗をしてこう動かしめたのは、いうまでもなく則天武后その人であった。しかし忘れてはならないのは、このような強烈な個性は、往々にして高宗のような性格とふかく結びつきあう。いわば則天武后の登場は、晋王治を皇太子につけた時点で予感されたことであった。運命の皮肉というべきであろう。

とまれ、ここに高宗が登場する段階をむかえた。つぎからいよいよ、わが則天武后にもお出ましを願わなければならない。

第六章　武照の出生と武士彠

「長らくお世話になりました。これより宮中にまいります」

胸の前に両手をあわせて跪《ひざまず》き、大きく見開いた眼で母親をみつめ、そうきっぱりと別れの挨拶をすると、少女はうしろを振り返ることもなく、迎えの駕に身をゆだねた。その去りゆくうしろ姿を、母は二人の娘に両脇を支えられ、目に涙をいっぱいに浮かべ、いつまでも見送った。

ふだん、少女は、スカートの裾をからげ、腕をまくって飛び回り、ときには馬に乗って邸内を駆けたりするお転婆な娘であった。笑うと口元から白い歯がこぼれ、よくとおる声でうたう歌声やにぎやかな嬌声で、行くところ、いつもぱっと花が咲いたような明るい雰囲気を醸しだす。そうした娘が、今日、一人の女として、誰も知った者のいない境遇で暮らすべく、盛装して出立した。行く先は宮中、それも皇帝のもとに、である。はたしてきちんとやっていけるだろうか、つぎに会えるのはいつのことだろうか、母親がこの可愛い娘の行く末をおもい、別離に涙するのは当然であった。

その娘の肢体はすらりと伸び、胸もふくらみを増し、まだいくぶん子供らしさをのこす立ち居振る舞いとはうらはらに、すでに立派な大人の女に近づいている。顔だちは、大づくりにでき、そして美人である。よく動く、切れ長で涼しげな瞳、真っすぐに通った鼻筋、厚みのある紅い唇、ぽっちゃりした頬とやや張ったあご、聡明さをあらわす広い額《ひたい》。その頭の上には、豊かな黒髪で髷《まげ》が高く結われている。この美しい顔の表情も、口元をきりっと結び、目をきっと据えると、一転して、何事にも簡単には妥協しない意志の強さを浮きたたせ、彼女のもつ勝ち気さを垣間見せてくれる。

少女は、乗り込んだ駕のなかで、じっと前方をみつめ、体をかたくしていた。しかし不思議と涙はこみあげてこない。母や姉、それにまだ幼い妹、彼ら肉親と別れることは確かに心がひき裂かれる。住み慣れた家屋敷、よく遊んだ庭の木々や花園とは、これが一生の見納めになるかもしれない。過ぎし日のなつかしい風景はここに終わりをつげる。そう思いながらも、彼女は心中ある種ののびやかな気分を味わっていた。家庭のなかにわだかまっていたどす黒い影から解放される、という思いである。

父は前年に亡くなっていたが、その父には先妻に生ませた二人の息子があり、彼女の母が後妻として入ったとき、彼らはすでに成人に近い年齢に達していた。後妻に入った母は、結局、産んだのが三人とも娘であったため、家督を継ぐ資格があるのは、必然的に先妻の二人の息子たちだけであった。

彼らはこの母娘四人にたいし、陰に陽につらくあたった。勝ち気で明るく、どんなことにもめげない次女は、よく彼らに反発していじめられ、そのたびに、いつかはきっと仕返しをしてやる、そう心の中でくり返した。これを機に、陰湿な異母兄たちのいじめから離れられる、そして逆転した立場で見返してやれるかもしれない、そのような期待がはたらいていた。

彼女はまたおもった。これからお仕えする太宗皇帝とはどんな方か。歴史上、これほど軍事や政治にすぐれた能力を示された皇帝はおられない。臣下の気持ちをつかみ、それぞれの持ち分を十分発揮せしめた、人間的魅力にあふれる度量の大きいお人だ。つい十数年前まで、人が人を食らう索漠たる動乱の世であったのが、あの方のおかげで、今日このような平和を謳歌する時代を迎えることができた。人びとは誰もがそういって誉めそやしている。「そんなお方の後宮に入ることができるなんて、あなたはなんと幸せ者なの」、まわりの大人たちはそういって祝ってくれたのであった。

たしかに自分は幸せ者かもしれない。しかし世間の人びとがいうように、本当にそれほど完璧で立派な方なのか。それを自分の目でしっかりみつめ、体ごとぶつかってみたい。後宮は魑魅魍魎《ちみもうりょう》が巣くう世界だと聞いているが、しかし私はけっして負けない。なんとしてでもそこを生き抜いて、自分の場所をつくり上げるのだ……。

そんなことを夢想しつづける彼女を乗せた駕は、粛々《しずしず》と宮門を入っていった。貞観十（六三六）年の秋、のちの則天武后が、歴史の舞台に躍りでる第一歩であった。彼女十四歳。このとき太宗は、男としてもっとも脂の乗った三十九歳という年齢に達していた。

――則天皇后武氏、諱《いみな》は曌《しょう》、幷州文水《へいしゅう》の人なり。……初め、則天が十四の時、太宗、その容止《ようし》に美しいことを聞き、召して宮に入れ、立てて才人《さいじん》と為す。

『旧唐書』の則天皇后本紀は、武后本人の一生をこうした書き出しではじめる。

彼女の姓は武、名は曌といった。「曌」という文字は他にはない。これが、彼女がつくった新字、世にいう則天文字《そくてんもじ》のひとつであり、原字は「照」であった。日や月と同じ天空からこの世のすべてを明るく照らす存在、彼女は後年、己れをそうなぞらえようとしたのであろう。

当時、女性で名前まで記録にとどめられる者はほとんどいない。彼女はみずからがつくった新文字によって、武照という固有の顔をもった女性であったことをわれわれに伝えたのであった。

武后は、幷州文水の武氏の出である。

幷州とは現在の山西省の省都、太原市とその周辺地域を指す。山西省は平均海抜一千メートルの高原にして、その上を、氷河時代以来、西北中央アジア方面から吹きつける風にのって運ばれた黄砂が厚くおおっている。その中央の盆地が幷州で、文水はその幷州管内の一つの県名、太原から西南に約七十キロのところにある。今日もここは文水県の名でよばれる。

このあたりの黄土層は、平均百メートルを超える。もともと黄土を形づくる粒子は、非常に微細で、保水性を欠き、降った雨水を地中に蓄えることに適していない。そのため、いったん雨が降ると、黄土層の表土をふくんだ濁流となって、黄河にまで流れくだってしまう。そうした浸食をつうじて、各所にふかく切りこまれた谷や段丘のある、黄土地帯特有の起伏に富む景観がつくりだされる。

この地域はまた、年間の降雨量は少なく、夏の一時期をのぞいて、乾燥した気候がつづく。乾季には、地面はかたくひび割れし、風が吹けば黄塵をまきあげ、人びとを苦しめる。農民たちは、古来、こうした厳しい環境のなかで営々と土地を耕し、子孫をのこしてきた。今日の中国でも貧しい部類に属する山西省の、ほぼちょうど中央部から、武后の父の一族は興ったのであった。


武后の先祖が、代々どのような生業をしてきたのかははっきりしない。のちに彼女が皇帝の位にのぼり、太廟《たいびょう》で先祖七代までを祀ることになったとき、はたと困ってしまった。祀ろうにも、父、祖父あたりまでの名前はわかっても、それから先が追いかけられない。適当にでっちあげてそれはすませたが、およそこのように、由緒のしっかりした家柄というにはほど遠かった。文水県に土着してきた比較的有力な農民の家、とみるのが適当であろう。

武氏の家は、武后の父、士彠《しかく》の代になって、はじめて世に知られることになった。

武士彠は、五七七年、文水県に生まれた。この年にちょうど、北周が北斉をたおして華北を統一し、北斉領内にあった文水県もこれを機に北周の支配下に入れられた。西魏から北周、そして隋へと拡大しつづける怒濤のような流れのなかに、その周辺に位置する国々が飲みこまれていく。その節目に武士彠が誕生したのであった。

彼は、若いときから、目端《めはし》が利き、立ち回りがうまく、しかも出世欲が人並み以上につよい男であったようである。こんな話がある。

まだ名も知られない若かったころ、同郷の許文宝《きょぶんぽう》という者と、材木の売買にかかわった。彼はこのとき、たんに材木の売買を仲介するだけではなく、みずから木を数万本も植え、森林にまで育て、それらを売ることで、莫大な利益を手にしたという。

彼は、この大きく育った木々の下で、許文宝にうそぶいた。

「俺にはこれらの木のように、立派な働きをする能力がある。将来、きっと出世してやるぞ」

「君がそうであれば、ぼくは成長する樹木の陰で朽ち、肥やしとなる枯れ木だ。君の栄達のために力になろう」

許文宝はそういって、武士護に協力を誓い、一生行動をともにした、と。

武士護は、隋末になって、鷹揚府《ようようふ》隊正《たいせい》というポストにつけられた。鷹揚府は、唐の折衝府《せつしようふ》に相当する、府兵制における地方軍府のことで、隊正はそのなかの五十名の府兵からなる一隊の指揮官であった。煬帝は皇帝位を襲うと、全土に鷹揚府を配置し、府兵制の整備と兵力の増強をはかったが、その過程で地方の在地有力者層を軍府官としてとりこんだ。武士護もここにはじめて、権力の最末端に連なったのである。

武士護がかかわった鷹揚府は、幷州管内にあった。そしてその幷州に、隋の末、太原留守《りゆうしゆ》として赴任してきたのが李淵、のちの唐の高祖であった。隋の王室とも姻戚関係にあった李淵は、隋末の混乱が本格化しはじめたころ、北の守りを固めるべく、ここに派遣されたのであった。

留守とは、いわば皇帝の名代として、政治・軍事の両面からその要衝たる地域を統括する全権をゆだねられた存在である。それゆえ中央から一段と警戒される立場でもある。留守となった者がその地によって、勝手に独立する危険性をもつからである。煬帝とて当然そのことは念頭にあったが、動乱の拡大をおさえるために、姻戚とはいえ他姓である李淵のような大物を起用せざるをえないところまで追いこまれていた。

そのかわり、副留守に息のかかった者を置き、行動を逐一、監視する方法がとられた。太原（幷州）の場合でいえば、副留守に王威《おうい》と高君雅《こうくんが》が配されたことがそうである。武士護はこの微妙な緊張関係のあいだにたって、年来の栄達の夢にむけて動きだす。

武士護は、はじめから李淵直属の配下ではなかった。もともと李淵とは親交があり、近く

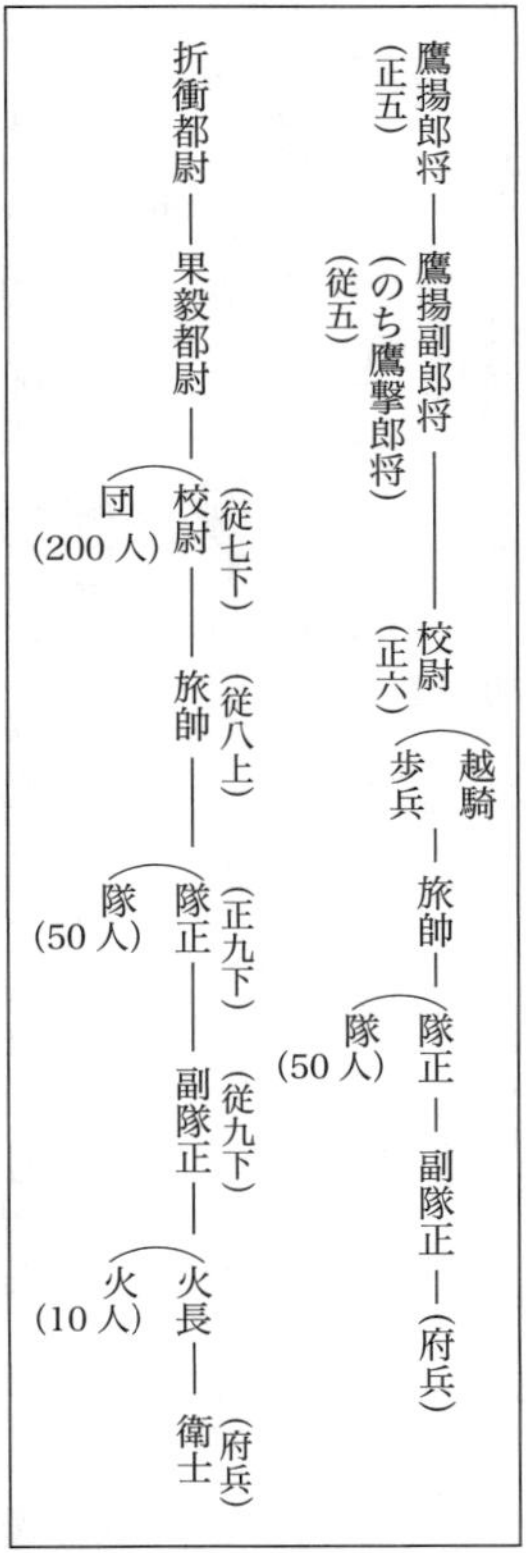

唐折衝府図（左）と隋煬帝期鷹揚府体制図（右）

にくれば家に立ち寄り、一晩酒をくみかわすほどの仲であったが、一方で王威らとも結びついていた。そのため、李淵の旗揚げ前夜の緊迫した場面において、両陣営から頼りにされる半面、警戒もされた。

彼はたかが知れた一介の軍府官にすぎなかった。その人間が大郡たる太原の地方官界で、本来の職務とはちがうところで動いている。それを可能にしたのは、木材商として蓄えた財力であった。彼にとって隊正とは、地方政界にくいこむひとつのとっかかりにすぎなかった。

そうした事情もあって、武士䕶は、李淵らの決起の密謀には加わることができなかった。結局、旗揚げには参加し、創業の功臣のひとりにあげられる働きをするが、やはり出遅れの感は拭いがたかった。彼はそれを挽回するべく、唐軍の長安入城の機をとらえ、つぎのように李淵にとりいろうとした。

「私めは、かつて夢で、貴殿が長安に入られ、天子の御位に昇られるのをみたことがあります」

李淵が天子となる将来を自分は予感していたという。李淵は笑いながら、これに応じた。

「何をいうか。お前はあのころ王威派ではなかったか。ただ、わしらのために、旗揚げの邪魔をする王威側の動きを抑えてくれた。その手柄に報い、官につけてやったではないか。事成ったこの期に及んで、よくもまあそんな見え透いた大言が吐けるものだ」

こういいながら、しかし李淵はけっして武士䕶を嫌っていたわけではない。身分がちがうとはいえ、ともに酒を飲んできた仲である。お互い、些事にこだわらぬ太っ腹のところが似ている。武士彠はまた、与えられた職務には忠実であり、策を弄し、巧妙に政界を泳ぎ回るほどの曲者ではない。それがゆえに、現にみえみえのお追従《ついしょう》をならべ、李淵に一蹴されるはめにもなったのであった。

武士彠は唐朝成立後、一時、中央で建設大臣に相当する工部尚書《こうぶしょうしょ》についたのち、揚州都督、利州都督、荊州《けいしゅう》都督といった地方長官を歴任し、貞観九（六三五）年、荊州（湖北）の任地で亡くなった。五十九歳であった。ちょうどそれに先だって、高祖李淵が逝った。武士彠はその訃報に接すると悲嘆のあまり病になり、最後は号哭《ごうこく》し、血を吐いて死んだという。

武士彠は李淵を頭にいただく集団の一員に身をおき、創業の功臣に加えられたが、その本流ではなかった。旗揚げ時のかかわり方もあるだろうが、やはりなんといっても、その出身による。文水県一帯の在地の有力者で、一定の財力をもつからといって、隋から唐初の官界で中心にたてるわけはない。唐室とその周辺を固める血統は、西魏・北周以来の流れをくむ名門、関隴集団系の者たちであり、そこからみれば、武士彠ごときはまったくの新参にすぎない。ただおもしろいのは、隋末の動乱のなかからこうした新参者が台頭し、唐の体制下で活動し成長する場をもったことである。この延長線上に則天武后は存在するのである。

李淵と武士彠がけっして悪い関係でなかったことは、つぎの一事によってもっとはっきりする。

武士彠は、武徳の初年、宮中警備をあずかる近衛軍《このえぐん》づめとなると、宮中に宿直し、家のこ

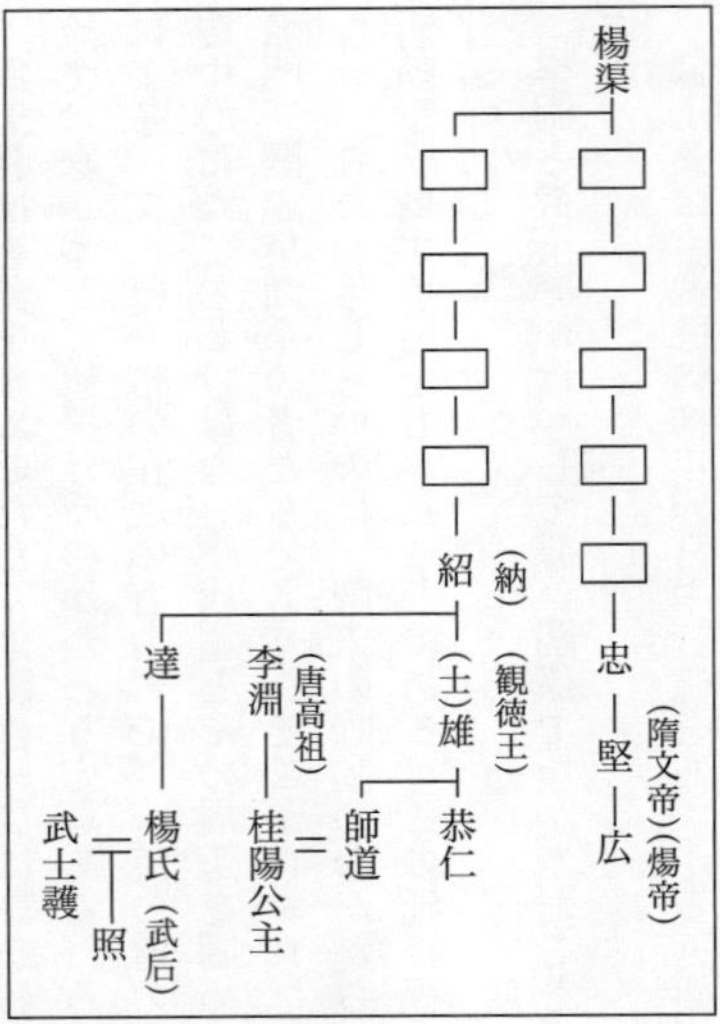

武后母楊氏系図

とはいっさい顧みない状態がつづいた。その間、幼子が死に、妻が病気になっても、休暇をとろうともしなかった。あげくには、長年連れ添ってきた妻を亡くしてしまった。

妻は相里《そうり》氏という。歴史上、その姓で名のとおった人物はでていない。并州付近の、武士護とほぼ似かよった家の出とみてよいだろう。二人の間には、夭折した子供とはべつに息子が二人あり、長男を元慶《げんけい》、次男を元爽《げんそう》といった。二人の結婚生活は二十年ほどにおよんだことだろう。

相里氏が死んで一年ほどたった、武徳三（六二〇）年のことである。李淵は武士護をよんでいった。

「朕は汝のために、いい女性を一人世話しよう。隋室に連なり、隋の納言《のうげん》（唐制の門下侍中）をつとめた楊達《ようたつ》の娘だ。貞淑にして聡明で、汝をよく助けてくれるはずだ」

李淵はそう告げると、婚礼いっさいは娘の桂陽公主《けいようこうしゅ》にまかせ、経費もすべて官費でとりおこなってやった。

楊達の家は、弘農華陰《こうのうかいん》の楊氏という漢族の名流であり、関隴系グループにふくまれるが、同じく弘農の楊氏を名乗る隋室とは、同族とはいえ血筋は異なっている。彼の兄は、隋前半の政治を動かした名臣にあげられる楊雄《ようゆう》（観徳王）であり、楊達も学問があり、温厚な人柄で、政治家としての技量にもまさっていた。

なぜ、桂陽公主が婚姻のいっさいをとりしきったのか。じつは、彼女は、先の夫を戦争で亡くしたのち、楊雄の息子の師道《しどう》に嫁いでいた。楊師道と楊達の娘とは、しがたって従兄弟《いとこ》の間柄となる。そうしたいきさつから桂陽公主は彼女の存在を知り、仲介の労をとることになったのである。

ただこの楊氏は、家庭の事情や隋末の動乱などがあって、婚期を逸してしまったのだろう、すでに四十二歳と、女としては年齢がいっていた。そのため、同年代の適当な条件のものをみつけ、一刻もはやく結びつける必要がある。武士彠にはこうして白羽の矢がたてられた。

この結婚は、武士彠にとってもけっしてまずい話ではなかった。田舎の名もない出のものが、かかる名流の末裔を妻にすることができる。それも皇帝の肝煎りで実現する。自分の働きが評価され、家格も名門と肩をならべるところにまでなったのだ、と感激したことだろう。彼はこの話を二つ返事で受けいれた。

当時、まだ貴族主義的風潮がつよくのこり、人びとの門閥《もんばつ》への関心は高かった。なかでも代表的な家柄とされたのが、いわゆる山東貴族といわれるもので、博陵《はくりょう》の崔《さい》氏、清河《せいが》の崔氏、太原《たいげん》の王氏、范陽《はんよう》の盧《ろ》氏、滎陽《けいよう》の鄭《てい》氏、趙郡《ちょうぐん》の李氏などである。のちに太宗は、こうした旧貴族たちの門地を唐室のもとに格づけるべく、「氏族志《しぞくし》」を編纂させたことがあるが、あにはからんや、できてきたのは博陵の崔民幹《さいみんかん》なる者を一位に置き、唐室の家柄たる隴西《ろうせい》の李氏は三位につけられるという内容であった。怒った太宗は、これをつき返して再編集させ、結局、唐室の李氏を一位にすえさせた。こうした顚末《てんまつ》に、唐初、なお社会的に門閥観念が根づよくのこっていたことがうかがわれるのである。

ともあれ、武士護は楊氏と結婚することで、門地の面からも、無名時代にいだいた栄達の夢を一歩実現させた。このとき、彼は四十四歳、新婚生活を始めるにはややとうがたった年齢であるが、それまでのような仕事一途をすて、落ち着いた日常生活にもどった。こうして、たてつづけに三人の娘をもうけることになった。

三人のうち、二人目は名を照という。いわずと知れたのちの則天武后である。姉の武氏は、賀蘭越石《がらんえつせき》に嫁ぎ、武后が宮中で実権をもつと、韓国夫人《かんこくふじん》の称号を与えられ、宮中で活動する。一方、妹は郭孝慎《かくこうしん》というものと結婚したが、体が弱く、子供をのこさず早世した。姉の韓国夫人も結局は不幸な死に方をする。三人の姉妹は、成人後は生き方を重ねあわせることができないまま、別れていくのである。

武骨者であった武士護にたいし、弘農の楊氏という深窓に生まれ育った楊氏は、色白の美人であった。それに似たのだろう、娘たちも美しく成長していった。父親はそうした彼女らの姿を目を細めて見守った。だが彼は、娘たちの行く末をみないまま、五十九歳で世を去った。遺体は故郷の文水県まで運ばれ、埋葬された。楊氏との結婚生活は十五年におよんだのであった。

武士彠は官界にかかわった最初、その押さえどころをまちがえる失敗をおかした。だがそれ以後は、ほぼ大過なく官僚生活を送り、中央の高官であれば去就が問われたはずの玄武門の変のさいも、地方にいて、深刻な対応の選択をまぬがれることができた。傍系の成り上がりの身である以上、本流の政治の中心にたつことは望むべくもなかったが、まずまず恵まれた一生であったとみてよいだろう。

だが彼は、死後においては、安心して眠ることが許されなかった。思いもかけず、かわいがっていた利発な次女の武照が皇后となり、あげくは新しい王朝までおこしてしまった。その変化にともなって、周国公《しゅうこくこう》、太原王《たいげんおう》と地位をあげられ、ついには皇帝位まで追贈され、東都につくられた国家の太廟《たいびょう》に祀られる身分にまでなったのであった。この激変に、地下の武士彠自身が一番驚いたのではなかったか。

九十二歳と長生きをした武士彠の妻楊氏こそ、生前、もっとも大きな環境の変化を体験した。皇后の、それも政治の実権をにぎった皇后の母として、王公の妻や母よりも高い地位と待遇が許され、代国《だいこく》夫人、そして栄国《えいこく》夫人の称号が与えられた。

本当の肉親が少なかった武后にとって、母楊氏は唯一、心のゆるせる相手であった。彼女は太宗の死後、次の高宗と関係ができた娘、武照の日陰の時期を、黙って支えた。武后が高宗の皇后になるべく画策していたとき、それを相談したのは楊氏であり、この娘の求めにこたえて長孫無忌の屋敷におもむき、辞を低くして頼みこんだのも彼女であった。

楊氏の家は熱心な仏教信者として知られ、楊氏自身も当然そうあったものとみられる。のちに武后が帝位につくにあたって、仏教を最大限利用した裏には、ひとつには母からの影響がはたらいていたのであろう。

武后と仏教とのかかわりは、彼女が権力をにぎるための手段にすぎなかった、という人がいる。だが、敬虔な仏教徒たる弘農楊氏の血筋、また仏教興隆につくした隋朝楊氏との関係から、武后当人はもともと仏教に帰依する心はあつかった、と認めてよいのではないか。

楊氏栄国夫人は、一度、スキャンダラスな話題をのこしているが、ここではふれない。彼女は咸亨《かんこう》元（六七〇）年に死ぬ。武后はその死に盛大な葬儀でこたえ、武士護の陵である昊《こう》陵《りょう》の横にわざわざ陵墓を築き埋葬した。これを順陵《じゅんりょう》という。順陵は今日、武后が高宗と合葬された乾陵《けんりょう》の南にひろがる平地に、まわりを畑にかこまれて、ひっそりとたたずんでいる。だが陵前に今ものこる石像の造りとその配置は、往時、彼女が破格の待遇をうけたことを伝えている。

第七章　武照、太宗の後宮へ

貞観十（六三六）年六月、太宗李世民は、長年連れ添ってきた皇后長孫氏をうしなった。三十六歳の彼女の短い一生は、夫太宗のためにすべてをささげた一生であった。太宗が玄武門の変に勝ち、また後世に名をのこす貞観の治を実現させ、名君としての誉れをあげることができたのも、その一半は長孫氏のおかげであったといって、けっしていいすぎではない。彼女は、太宗の助言者であり、行動の指針であり、そして妻としては女性の鑑であった。

したがって、長孫氏を亡くしたことは、太宗にとって非常な痛手であり、落胆は大きかった。だがその反面、彼は内心いいようもない解放感を味わっていた。なにかにつけて、皇后はどう思うだろうか、どう反応するだろうか、と無意識のうちに反芻してきた息苦しさ、堅苦しさから自由になれる。皇帝として十年、朕は、自分一人の意思と判断ですべてを決していける十分な実力をすでにつけている。これからは自分の思うとおりに行動しよう、彼はそう心に決めたのであった。

貞観十年を境に、太宗の政治の姿勢が変わった、と先にのべた。が、当然、それだけにとどまるものではない。妻としての長孫皇后の目を気にしなくてよくなった以上、女性にたいしても何遠慮なくふるまうことができるようになった。まして、太宗は女好きでとおった高祖の息子であり、年からいっても、ちょうど四十歳前後の精力さかんな時期であった。
そこで太宗は、高官の子女のなかから、美貌で、年恰好もちょうどよい娘たちを選抜し、後宮に入れることにした。かくして、のちの武后たる武照もその網にかかり、そのなかの一人として、宮中に入ることになったのである。それは、貞観十年の後半のときと考えられる。

十四歳で宮中に入った武照に与えられたのは、才人《さいじん》という地位であった。朝廷には、皇帝のもとに一品以下九品までに分かれた官僚制があり、百官がそのなかに配置されていたが、後宮にもそれと同様、皇后を頂点とする女官たちの機構が規定されていた。これらの女官を、内命婦《ないめいふ》といい、また内官《ないかん》とも内職《ないしょく》ともよぶ。制度としては、時の皇帝や皇后の意向で変えられることも多く、史料によって記述にちがいがあるが、ちなみに唐前期の形態とみなせるものを提示しておこう。

彼女たちには、それぞれ一応の職務が決められてはあったが、もちろん中心は、皇帝と皇后の身のまわりの世話をすることで、うまくいけば皇帝のお目にかない、夜伽《よとぎ》の場に出る幸運がひかえていた。彼女らはひたすらそれを期待して、美しく着飾り、たがいに妍《けん》を競い、激しく女同士の争いを繰り広げ、そして老いていったのである。

さて、武照に与えられた才人は、宮中ではけっして高い地位ではなかった。のちに彼女が高宗の寵愛をえてまずつけられたのが正二品《せいにひん》トップの昭儀《しょうぎ》、ついで正一品の夫人の上に立つ宸妃《しんひ》（彼女のためにとくに設けられた）に一時つき、皇后へとのぼるコースをたどる。それからみても、才人の前途は遼遠であった。女性としてまだ十分成熟するまでに至っていない彼女にとって、自分より上に、美しさを誇る女性たちが綺羅《きら》星のごとくならぶ宮中には、まだ出る幕はみつけだせなかった。

こんな話がのこされている。

ずっとのち、彼女が皇帝になっていたときのことである。目をかけてやった酷吏系の役人に、吉頊《きつぎょく》という男があった。彼はそれを鼻にかけ、武氏一族の者と争い、武后を怒らせた。そこで武后はすごみをきかせて彼にいったものである。

「朕が宮女として太宗陛下のもとに仕えていたとき、陛下に師《し》（獅）子驄《しそう》という葦毛《あしげ》の馬がいた。じゃじゃ馬で誰も手がつけられたものでない。それを見て、朕はいってやった。『私に三つの品を用意して下されば、この馬をおとなしくさせてみせます。鉄の鞭と鉄の杖、それに匕首《あいくち》です。まず鉄の鞭でたたきます。それでいうことを聞かなければ、鉄の杖でその首

正一品	正二品	正三品	正四品	正五品	正六品	正七品	正八品
夫人4員 （貴妃・淑妃・徳妃・賢妃）	嬪9員（6員） （昭儀・昭容・昭媛・修儀・修容・修媛・充儀・充容・充媛）	婕妤9員	美人9員	才人9員	宝林27員	御女27員	采女27員

内命婦系統図

をたたき、それでもいうことを聞かなければ、匕首で喉元をかっきってやります』と。太宗陛下は朕の意気を壮としてくれた。どうじゃ、朕の匕首でお前にそれをみせてやろうか」

　これを聞いて、吉頊は真っ青になり、床にはいつくばって命乞いをしたという。はたして彼女が、太宗の前でそんな過激な言辞を吐けたか、やや疑問もないわけではないが、ただ、後世の武后の姿とかさねあわせるなら、それに近い情景があったとする方が、いかにももっともらしく、おもしろい。

　それにかかわって、またつぎのような事件があった。やはり太宗の世のこと、

——唐三代の後、女主の武王が天下をにぎるだろう。

という予言がどこからともなく流れた。太宗はこっそり占い師の李淳風《りじゅんぷう》をよんでたずねた。彼はこう答えた。

「占いますところ、その兆候はすでに現れております。当の人物は、陛下の宮中におり、三十年をたたずに天下を掌中にし、唐室の子孫を殺しつくすにちがいありません」

「では、疑わしい者を片っ端から殺し、事前にその芽をつんでしまってはどうじゃ」。太宗はせきこんで聞いた。

「それは無理というものです。天の命じ賜うところ、それを避ける手だてはないのです。かりに殺そうとしても、無辜《むこ》なる者に手をかけるだけで、肝心の当人は死にません。その者はすでに陛下の身内におさまっております。権力の座について三十年後、彼女は年老い、慈悲の情によって、陛下のご子孫の一部は生き延びます。かりに今それを殺したならば、代わり

のもっと若く残虐な者が現れ、かならずや陛下のご子孫を徹底的に根絶やしにするはめになるでしょう」

これからおこる将来をここまで正確にいいあてることは、いかが李淳風であっても、そうできるものではない。かといって、まったく後代の捏造《ねつぞう》と断じてしまうのもむずかしい。

話の場面は、太宗朝の末年の、代替わりを控えたころ、となっている。中国では、往々にしてこのような時期、世の不安をさそう不思議な予言や童謡がいずこからともなく流される。まして強大な力と個性で君臨した太宗にかわり、柔弱で心もとない皇太子の李治が跡を継ぐ、という。いったい唐はどうなるのか、そう考える人びとのあいだに、さまざまな流言飛語がささやかれてもおかしくはない。右の話も、そうしたなかの一つとみる考え方ものこされるのである。

太宗の後宮における武才人は、右の話があったかは別にして、影のうすい存在であったことは確かである。太宗は、知られているところで、男子を十四人、女子を二十一人ももうけた精力家であった。一方、武后はのち高宗とのあいだに、男子四人と女子二人の六人を産んだ。子沢山系に属する。その彼女が才人時代には妊娠する兆しをみせなかった。太宗は、彼女をそばに近づけることはなかったとみるしかない。

貞観二十三（六四九）年を迎えた。この年のはじめごろから、太宗は体調をくずし、床に伏せることが多くなった。五十二歳になっていた。

まだ老けこむには早い年齢ではあったが、若いときから、戦場をかけめぐり、権力闘争にしのぎをけずり、帝位にのぼってからは、山積する内外の問題処理に多忙をきわめ、一刻として休む間もなく生きてきた。そうして蓄積された無理が、心身をむしばみ、ついにここにきてどっと噴きだし、起きられなくなった。そして五月、皇太子以下の身内の者や高官たちにみとられながら、静かに息をひきとった。

太宗が病床に伏せってからは、皇太子李治は、太宗の床に詰めっきりで、一心に看病にあたった。太宗は喜び、安堵した。彼を皇太子にするにあたってはいろいろと思い悩み、決まってからも躊躇《ちゅうちょ》はしたが、しかしその選択はまちがっていなかった、太宗は心底そう感じた。

あとは自分亡きあと、李治の体制がスムーズに確立されるよう布石をうっておくことである。そのためにと、太宗は病床から最後の命令をくだした。李勣《りせき》を、宰相たる同中書門下三品《どうちゅうしょもんかさんぴん》のポストから、辺境の畳州《じょうしゅう》(甘粛)都督に左遷することである。

李勣はもとは徐世勣《じょせいせき》という。隋末の群盗から太宗の配下に加わり、国内の統一戦争や北方民族などとの対外戦に目覚ましい働きをし、唐室の李姓が与えられた(名前の世勣の世は、太宗の名前の世民と重なるために避け、ふつう李勣とよぶ)。そして、武将としての輝かしい実績と太宗とのつながりを背景に、軍事全体ににらみをきかす立場を築きあげていた。

こんなエピソードがある。あるとき、李勣が急病にかかった。医者のみたてによると、人の鬚《ひげ》を燃やした灰がそれに一番効くとのこと。これを聞いた太宗は、さっそく自分の鬚を切り、薬に調合して飲ませてやった。後日これを知って李勣が、感涙にむせび心から礼をいうと、太宗はこう答えた。

「朕は国家のために計らったまでだ。そんなに恐縮し感謝されては困る」

これほどの信頼関係でむすばれていた彼を突如、地方に出したのには、太宗一流の考えがあった。自分の死後、李治が軍事面で依拠しなければならない人物は、李勣をおいて他にない。だが李治と李勣のあいだには、なんらの恩義関係もできていない。そこで、いったん李勣を地方に左遷し、自分が死んだのち、新皇帝となった李治の命で彼を中央によびもどすことにする。そうすれば李勣は新帝に恩義を感じ、心から支えてくれるだろう、と。

もともと中国の軍人というものは、自分の主将や地縁血縁などによる個人的な結びつきにもとづいて行動する性向がつよい。これは時として、正規の指揮系統よりも個別の人間関係が優先する弊害をよぶ。歴史上、軍閥政権をうみだす温床になったのもそれであり、今日中国の人民解放軍でもそれから完全に脱却はできていない。太宗は李勣とのあいだに培われたそうした人間関係を、息子と李勣とのあいだで改めて構築させたいと願ったのである。政務全体の責任は長孫無忌が負い、軍事面の柱に李勣があたる、そうすればちょうど車の両輪のごとく、李治の体制はどこまでも安泰である、太宗の構想はこうであった。

李勣はこの辞令をうけると、即刻、家にもよらず出立した。大官たる自分が、理由もはっきり告げられないまま急に地方に出される、それは李勣のプライドを傷つけずにはおかなかったが、一方で彼は、自分が試されていることも理解した。太宗が病に臥《ふ》せ、だれの目にも先があまり長くないとみえた緊迫したこの時期、軍事権に影響力をもつ自分の去就、そして忠義心に注目が集まっている。いまここでぐずぐず赴任を遅らせるならば、国に二心があるとの疑念をまねくのは必定である。それは絶対に避けなければならない、彼はそう考えた。

実際、太宗は、李勣を地方に出すにあたって、ひそかに命じていた。

「あの者がもしぐずぐずと様子見する素振りをみせたら、信用できない。殺してしまえ」

太宗はこの年の五月に崩じ、六月一日、高宗が即位した。その最初にしたことが、李勣を中央にもどす命令であった。かくして、太宗が構想したとおりの、長孫無忌と李勣との二頭だてによる政治体制ができあがった。だが太宗には誤算があった。高宗とのあいだに新たな恩義の関係を結び直させようとうった手が、李勣の心にふかい不信の念を植えつけてしまったことである。

李勣はおよそ一ヵ月ほどで中央に復帰できた。それはそれで高宗に感謝の念を示したが、しかし自分はどこまで信用されているのか、一心に太宗に仕えてきたその結果が、あのような自分をためす処置となった。結局、自分は関隴系の支配集団からはずれた存在として、警戒の目でしかみられていないのではないか、という無念さであった。彼の心には、こうした思いがわだかまりとしてのこり、以後、言動には慎重となり、冷めた目で政務にあたる姿勢へとかわったのである。

太宗が危篤におちいったとき、武照は後宮の女官の一人として、身のまわりの世話にあたった。宮中生活十三年の彼女は、しかしまだ二十代の半ば、容色はいよいよこれから輝きをますという時期にあり、女性たちのなかでその存在はひときわ目についた。それに、病床にある太宗を慮《おもんぱか》って、化粧を薄くし、地味な衣装に身をつつみ、悲しみにうち沈んだ表情をつくると、ふだんの華やかさとはちがった清楚な美しさがあらわれた。

彼女は自問していた。これまでの自分の人生はいったい何だったのか。太宗の死によって、あとは世間から隔絶され、ひとり朽ちはてるのを待つだけなのか。それだけではあまりにも哀れすぎる。自分なりの栄達を夢見て入った宮中で、夢は何ひとつかなえられないまま終わるのなんて、とてもくやしい。勝ち気な彼女の心は、あせりと絶望のはざまで大きく揺れていた。

その彼女の目にとまったのが、日々、父太宗の看病のために詰めている皇太子の李治であった。通常は女たちと去勢された宦官《かんがん》だけで、男といえば太宗しかいないこの奥向きに、若い皇太子が出向き、片時も枕元からはなれず看病する。当然、太宗の女たちと接する。武照はその機会をとらえ、自分の存在を彼の心に刻みこませるべく腐心した。彼女にしてみれば、まさに将来を決める最後で唯一の賭けであった。

李治はまだ若く、世間知らずである。それに母をはやくに亡くしている。成熟した美しさとやさしい仕草、なにげない気遣いによって、武照が彼の心を占領するまでにそれほど時間はかからなかった。だが、重篤の父の枕辺である。それに彼女は父の女であって、手を出すことはご法度である。彼は一心に父皇帝を看病する態度をとりながら、武照と無言であつい視線をかわすしかなかった。

ところで、高宗李治と武照がどのような経緯で、どこで結ばれたのか、はっきりしない点が多い。筆者は、両人の結びついた発端を、このように太宗が死を目前にした枕辺のことと理解するが、これまでの解釈では、むしろそれよりあとの段階に力点をおいてきた。太宗が崩じたのち、尼となって太宗の位牌を守っていた感業寺《かんごうじ》《かんぎょうじ》という寺で、たまたま命日の供養に訪れた高宗とめぐりあい、関係ができ、それを縁に還俗することになった、と。

しかしこの筋書きには、いくつかの疑問がある。まず、感業寺である。この寺はいったいどこにあったのか。太宗の後宮の女官たちを尼として受け入れ、位牌を守らせるほどの寺である。さぞかし由緒正しい大寺か名刹であろうと考えられるのに、あにはからんや、その所在地すらはっきりしないのである。おそらく長安中央部の安業坊《あんぎょうぼう》にあった済度《さいど》尼寺《にじ》あるいは安業寺というものがそれであろうといわれるが、いまひとつ確実なところはわからない。いったい、太宗にかかわる寺にして、そんな不確かなことがありえるのだろうか。

百歩ゆずって、感業寺が安業坊にあったとして、では太宗の霊を祀る菩提寺《ぼだいじ》がそれであったのだろうか。しかし、そんな唐の菩提寺をめぐる話は他に聞いたことはない。そもそも唐朝は、公式には仏教よりも道教の信奉（道先仏後《どうせんぶつご》）であり、この立場により忠実であったのが太宗その人であった。まして各王朝には、歴代の皇帝を祀る太廟《たいびょう》（宗廟）があり、特定の菩提寺を設定する意味はなかったのである。

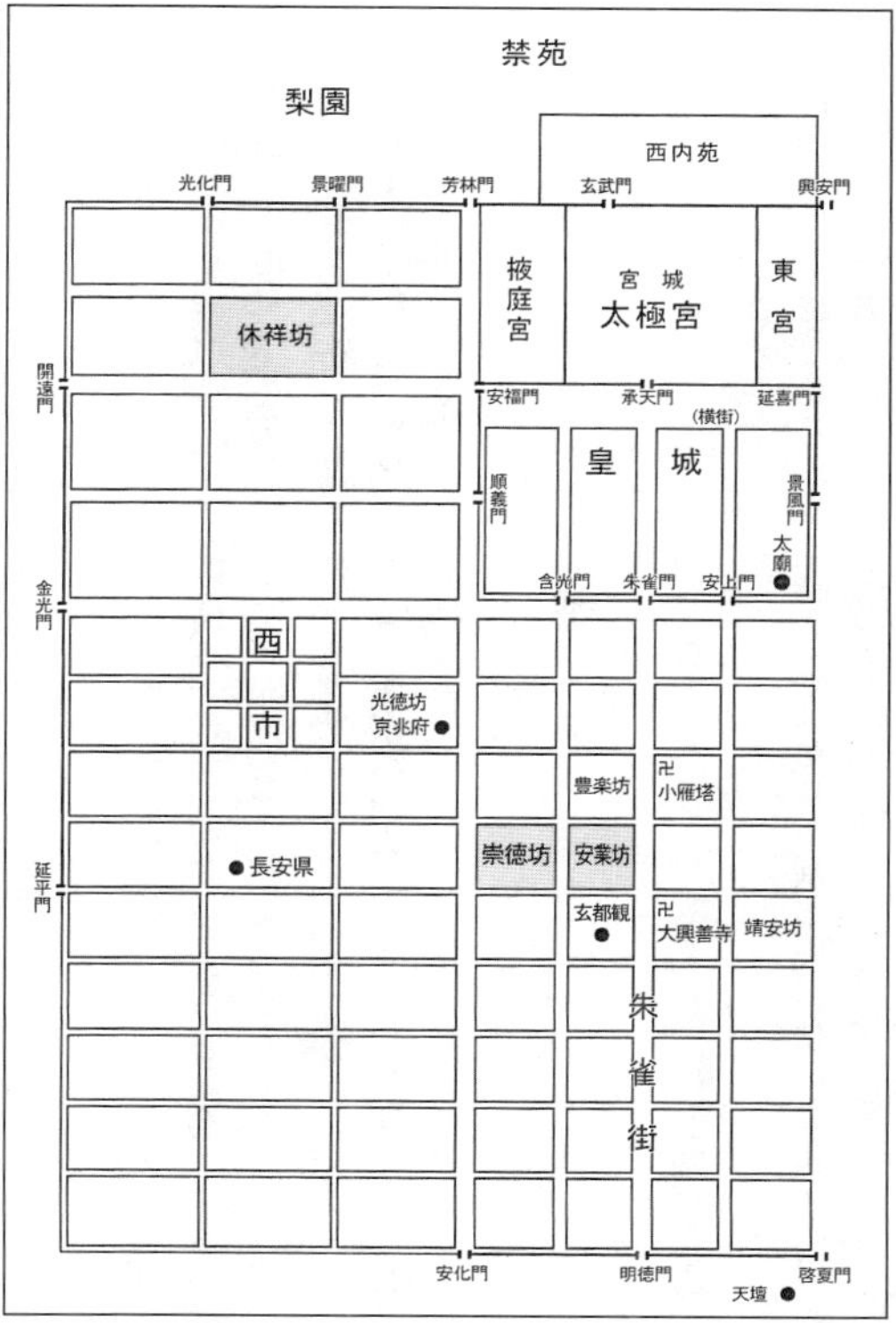

唐長安感業寺関係図（西半分）

加えて、皇帝が死ぬと、仕えていた後宮の女官たちはみな、剃髪《ていはつ》して仏門に入ったという。はたしてそうなのか。自分から望んで出家するならともかく、全員にそれを強制する制度なり慣行になっていたとは、やはり寡聞にして知らない。むしろ、彼女たちはそのまま宮中にとどまり、もちろん再婚もゆるされず、老いさらばえていくのを待つのがふつうではなかったのだろうか。

とするならば、従来ひろく人口に膾炙《かいしゃ》してきた筋書き、つまり太宗の死↓感業寺で出家↓高宗との邂逅《かいこう》↓還俗、という展開に、一定の変更を加える必要が生ずるのは避けられない。武照が宮中に再登場するのは、高宗が即位して五年たった永徽《えいき》五（六五四）年のころとされている。年代の設定に信頼度が高い司馬光の『資治通鑑』が、同年の三月のところにその記事を入れているからである。だがこの記事の内容は、非常に曖昧で、それまでのおよそ五年間の空白を具体的には埋めてはくれない。

ここに一つ注目しておいてよいことがある。高宗と武照とが結ばれてできた最初の子が、のち皇太子となる李弘《りこう》であるが、彼は上元《じょうげん》二（六七五）年に二十四歳の若さで死んだとされる点から逆算すると、生まれたのが永徽三（六五二）年になるという事実である。ここからいえば、二人はすくなくとも前年、ないしはそれ以前から肉体的関係があったことになるだろう。

話はやや横道にそれるが、当時の長安を知る基本史料に、北宋・宋敏求《そうびんきゅう》が撰した『長安志』という書物がある。そこには感業寺の名はどこにも登場しない。ただ安業坊とその西隣りの崇徳坊のところで、太宗が亡くなった貞観二十三（六四九）年から翌永徽元（六五〇）年にかけて、なぜかにわかに〝寺が動く〟一連の記事があらわれる。ここでいう寺が動くとは建物の移動ではなく、既存の建物の名を他所から、あるいは他所に移しかえる、つまり寺名（寺額）の変更である。そしてその動きは、どうしたことか大分離れた休祥坊へと飛び火した。

休祥坊は長安の西北で、宮城にほど近い場所にある。そこには隋代にできた慈和寺という小さな尼寺があったが、突如ここに崇徳坊にあった道徳寺の寺額が移された。道徳寺はもと隋の煬帝の勅命でできた由緒正しい尼寺である。なぜこのような小寺に道徳寺という大寺をもってきたか。考えられる理由はひとつ、休祥坊内に、武照の母方の祖父、楊恭仁《ようきょうじん》の旧邸があったこと、そして貞観二十三年当時、おそらく武照の母楊氏に継がれていただろうことである。一説では、道徳寺を移したのがその旧邸であったともいわれる。この理由が認められるとすると、楊氏旧邸を介しての道徳寺の移動の背後に、武照の影を意識せざるをえなくなる。

その結果、次のような筋道が考え出される。まず貞観二十三年の太宗の死に端を発する一連の寺院移動の措置、その本命は武照の母方の実家がある休祥坊へ道徳寺を移すことにあった。それは高宗による、武照ら太宗朝の女官を道徳寺という名刹に「出家させる」ことを名目とした措置であった。だが当の武照は、実際は出家せず、同坊内の母の里に身を寄せ、密かに高宗と逢瀬を重ねた、と。休祥坊の楊邸と宮中とは、人知れず逢うには絶好の近さと環境にあった。

かくして筆者は、高宗と武照の二人のいわゆる五年間をおよそつぎのように考える。

高宗は父太宗の病床で、武照という父の後宮の女のひとりを見初めた。それは道徳上絶対にゆるされない行為である。だが、彼は彼女に夢中になってしまった。そこで、太宗の死後、武照が父の女であったという過去を清算するために、形の上で尼として出家させた。その場所が休祥坊の道徳寺となる。いわばこれは、のちに玄宗が、自分の息子の嫁であった楊《よう》貴妃《きひ》を奪って自分のものにするために、いったん道教の女道士として出家させ、あらためて宮中に入れた、という有名な話と重なる。高宗と玄宗、両者は祖父と孫という関係にある。

したがって、彼女は寺に身を置く形をとりながら剃髪はしていない。そして高宗は、寺に詣るという口実のもと楊家でたびたび密会を重ねるうちに、彼女は身ごもった。これを機に、ひそかに宮中に身を移されることになったのではないか。だがそれでもまだ、彼女は日陰の身であることに変わりはない。高宗からみて父の女であったという履歴は、簡単にぬぐいされるものではない。彼らの行為は反倫理的であり、儒教観念のつよい当時にあって、社会的に認知されることはない。彼女は高宗の支えを唯一のたよりに、その苦境をじっと歯をくいしばって耐えた。こうしてついに、永徽五年の再登場の時期を迎えたのであった。

最後に、では「感業寺」とはいったい何であったのか。通説として「太宗の死↓感業寺で出家↓高宗との邂逅↓還俗」の筋書きができていながら、なぜ所在はつねに曖昧であるのか。そこでこの筋書きを武照本人と重ねてみると、彼女の立場は、運命に翻弄された受け身の存在、みずから選んで人倫にはずれる道に踏み出したのではない、という一つの主張に結びつく。見方をかえれば、この流れの主体が高宗の側にあったこともそれは印象づける。とすれば、この通説としての筋書きは、武照の側から出た過去の清算と正当化のために用意

（作為）されたものとなるだろう。

武后は高宗亡きあと、本格的に女帝への道を動き始める。そのさい問われるのが、なぜ彼女がここにいるのか、その理由と意味である。それをいうために、右の筋書きが周到に準備され、時代史にさりげなく埋め込まれたのではなかったか。おそらくそれを背後で作成し定置させる作業に関わったのは、彼女のブレーン集団となる「北門学士《ほくもんがくし》」（後述）であったろう。であれば感業寺という名は、話に真実味を増すために必要であっても、具体性や実在性などの諸点は問題の本質にはならないのである。

感業寺とそれにまつわる物語は、武后による歴史の塗り替えの所産ではなかったか、それが今、筆者が考えるひとつの結論である。

第八章　高宗朝の女の争い

それは、皇帝の心をつなぎとめようとする二人の女の激しい嫉妬からはじまった。まず、その二人のことから話をしよう。

太宗の第九子にして、棚ぼた式に帝位をつぐことになった高宗には、太宗の生前に進むべき路線がきめられていた。それは、皇后となるべき女性についても同様であった。

彼女は王氏という。父は王仁祐《おうじんゆう》（仁裕）といい、官界では目立つ存在ではなかったが、家柄は太原の王氏という第一級の名門であった。それに祖父の王思政《おうしせい》は西魏に仕え、ライバル東魏との最前線で激しい攻防をくりかえし、最後に万策つきて東魏に捕われの身となった、忠義にあつい硬骨《こうこつ》の士であった。王思政は結局、北斉で死ぬが、しかし西魏、そして北周では、彼の節を守って戦った行動をたかく評価し、のこされたその一族を丁重にあつかった。漢族の一流貴族の血をひくことにくわえ、関隴集団系に属するのが、この王氏であった。

王皇后の母は柳《りゅう》氏という。こちらの家も河東解《かとうかい》の柳氏といい、太原の王氏とは肩をならべる名族であった。柳氏の父は柳奭《りゅうせき》で、貞観中、中書舎人《ちゅうしょしゃじん》という中書省の中堅官員であったところ、外孫の王氏が太宗の第九子の李治に嫁いだ。そして皇太子妃、皇后にとかわるのにともない、彼も中書令という中書省の長官にまで抜擢されたのであった（一説には柳奭を王后の母柳氏の兄弟とする）。

王氏は性格のおっとりした、顔形の美しい娘として成長した。それをみて晋王の妃にどうかと太宗に紹介したのが、同安長公主《どうあんちょうこうしゅ》という人物である。この女性は、王氏の父の従兄弟、王裕《おうゆう》のつれあいにして、初代皇帝高祖の実の妹であった。太宗はこの叔母を日ごろから大切に遇し、病気になれば、自分からわざわざ出向き見舞うほどであった。

この叔母の口利きである。それに家柄も申し分がなく、深窓の育ちらしい容姿と気立てをしている。太宗は一も二もなく了承した。関隴系の人間ということで、重臣の長孫無忌らに異存がなかったこともいうまでもない。

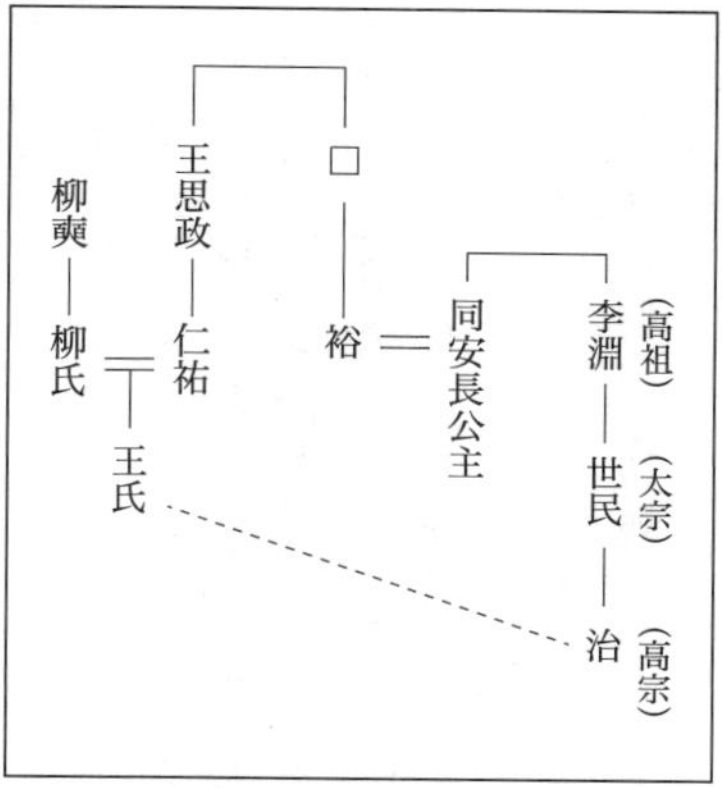

王后略系図

王氏はそうして皇后にのぼった。そのまま順調にいけば、周囲から慕われる幸せな一生を送れたはずである。だが、そうはならなかった。彼女をして不幸な末路をたどらせたものは、なによりも彼女が子供、それも跡継ぎの男子を生めなかったことにある。この一点が彼女の人生を狂わせた。

男こそが家の血の正統をつぐことができる。いくら女子がいても、男子がいなければ家の血統が途絶える。そうなれば、先祖の霊魂を祀ることができなくなる。最大の不孝とは、まさにこのことであり、子なきは去らなければならない。王氏はこの現実に恐れおののいた。

晋王李治が皇太子になったとき、太宗は、良家の子女を選抜して、皇太子の住む東宮に入れた。李治はもともと病弱で、あまり女たちと接触することを好まず、いったんは辞退したが、結局、押しきられたのであった。そして、たてつづけに男児をもうけ、一応面目をほどこすことができた。

李治の第一子は、劉氏という女性とのあいだにできた子で、忠《ちゅう》と名づけられた。この子が生まれたとき、李治は東宮の侍従たちと祝いの宴席をもった。それを聞きつけた太宗が、わざわざ東宮に駆けつけ、

「この子は朕にとって初孫じゃ。とてもうれしい。今日はお前たちとともに楽しみを分かちあおうぞ」

とたいそうな喜びようであった。その日の東宮での宴会は盛りあがり、皇帝みずから立ちあがって舞いはじめ、臣下たちもそのあとにつづき、一日歓をつくしたのであった。

同じころ、東宮に入った良家の子女のひとりに、蕭《しょう》氏という女性がいた。彼女の出自は明らかでないが、その姓から推して、南朝の梁《りょう》の王室の血をひくものかと考えられる。そうした南朝系の出身のせいもあってか、色白でほっそりとした体つきをし、北の女性たちが往々みせる粗野な振る舞いはなく、高い教養も備えていた。

この蕭氏を高宗は、皇太子時代から愛し、そこで生まれたのが、高宗にとって第四子にあたる素節《そせつ》であった。彼は生まれながら頭がよく、十歳前にしてすでに古詩賦《こしふ》を日に五百句以上もそらんじた。また文章家と名高かった徐斉聃《じょせいたん》に師事して、勉学にはげみ、飽くことを知らなかったという。その熱心な勉強ぶりに、高宗はことのほか喜んだ。

おそらく素節のもって生まれたこの資質は、母親側の血統からきているものであろう。いったい皇子たちは、一定の年齢に達すると、それぞれ高名な先生について書物を学ぶことになっているが、素節ほど頭がよく、学問好きなものはそうはいない。したがってそれだけ目立った。蕭氏はそれを自慢におもい、また高宗の寵愛をよいことに、皇后王氏をもないがしろにすることが多かった。

王氏と蕭氏の激しい女の確執は、このような背景のもとに繰りひろげられた。高宗が即位すると、後宮の女官のうちで最高位の淑妃《しゅくひ》が与えられた。皇后につぐ地位である。蕭氏は、皇后であり、関隴系集団を背景にもつ正統な立場にありながら、子供を産むことができなかった王氏にとって、蕭淑妃の存在は脅威そのものであった。いつかとって代わられるかもしれない、彼女はそうおそれた。

唐という王朝にあって、皇后の地位と権威はそれほど安定したものではなかった。皇帝の気持ちの変化や周囲の状況によって、首をすげかえられる可能性は多分にあったのである。またそれにも関係するが、皇后という存在は、常時置かれたわけでもなかった。初代の高祖は帝位にいるあいだ、皇后にあたるものはなく、長孫皇后が死んだのちの太宗の後半期も、やはり皇后はいなかった。玄宗の場合は、彼自身、皇后にあげてもよいと考えた武恵妃《ぶけいひ》や楊貴妃がありながら、結局、そのままで終わっている。

皇帝は万民の父、そして皇后は万民の母、とよくいわれる。ここから、皇后の地位はそれだけ重く、簡単に換えたり埋めたりはできない、という考え方が出されるが、反面、空席のままでも一向に困らない現実もあったのである。当時における皇后たるものの不安定さは、やはりこの王朝の特質、それに時代の風潮と無縁ではないだろう。

すでに述べたごとく、そもそも唐は、純粋な漢民族がたてた王朝ではない。そこに流れる北族的影響もあって、儒教的な男女の倫理観にきつくしばられることもなく、女たちも自己の意志を表に出し、活発に動く傾向がつよかった。後宮こそは、そうした女たちの嫉妬、思惑、策謀、そして権力欲がぶつかりあう世界であり、皇后とてそこから超然とすることは許されなかったのである。

蕭淑妃が皇子素節の存在と高宗の寵愛とによって、後宮で日々勢力をのばしてくる。王皇后側はあせり、どうしたものかあれこれ思案した。王氏の相談にのったのは、母の柳氏とその父柳奭であった。そこで手をうったのが、高宗の長男で劉氏が産んだ李忠を、王氏の子として皇太子にすえることであった。劉氏という女性についてはよくわからないが、とりたてていうべき家柄や背後関係もなく、おとなしい性格であったのだろう。だまって王氏のやり方にしたがった。高宗が即位して三年たった、永徽三（六五二）年の七月のことであった。李忠はこのとき十歳になっていた。

王皇后側の必死の画策によって、皇太子がきまり、王氏が母として後見することになったが、しかしこれで王氏の立場が安定したわけでない。蕭氏の側は、臥所《ふしど》で高宗と睦みあうおりごとに、つよい調子で懇願した。

「素節は陛下に似て、とても頭がよく、心根のやさしい子供です。皇太子にはこの子が一番適しております」

「わかっておる、よく考えておこう」

高宗はそう聞き流しながら、気持ちは蕭氏と同じく、素節を皇太子につける方向に傾いていった。

高宗は病弱なうえに、気の弱い男であった。こうした男ほど、つよい女性にひかれがちである。武照がその典型であるが、この蕭淑妃もまたその部類に入る。高宗は、頭では長男の忠が皇太子でよいではないかとおもっていながら、蕭氏の前に出ると、自分の考えを主張できず、反対に蕭氏にまるめこまれる始末であった。

皇太子を劉氏の子の忠にすることで地位の安泰をはかった王皇后であったが、これでも万全でないことがすぐはっきりした。高宗は相変わらずの優柔不断さである。王氏と会うことを避け、蕭氏の宮殿に足繁くかよう。そのうち、「雍王《ようおう》の素節様はとても賢い。お世継ぎにはうってつけだ。陛下もそのお気持ちだ」といった風評が、蕭氏側からしきりと流される。王氏はいよいよ追いこまれていった。

王皇后は思案をつづけた。顔はやつれ青白く、目だけが血走っている。この事態を逆転させるには、なんとしてでも、あの憎い蕭氏から高宗の目をそらさせねばならない。それにはどうしたらよいか。彼女の思考はそこをぐるぐるめぐり、異常にふくらんでいき、やがてある一点でとまった。

「そうだ、毒をもって毒を制するのだ。それには……」

宮中で王皇后と蕭淑妃とが激しくしのぎを削っているころ、またひとりの女性が、人目を避けるようにして後宮の門をくぐった。その正体は、皇帝をのぞいては、皇后と宮中の侍女らごく一部の者しか知らされていない。彼女はすでに身籠っていた。彼女とは武照その人であった。

永徽三（六五二）年、彼女は無事、男児を出産した。その子は名を弘《こう》とつけられた。この出産を境に、その存在は知られるようになったが、やはり日陰の身であることに変わりはなかった。口さがない女たちは、彼女の過去をあれこれあげつらい、好奇の目をむけた。だが彼女はそれを知ってか知らずか、だれにも腰低く応対し、皇帝から下賜の品があれば侍女たちに気前よく分けあたえ、いつしか好い評判をひろげていた。

武照には正二品の昭儀という地位があたえられた。太宗のもとでは才人（正五品）であったから、女として大きな出世である。だが彼女にとって、それが満足できるものでなかったことはいうまでもない。その上には、当時高宗の寵愛を独り占めしていた蕭淑妃がおり、王皇后がいた。彼女はじっと宮中の様子をうかがい、高宗には心から仕える形をとり、目立たないようにして時期を待った。

この武照の存在をいちはやく知ったのは、王皇后であった。高宗がときおりお忍びで宮城からでていく。調べてみると、休祥坊で武氏という女性と密会している、しかもその女性たるや、かつて太宗のもとにいた才人であるという。驚いたが、どうするわけにもいかない。のちに武照が後宮に入るにさいし、奥向きをあずかる王皇后に相談があったが、彼女はそれに黙ってしたがった。

蕭淑妃との女の戦いに疲れはて、精神が不安定になっていた王氏は、そこではたと武照と高宗のことに行き着いたのであった。武照には、太宗の後宮に身を置き、息子の高宗とつうじたという大きな負い目がある。それもあってか、皇后にたいしどこまでも遜《へりくだ》り、柔順さを示している。高宗も彼女と会うときは、まわりの目を気にしながら出かけるが、その素振りから逢瀬を楽しみにしているのがみてとれる。「そうだ、この女を蕭淑妃にぶつけよう」、王氏の心はそこで妖しく揺れた。

「陛下ともあろうお方、武昭儀と逢われるのに、なぜそんなに気遣いなさるのですか。私はかまいませんから、どうぞ堂々とお通いになられてはいかがでしょう」

王氏はこういって、高宗の武照がよいを暗に勧めたのであった。これによって、高宗をまず蕭氏からひき離す、たとえ武照に高宗の目がむいても、過去の経歴から、彼女は王氏に感謝こそすれ、蕭氏のような勝手な振る舞いはできないはずだ、となれば必然的に皇后の権威が高まり、安定する。王氏なりに、精一杯の頭をつかってはじきだした目算であった。

だが、皇后は知らなかった。目先のことにとらわれるあまり、武照という女性のもつ激しさ、すごさ、したたかさを。武照は事態がこのように展開してくることを、表面上何事もないようなふりをしつつ、じっと目をこらして待っていた。そのために、高宗の身も心もつかみ、皇后には下手に出てすっかり信用させてあった。所詮、王皇后にせよ、蕭淑妃にせよ、武照にかなう相手ではなかった。

皇后から正式な認知をうけた武昭儀は、皇后の期待するとおり、高宗を自分の側に完全に籠絡させることにつとめた。齢三十、その熟れきった豊満な肉体と巧みな技巧、それに母親のような強さとやさしさ、それらを兼ねそなえた者は、後宮の女たちにはほかにいない。高宗は彼女にすっかりまいってしまった。それに皇后のお墨付きも得てある。なに遠慮することなく足を運ぶことができる。彼が武照のもとに入り浸り、他の女たちに目もくれなくなるのには、それほど時間はかからなかった。

このようになって驚きあわてふためいたのが、もちろん蕭氏である。寵愛を独り占めしているのと安心しきっていたところ、突然、高宗が来なくなってしまった。そこで彼女は、それが武昭儀なる者によることをはじめて知った。

「聞くところによると、太宗陛下の後宮にいて、出身もあまりよくはないという。そんなものに陛下がぞっこんになるとはなんとしたことか」

彼女は嫉妬に燃えたが、皇帝のことであり、いかんともできない。やむなく王皇后に泣きついた。

王氏もじつはまいっていた。高宗がこれほど武昭儀にのめりこんでしまうとは、予想だにしなかった。それまで皇后に柔順な態度をとっていたのに、掌《てのひら》をかえすようによそよそしくなっている。目論みどおり、蕭氏から高宗をひきはがすことには成功したが、今度は蕭氏のとき以上にややこしくなりそうだ、と直感していた。先頃まで角つきあわせていた二人は、ここで一転して共同戦線をはり、高宗にたいし口々に武照を非難した。

だが時すでに遅し。高宗はがっちり武照の側にとりこまれていて、彼女らの訴えに耳を貸さない。それのみか、逆に彼女らの方が浮き上がり、ますます不利な状態に追いこまれていく。宮中のなかには武照が培ってきた女官たちの情報網があり、王氏らの動静は逐一、武照に伝わり、その口から高宗の耳に吹きこまれていく。王氏や蕭氏には、いまさら武照のように辞を低くして女官たちと接することは、それまでのプライドがゆるさない。結局、状況を十分把握できないまま、有効な手も打てず、流されていかざるをえなかった。永徽五（六五四）年のことであった。

武照は、二人の女と戦って、一応勝利した。しかしこれで安心しているわけにはいかなかった。高宗にはまだ王皇后を廃位する意志はなく、そのうちいつ心変わりし、蕭氏と同様に奈落《ならく》の底につき落とされるか、わかったものではなかった。

ちょうどそのころ、武照は女児を出産した。彼女は、最初に産んだ李弘につづき、のちに章懐太子《しょうかいたいし》の称号が与えられる李賢《りけん》を産んでおり、この女児は武照の三番目の子にあたる。

ある日のことであった。王皇后が武昭儀の部屋を訪れた。奥向きをおさめる立場の者として、後宮の女官の出産を祝うためにきたのであるが、たまたま武照は不在であった。否、「皇后陛下のお成り」との先ぶれを聞いて、こっそり隣室に身を隠したのが真実であろう。王氏は部屋に入ったが、だれもおらず、赤ん坊だけがベッドに寝かされていた。王氏はその無邪気でかわいらしい顔をみて、思わず抱きあげ、頬ずりをした。しばらくあやしたあと、武照がもどらないため部屋をあとにしたのであった。

それよりややたって、武昭儀の部屋からにわかに悲鳴があがった。皇帝がやってきたため、赤ん坊をみせようと着ているものをとったところ、その子が冷たくなっていたのである。武照は驚き、左右の侍女に問いつめると、

「ついいましがた、皇后様がいらっしゃいました」

との答え。それを聞いた皇帝は、怒りで身をふるわせた。

「皇后のやつめが、朕の娘を殺したのだ」

じつはこれは、武照が十分計算してしくんだ罠であった。武照は皇后が部屋を出ていくと、隣室からそっともどり、自分の娘を絞め殺した。そのあと布団を上にかけ、だれにも気づかれないように外に出た。そして、あたかも王氏が、皇帝と武照の関係を憎むあまり、その子に手をだした、と解釈されるように仕向けた。高宗は単純な男である。もちろん、これも武照の計算のうちに入っている。面前で娘の死体をみせつけられると、あとは王后憎しの感情にこりかたまり、ここに彼女の廃位を決断することになった。

すこし冷静に事態をながめられる者であれば、こんな稚拙な手を王氏が下すはずはなく、そんなことをしてもなんら意味がないことは、容易にわかるはずである。だが王氏とて抗弁しきれない弱みがあった。武照の不在時、彼女の部屋で赤子をあやしたことは確かであり、もとより武照を一番うらんでいることを知らぬ者はいない、と状況証拠はそろっていたからである。こうして武照の策謀はまんまと成功し、王氏は窮地にたたされた。

人びとはまだ、自分の腹をいためて産んだ子供を平然と犠牲にしてまで皇后の座をねらう、武照という女のすさまじい権力欲の実態を知らなかった。しかしじつは、これはほんの手はじめにすぎなかったのである。

第九章　武昭儀、皇后の座に

王皇后追い落としの策謀は、もはや隠れてすすめる必要はなくなった。武照は、高宗を表にたて、公然とそれを実行する口実を獲得したのである。

とはいえ、彼女の前には越えなければならない高く大きな障壁があった。王皇后の背後につらなる高官勢力を説得し、あるいは排除する仕事がそれである。一方に、皇后たるものは国家という家の母であり、母はどのような母であれとり替えられない、という論理がある。そして、こと王皇后については、先君の太宗が定めたもので、その廃位はとりもなおさず太宗そのものの否定につながる、という名分が一方にある。この両面を突破しなければならなかった。

王氏の背後にひかえる高官といえば、いうまでもなく元勲として睨みをきかす長孫無忌である。彼は実際の職務にはつかず、三公《さんこう》とよばれる最高の名誉職のなかの、太尉《たいい》（正一品）という地位を占めた。そしてナンバー2として、やはり同様に職務はもたず、三公の司徒《しと》（正一品）にあったのが李勣であった。彼らのあり方は、今日、中国において長老たちが最高顧問の名で政治を背後からあやつる姿を彷彿させるだろう。

問題の永徽五（六五四）年段階、その両名を頂点として、門下省の長官たる侍中の韓瑗《かんえん》、中書省の長官たる中書令の来済《らいさい》、尚書省の長官たる左僕射《さぼくや》の于志寧《うしねい》と右僕射《うぼくや》の褚遂良といった面々があとにつづく。彼らはいずれも同中書門下三品といって宰相をあらわす肩書をおび、各部門の責任者であると同時に、政務全体を統括し、動かす立場にあった。こうした顔ぶれの高官連中と武照は対峙することになる。

　ここで、すこし彼らの経歴についてみておこう。

　長孫無忌と李勣は前にふれたからはずすとして、まず韓瑗であるが、彼は京兆府《けいちょうふ》（雍州）の三原《さんげん》県の人で、祖父が隋につかえ、父の仲良《ちゅうりょう》は唐初より律令《りつりょう》の策定にかかわったというから、やはり関隴系に近い者とみてよい。韓瑗本人は、そうした家柄のうえに、学問があり実務にたけ、官界で着実に地歩をきずき、侍中という頂点にのぼりつめたのである。

　来済は揚州江都《こうと》の人、父が有名な隋の武将の来護児《らいごじ》である。隋末、宇文化及《うぶんかきゅう》がクーデターをおこし煬帝を殺したとき、彼の一家も皆殺しにあったが、幼い彼だけはかろうじて免れた。その後、ひとりさまざまな苦労をなめたのち、武将の父とはちがって、学問による立身の道をめざした。そして太宗朝で、科挙《かきょ》の進士《しんし》の試験に合格して、官僚として能力を発揮する機会にめぐまれ、栄達をはたしたのであった。

　于志寧こそは、まさに関隴集団の正統をくむ名門の出である。北族鮮卑系の血をくみ、曾祖父が、西魏そして北周の骨幹をきずいた八柱国の一人、于謹《うきん》であり、于志寧はそうした出身のよさもあって唐初から重用された。太宗のもとで皇太子承乾の教育係をまかされ、その行跡の悪さをいさめる『諫苑《かんえん》』二十巻を著したことでも知られる。彼はしばしば承乾に意見

褚遂良書「雁塔聖教序」碑
（冒頭部分）

したが、聞きいれられない。あげくは承乾の放った刺客に命をねらわれたが、刺客たちは、大官でありながら草葺きの粗末な家に住むその質素な生活ぶりをみて驚き、手もだせず帰っていったという。

于志寧は長孫無忌とは同じ系統ながら、やや立場を異にする。年齢的には于志寧の方が十歳ほど上であり、しかも出身の面でけっして長孫無忌に劣るものでない。彼はまた、職務に忠実で、潔癖感がつよい。そうしたことが関係するのであろうか、当時のメンバーのなかで、彼が唯一、長孫無忌の振る舞いに批判的な対応をとっている。このメンバー間の微妙な亀裂を、のちに武照側につかれ、各個撃破されていくことになるのである。

もうひとりの褚遂良は、虞世南《ぐせいなん》、欧陽詢《おうようじゅん》とならぶ初唐の三大家といわれる書の名人として、つとに有名である。だが、太宗のもっとも信頼された臣下のひとりとなり、官界でひろく活躍した政治家であったことも忘れてはならない。もともと南朝に仕えた文官の家柄で、杭州銭塘《せんとう》の人、父の亮《りょう》が太宗（当時は秦王）に認められ、そのブレーンたる秦王府学士になったのが機縁となって、太宗のそば近くに仕えることとなった。彼の存在が直接太宗の目にとまるのは、その書の腕前によってである。

太宗という男はけっして武辺《ぶへん》一方ではなく、さまざまな趣味をもっていた。そのひとつが書への関心と書の収集であった。この面での相談相手であった虞世南が亡くなったとき、彼は歎いていったものである。

「虞世南亡きあと、もはやいっしょに書を論じられる者がいない」

これを聞いた魏徴が、「褚遂良の字体こそは、王義之《おうぎし》の体をもっともよく備えております」と、彼を推薦した。太宗は当時、王羲之の書迹《しょせき》に夢中で、大金を出して購入につとめていた。そこで褚遂良は、つぎつぎと献上されるその作品の真贋《しんがん》の判定にかかわり、何ひとつとして誤ることはなかったという。

魏徴が褚遂良を推挙したのは、たんに書に巧みであったというだけではない。権威におもねらず、誤りを誤りとして諫言できる気骨とそれをささえる教養に目をつけ、自分のあとをつぐ諫官としての役目を期待したからであった。こうした過程をへて、彼は太宗に信頼され、政権の中枢に身をおくことになった。そして、太宗の臨終にあたり、その枕辺で長孫無忌とふたりであとのすべてをまかされたのである。

「皇太子よ、無忌と褚遂良がいるかぎり、国家のことでお前は何も心配する必要はないぞ」

太宗はそういって静かに息をひきとった。

永徽五（六五四）年の後半からの一年間は、武照にとって皇后の座を奪取するために、それこそ全精魂をかたむけた時期であった。その最後を締めくくるのが、権力の座にある高官たちとの対決である。一見何事もなく、淡々と時間がたっていく。だがその背後には激しい権謀術数《けんぼうじゅつすう》がうずまき、権力闘争がくりひろげられる。彼女はその一方の側にたち、きたるべき対決の場面をにらんで、一つひとつ周到に手をうっていった。

最後の対決までに、彼女がまずしておかなければならなかったのは、いうまでもなく当面のライバルたる王皇后を孤立化させておくことである。

そのために、日ごろ、後宮の女官たちの歓心を買うように心がけ、王氏や蕭氏らの動静がすべてわかるようにしてあった。後宮における情報管理と操作である。これによって王氏側の動きを封じこめたわけであるが、あるとき、この網に、王氏とその母柳氏とが宮中でひそかに「厭勝《ようしょう》」をおこなった、という情報がかかった。

厭勝とは、呪い師《まじなし》をよんである特定の人間をのろい殺したりする場合にもちいられる手段で、人の寝静まった真夜中、わら人形に五寸釘をうちつけてのろうといった類いのものである。中国では、民間はさておき、公にかかわるところでそれをおこなうことは厳禁されていた。そのため、厭勝したと訴えられるだけで、訴えられた側は決定的に不利になる。そうでなかったことを証明するのが難しいからである。王氏の場合、まわりは武照によってすべておさえられている。わざわざそのような危険を犯すことは考えにくい。おそらく、祈禱師をよんでのふつうの行為というのが真相であろう。

だが、王氏はこれを厭勝だと乗じられてしまった。これによって母は宮中への出入りを禁じられる。武照のねらいはまんまとあたった。もともと王氏の背後には、母方の祖父、柳奭《せき》がおり、中書令にまでのぼり、宰相として影響力をふるう立場にあったが、彼は小心者であった。王氏にたいする高宗の寵愛が衰えたのをみてとると、いちはやく願いでて中書令を降り、自分に火の粉のふりかかるのを避けようとした。孫の危機をみながら、救いの手をさしのべることもなく逃げだす、困った祖父であった。そしていま、王氏の母柳氏も宮中から出されてしまった。こうして王氏は孤立の色をいよいよ濃くした。

武照はこの機をとらえて、皇后位の無実化をさらに印象づける挙にでた。宸妃《しんひ》というポストを新設し、みずからをそれにつけるというものである。宸妃とは、既存の正一品の四人の夫人と皇后とのあいだにたつ地位、いうなれば準皇后である。これで事実上の皇后を実現させようと意図したのであるが、さすがに先例がないとの反対があり、あっさりとりさげられた。武照は王氏の無力さを白日のもとにさらすだけで十分だったのである。

王氏への包囲の輪をひたひたとせばめていく一方、武照は高官方面へのはたらきかけを活発にする。いうまでもなく、その主たる対象は長孫無忌である。これを落とすことができれば、すべて決着したと同じであるからだ。

ある一日、高宗は武照をともなって長孫無忌の屋敷を訪れた。もちろん武照がそうしむけたのである。皇帝が臣下の屋敷に足をはこぶことは、そうそうあるわけでなく、とても名誉ではあるが、そこに武照がくっついてきている。彼はすぐに事情を察したが、なにくわぬ顔で酒や料理をならべ、ふたりの接待にこれつとめた。武照を皇后にしたいとの高宗の希望は、これまでそれとなく聞いており、彼はそれには頑として首を縦にふらないできた。

宴たけなわを見計らって、高宗が上機嫌でいった。

「日ごろから世話になっている卿に、今日は褒美をとらせたい」

そういうと、無忌が愛妾に生ませた三人の息子それぞれに、朝散大夫《ちょうさんたいふ》という肩書を与えた。朝散大夫とは従五品の散官《さんかん》(位階)で、宮中に昇殿し、皇帝に直接目通りが許される、高官の末席につらなるものである。

官品によって上下関係すべてが規定される当時にあって、流内《りゅうない》という九品までに入ることすら大変なことである。ましてさらに上級の五品以内に入ることは、ほんの一握りの超エリートしか望むべくもない。しかも妾腹の子三人にである。いくら無忌が官界の頂点にたつ実力者であるとしても、これは破格の待遇である。

そのうえ高宗は、十余台の車に金銀の財宝や錦や絹の反物などを満載し、下賜した。さらに高宗は、つれてきた絵師に無忌の肖像を描かせ、みずからそれに画賛《がさん》を記し、彼に与えた。高宗は精一杯のサービスをしたのである。だが無忌は、格別恐縮し辞退するふうもなく、あたり前の顔でうけとった。

それをみて、高宗はおもむろに本題をきりだした。

「いかがしたものであろう。皇后の王氏には子ができないのだ。子の産めぬものは皇后として適格さを欠くと考えるが……」

横には武照がひかえて、無忌がどう反応するか、固唾《かたず》をのんでうかがっている。宴席に静寂がよぎった。だが、無忌の方が数段上であった。一呼吸おいて、「今日はこのような楽しい酒宴の席、そのような野暮な話は別のおりにいたしましょう」と、話の腰をおってしまった。結局、その日は何もできないまま、高宗と武照は宮殿にもどっていった。

長孫無忌へのはたらきかけの第一弾は成功しなかった。だが武照は、無忌にあたえた数々の贈与を彼が黙ってうけとったことに、一縷《いちる》の期待をよせた。魚心あれば水心である。心中、彼は王氏の廃位をやむをえないとみているのではないかと。そこで武照は、まず母の楊氏をたびたび使いにたて、娘の件をよろしくと頼みこませたが、のらりくらりとした返答しか返ってこない。ついで腹心の許敬宗《きょけいそう》を動かし、皇后の交替をたびたび進言させたところ、あにはからんや彼は声を励まし、その件には聞く耳をもたないと怒ったのである。

ここに至って、長孫無忌の真意が明らかになった。もはや彼らと正面から対決するしかない、そう最終判断をくだした彼女は、いよいよ入念に準備にとりかかった。

そのために、官僚たちのなかに自分に与する腹心グループを早急に形成する必要があった。彼らに力をつけさせることで、内外から長孫無忌勢力をおいつめることが可能になる、との目算である。

どのような国家であれ社会であれ、ある特定の人間たちが権力の中枢に長くいつづけることは、人心を倦《う》ませ、体制の硬直化をひきおこすもとになる。考えてみると、この時期の最高実力者、長孫無忌は、すでに三十年近く一貫して政治の中心に座をしめてきている。その他の実力者たちも、太宗の引きで要職について久しい。彼らはいわば唐創業の第一世代かそれに近い者たちであった。

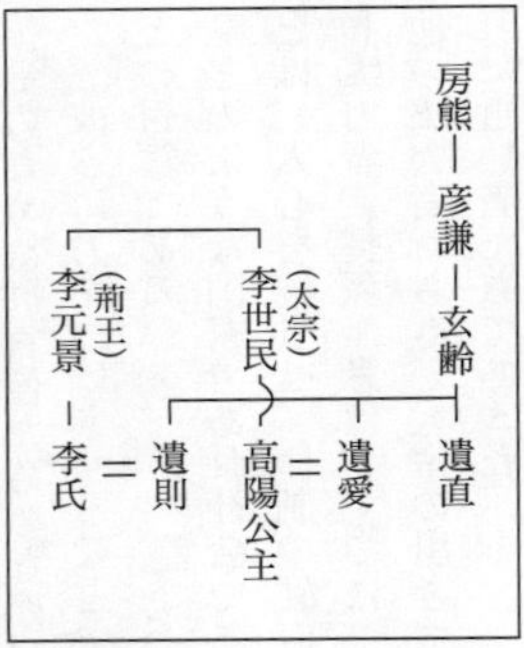

房氏略系図

太宗時代をになった官人たちが、新帝の高宗にかわっても、なお幅をきかせている。そこに不満がたまるのは当たり前のことであった。高宗が即位してまもなくおこった房遺愛《ぼういあい》らの反逆事件は、そうしたひとつの事例とみることができる。

房遺愛とは、唐創業の功臣にして貞観の治の立役者、房玄齢の次男である。その父の関係から、遺愛に太宗の愛娘の高陽公主《こうようこうしゅ》が降嫁された。ところがこの公主ときたら、目に入れても痛くないほどに太宗にかわいがられて育ったため、わがまま勝手で手がつけられない。皇帝の女婿《じょせい》となった者には、ふつう駙馬都尉《ふばとい》の肩書があたえられ、一生ぶらぶらしていても食べていけるだけの待遇が許されるが、太宗は彼女の手前、遺愛には女婿のなかでも一番優遇してやった。

しかし彼女はそれで満足できない。たまたま義父の玄齢が死に、その封爵《ほうしゃく》を長男の遺直《いちょく》がつぐと、その分け前に自分たち夫婦もあずかろうと考え、それをゆずるようにとごねるわ、遺直の左遷を画策するわの始末。ほとほと困った遺直は、弟夫婦にそれをゆずりたいと申しでた。事情を知った太宗は、堪忍袋の緒を切ると厳しく彼女を叱りつけ、事態をおさめたのである。

だが公主はそれで反省するどころか、むしろ逆恨みした。素行も一向におさまらなかった。あるとき、自分の領地に狩りにでかけ、そこで庵をつくって住んでいる弁機《べんき》という僧と知りあった。すっかり気にいり、さっそく庵のまわりに幔幕を張り、なかで肉体関係をもった。弁機とは玄奘《げんじょう》の弟子、『大唐西域記《だいとうさいいきき》』を編集した人物であろうか。夫の遺愛はといえば、彼は彼で二人の若い娘を抱いて喜んでいる。彼らはこんなことに大散財する異常な性向の夫婦であったが、これものちに発覚し、太宗からきつい叱責をうける。こんなことが重なって、彼らはいよいよ不満をつよめたのであった。

類は友をよぶ。彼らのまわりに、次第に現状不満派の者たちがたむろしはじめる。そのひとりが薛万徹《せつまんてつ》。彼は唐初以来、武将として目覚ましいはたらきをし、高祖の娘の丹陽公主《たんようこうしゅ》をめとったが、対高句麗戦における指揮官としての傲慢さをつかれ、一線からはずされていた。そのほか、やはり武将として活躍した柴紹《さいしょう》の息子で、太宗の娘の巴陵公主《はりょうこうしゅ》をめとった柴《さい》令武《れいぶ》、あるいは太宗の腹ちがいの弟で、その娘が房遺愛の弟の遺則《いそく》と結婚したために、遺愛と往来した荊王元景《けいおうげんけい》といった人物が顔をならべる。

彼らはつきつめれば、唐王室となんらかの姻戚にあたる者たちであった。その不満のもとに横たわるのは、太宗から高宗への予期せぬ代替わりと、それを強硬におしすすめた長孫無忌のグループへの反発であった。事件そのものは、組織だったものはなにもなく、永徽四(六五三)年二月、遺愛ら首謀者と目されるものたちを処刑して、あっけなく終わった。だがこの事件の発覚は、官界のなかに、反当権派の気分が根づよく存在することを、はしなくも浮き彫りにした。

長孫無忌はこのついでに、反対派の芽をつんでおこうと考えた。太宗がかつて後継者として、高宗李治以上につよく推した呉王李恪《りかく》である。母は隋の煬帝の娘であった。世人は、呉王の風貌や人柄が太宗にそっくりである、と噂しあい、高宗の時代になったというのに、なお彼へ心をよせる者が多かった。無忌はそこに人望が集まるのをおそれ、ここでむりやり房遺愛との関係をでっちあげ、殺したのである。処刑に臨み、呉王はこう罵《ののし》った。

「長孫無忌め、やつは権力をほしいままにして、無実のものを殺害する。わが霊魂は、かならずやすぐにお前たち一族を皆殺しにしてくれるぞ」

無忌は政界における主導権をにぎりつづけるために、高宗の擁立を強行した。その道を選んだ以上、政権に敵対する動きは、いかなる反発や批判をうけようとも、未然におさえこんでおかねばならなかった。

房遺愛の謀反事件は、いってみれば宮中内部の不満分子がおこした火遊びみたいなものであった。しかし同時に、長孫無忌を頭とする当権派への反発が、予想以上のものであることをわからせた。武照は、その一部始終を同じ宮中で注意ぶかく見守っていた。そうしたなかから、官僚たちの主流からはずされ、政治的野心をもやす部分に目をつけ、自派の形成につなげようとした。当然彼らは、非関隴系という共通性をもつことは言をまたない。

彼女の意向を最初にかぎとって接近したのが、まず許敬宗、そして李義府《りぎふ》であった。許敬宗は杭州の人といい、もともと南朝で文官をつとめた家の出であった。父は許善心《きょぜんしん》、隋末、煬帝が宇文化及《うぶんかきゅう》に殺されたとき、臣下たちが掌をかえすように化及になびくなかで、ひとり煬帝への忠節をまっとうして殺される道をえらんだ、剛毅の人であった。敬宗本人も若いときから学問を身につけ、太宗に文筆の才を認められ、詔勅の起草などにかかわることがあったが、昇進は結局、頭打ちに終わっていた。

そのひとつの理由は、金銭へのふしだらさによる。武照に接近する前、彼は礼部《れいぶ》尚書という要職にありながら、多額の結納金をとって、南方蛮族の長、馮盎《ふうおう》の子に自分の娘を嫁がせたという、朝士として節操を欠く振る舞いを弾劾されている。だがもうひとつある。その出身、また唐朝創業へのかかわり方が傍系であったことである。いくら能力があっても、結局、中心には入ることができない悲哀を、彼は味わっていた。

他方、李義府であるが、出自は瀛州《えいしゅう》　饒陽《じょうよう》の人といい、今日の河北省のほぼ中央部の出となる。だが実際は、父の任地の関係から四川の田舎で生まれ、最初ひくい地位に任用され、そこから才能をかわれて立身をはたした。彼にとって幸運であったのは、皇子世話係として仕えた晋王が、ひょんなことから皇太子となり、皇帝にまでなったことである。李義府は高宗にとりいり、腹心として中書舎人につけられた。中書舎人は上に長官の中書令、副長官の中書侍郎をいただくが、実質的に中書省をきりもりする要職であり、李義府にしてみれば思わぬ出世といってよかった。

李義府という男は、人前ではけっして怒りをあらわさず、ねっとりした笑い顔で腰ひくく応対しながら、内面は陰湿で、意にそわない者にはかならずどこかで仕返しをする。人びとは彼のことを、「笑中の刀」とも、「人猫」「李猫」ともいっておそれた。こうした人間は、北族的な豪放さをもつ長孫無忌がもっともきらうタイプであった。無忌にとって、この自分の息のかかっていない者が、高宗の腹心としてのし上がってくることは目障りである。そこで彼を地方官に追い出すことにした。

しかし正式な裁可がくだされる前に、その話が当の李義府本人に漏れていた。急ぎ同僚の王徳倹《おうとくけん》に相談すると、彼が答えていうには、

「陛下は武昭儀を皇后につけたがっているが、宰相の反対をおそれ、話をきりだせないでおられる。君がうまい知恵を出せたならば、状況は一発逆転するだろうよ」

李義府にとって中央にのこれるかどうかの瀬戸際である。その夜さっそく、

「王皇后を廃し、武昭儀を皇后につけてください。それが万民の気持ちにそう道であります」

と、ぬけぬけと申し出た。高宗はいたくよろこび、彼の左遷の話を取り消してやったのみか、一級上の中書侍郎にまで抜擢してやった。

官僚というもの、機をみることに敏感である。彼らは、ここで長孫無忌の実力にかげりが生じていることをみてとった。これから先の対応をどうするか、多くの者はそれを考え、行動にいよいよ慎重になった。また一部の者は許敬宗や李義府をみならって、高宗側にはっきりスタンスを移しはじめる。武照にとって好ましい状況の到来である。官界において、長孫無忌派の孤立がすすみ、その一方で武照をささえる勢力が力をもちはじめたのである。

人びとは、もはや高宗の背後にいる武照の存在を無視しつづけることはできなくなった。

唐室の命運は彼女の手ににぎられている、そうひそかにささやき、将来を心配する者もいた。長孫無忌と高宗、否、長孫無忌と武照との対決がどうなるか、人びとは、その時期が目前にせまってきていることを実感していた。

永徽六（六五五）年九月のある日、高宗から大臣たちに呼び出しがかかった。

――一日、内殿で相談したいむきがある。

呼ばれた顔ぶれは、長孫無忌、李勣、于志寧、褚遂良の四名である。ついにくるべきものがきた。四名はただちに事情を了解した。

会議にのぞむにあたって、褚遂良が無忌にむかって、こう自分のおもうところを伝えた。

「本日の召集が、皇后にかかわる案件であることはおわかりだろう。この件では、陛下のお気持ちはもう決まっている。これに反対すれば、あとは死あるのみ。だがこのことで、貴公や李勣殿を殺すわけにはまいらぬ。わしは一介の文人から出身した身、戦場で命をかけて戦った苦労もないまま、かたじけなくも今日、このような重責をけがしている。それにわしは太宗陛下からじきじきに遺託をうけた。いま、わしが死を覚悟でお諫めしなければ、なんの顔《かんばせ》あって黄泉《よみ》の太宗陛下にまみえることができようか」

硬骨の士、褚遂良の心をしめたのは、ここまで引き上げてくれた太宗と長孫無忌への恩義であり、それにむくいるのは今日をおいてない、という悲壮な決意であった。だが気がつくと、そこに呼ばれた四人のうちひとりが足りない。李勣である。体調がすぐれないとのことであった。そしてもうひとりの于志寧は、じっと黙りこんで、何を考えているのか心のうちをのぞかせない。

「皇后には子がなく、武昭儀には子がある。ついては昭儀を皇后に立てようとおもうが、どうだ」

高宗はやや甲高く、そう一気にまくしたて、一息ついた。表情はたよりなげで、視点がさだまらない。すぐに褚遂良が応じた。

「皇后様は名家のご出身にて、先帝が陛下のために娶《めと》られた方であります。先帝が崩御されるとき、私めに『わが息子、わが嫁のことはまかせる』といわれたことは、いまも耳にのこっております。陛下もおそばで聞かれておりました。皇后様になんの落ち度があったわけでもないのに、どうして廃することができましょうや。陛下のお言葉にしたがって、先帝のご命令にそむくわけにはまいりません」

褚遂良は凜とした口調、決死の形相でしゃべりつづける。そのいうところ、高宗の一番痛い父太宗の名を出し、突いてくる。高宗は返答に窮してしまった。彼は不機嫌そうに話をさえぎり、明日、再度話し合うことで、その場をとりあえずおさめた。一晩、武照とじっくり対策を練るためもあった。

翌日、高宗は再度おなじ提案をした。顔ぶれは昨日と変わらず、やはり李勣は病気を理由にきていなかった。褚遂良がまたひとり応答し、最後に声を励ましてこういいきった。

「陛下がどうしてもということでありますならば、どうか天下の名族から皇后を選んでいただきたい。どうしてよりによって武昭儀のごときを選ばれますのか。武氏は知ってのとおり、先帝の後宮に仕えていた者。世の人びとの口に戸はたてられません。陛下千秋ののち、彼らは陛下をどのようにいうでありましょうや。ここはよくよくお考えあるべきです」

褚遂良は絶望的な気持ちになっていた。昨日、長孫無忌にむかっていったとはいえ、彼がひとり必死で頑張っているのに、無忌は一言も発しない。于志寧もずっと黙りこくったままである。もはやこれまでと覚悟をきめ、手にした笏《しやく》を玉座のもとに置き、頭の冠をはずし、平伏していった。

「陛下に笏をお返しいたします。どうか田舎に帰していただきたい」

床にうちつけた額から血がふきだし、顔をつたって流れる。

高宗は「無礼者！」と怒り、近従に命じ引き立て、外に出させた。昨日来、高宗のうしろの簾《すだれ》のかげに座り、いらいらしながらことの成り行きをみていた武照は、ついに我慢できなくなって、金切り声でさけんだ。

「そんなやつはなぐり殺しておしまい」

ここに至って、はじめて長孫無忌が口を開いた。

「褚遂良は先帝太宗陛下の顧命をうけた者、たとえ罪があろうとも、刑を加えることはできませんぞ」

李勣

宰相でありながら、この席によばれていなかった韓瑗と来済が、あいついで言上してきた。彼らの説くところも、同じである。皇后たるものは国の母たる存在、その人物の善し悪しが、王朝の命運を決定づけることは、歴史の事実が明らかにしている、という趣旨である。

高宗と武照は予期せぬ抵抗のつよさに驚き、いらだった。しかしいかんともすることができない。大臣たちが一致して反対するとすれば、それ以上は動くことができない。彼らは先帝の託した遺志を背にして、武照の出と太宗に仕えたという過去の弱点を、真っ向からついてくる。その論理の正当性をつきやぶることができないのだ。

だが、ほころびは思わぬところからあらわれた。李勣である。彼は長孫無忌につぐナンバー2の立場にありながら、無忌とは微妙にそりがあわず、政治の中心からはずれていた。一方が関隴集団の正統をつぎ、しかも唐室の外戚にして高宗の伯父という後ろ楯をもつのに、他方は山東の一地方豪族に出て隋末の動乱をくぐり、軍人として頂点まではいあがってきた猛者である。全然系統がちがい、そりがあわないのもあたり前である。それに李勣には、太宗から高宗への代替わりにさいし、理由も告げられず地方に出されるという、自負心を傷つけられた苦い経験があった。以来、自分は警戒されている、政治的対応には慎重になろう、という思いをつよくしていた。

この数日間、李勣は病気といって、家にひきこもっていた。だが寝ていたわけではない。宮中でくりひろげられている緊迫した事態を頭にえがき、情勢の分析に全力をあげていた。彼のもとには、褚遂良が必死に諫め、高宗と武昭儀がてこずり、長孫無忌は動かず、于志寧の態度ははっきりしない、といった情報はすべてとどいている。一歩まちがえば、これまで築いてきたものすべてを失うことはわかっている。いかに有利につくか。彼は腕ぐみをし、じっと考えつづけた。そしてひとつの結論に達した。

御前会議から一、二日して、李勣はひとりで高宗の前にたった。当日出席できなかったことを詫び、病気がなおったことをつたえた。高宗は彼の顔をみると、まっていましたとばかり、さっそく例の話を切りだした。

「朕は武昭儀を皇后にたてたいとおもうのだが、褚遂良めの反対でそれもできないでいる。あやつは先帝の遺託をうけた大臣、しばらく時間をおくしかないのだろうか」

李勣は、おもむろにつぎのように答えた。だがそのときの彼は、自分の発言が唐朝の将来をかえ、自分の一族の運命をも狂わす決定的な意味をもつなどとは、予想だにしなかった。

「この件は陛下の家庭のなかのことゆえ、他人がくちばしをいれるべき筋合いのものではありません」

この一言を聞いて、すっかり弱気になっていた高宗の顔がパッと明るくなった。そうだ、こうした手があったのだ、われわれ二人の結婚にだれの干渉をうけることがあろうか、高宗はさも鬼の首をとったかのごとく有頂天になり、会見もそこそこに武昭儀に伝えにはしった。

――家事

李勣のもちいた言葉である。だれしもが気づきそうなごくあたりまえの言葉である。それがここで強烈な意味をもった。なぜか。人びとは、皇后たるものかくあるべしとの固有の定義づけをしてきていた。それが当然のことと、高宗側も大臣側も了解し、その前提のうえで相手とむかいあっていたのである。李勣のその一言は、そうした固定の前提の虚をつくものであった。

しかし、ここに論理のすり替えがあることは明らかである。いま問題にしているのは、皇帝と皇后という公的な関係における結婚問題であって、皇帝と後宮の女官一般とのそれでも、一市井人のそれでもない。皇帝と皇后は、国権を代表する双璧である以上、それにみあう重さをすべてに負わなければならない。そこを「家事」という私的な論理の方便でくぐりぬけようとするのは、本来おかしいのである。

だが、この論法が一挙に力をもった。これをまってましたとばかり、許敬宗がこんなことをいいだしてくる。

「農夫の親父ですら、麦が十石も余分にとれると、女房を換えたくなるものです。まして四海の富を独占する天子、皇后ひとりをとり換えるのに、まわりの者がとやかくいうことがありましょうや」

田舎の農夫の親父と天子とをおなじ俎上《そじょう》で比較する。これは本来、とんでもない不敬罪にあたる比喩である。しかしなりふりかまっていられない。武照側にはこれも有力な論拠であった。

とまれ、褚遂良らが命がけでつづけた抵抗も、李勣の一言でガラガラとくずれた。高宗と武昭儀はここを先途《せんど》とつき進み、王皇后の廃位と武昭儀の皇后就任を一気に実現させた。その間、長孫無忌からは、高宗に明確な態度を表明し、事態がすこしでも不利にならないようにする働きかけはなかった。于志寧も優柔不断な動きに終始した。肝心の関隴集団を代表するふたりがこうである。彼らが立つ関隴系の基盤と結集力は、もはや往年のそれでなかったことが、これによって白日のもとにさらされた。

第十章　二聖と垂簾の政

永徽六（六五五）年の旧暦十月十九日、武昭儀は晴れて念願の皇后位についた。十四歳で太宗の後宮にはいって以来、十九年をかぞえ、年齢はもう三十三歳、容色の衰えが気にかかる時期にさしかかっている。太宗のもとで悶々と送った長い不遇の年月があった。そして高宗との出会いという細い糸をたぐって、必死にはい上がってきた緊張した日々があった。よくここまできたものだ、彼女はしみじみとおもった。

だが、彼女にとって、ここでゆっくり感慨にひたっている余裕はなかった。いくら皇后になったからといって、いつまたひっくり返されるかわからない。自分の手で王氏を皇后位からひきずり降ろした先例が、つい目の前にある。王氏の二の舞いを演じないためには、しっかり足元を固め、つけいる隙をあたえないようにしなければならない。それにはまず、かつてのライバルの二人をどう処置するかが問題になる。

王皇后と蕭淑妃の廃位をきめた詔は、武照が皇后になる六日前の、同月十三日に出されていた。しかし二人は、それより一年以上前からすでに幽閉の身におかれて、外界とも高宗とも関係は断たれていた。後宮の全権は完全に武照に握られていたのである。

正式に廃位がきまると、彼女たちはすぐに奥の別院に一緒にうつされた。そこは入口はかたく錠がおろされ、日の光もはいらない。開いているのは、食事をいれた器を出し入れする小さな穴だけの、不潔でじめじめした座敷牢であった。武照はこのようななかで、二人を徹底的にはずかしめ、狂い死にさせようと考えていた。

武皇后にかわってしばらくしてのことである。あるとき、高宗はかつて自分のもとにあった王氏と蕭氏のことを思いだした。二人はどのような境遇にあるのだろうか、思いだすといてもたってもいられなくなって、後宮の幽閉されている場所までひとりでやってきた。

「皇后よ、蕭妃よ、どこにいるのだ。朕だ。元気でいるのか」

二人の耳になつかしい高宗の声が聞こえると、急いでその小さな窓辺にかけより、泣きながら応答した。

「それは陛下のお声。私たちは罪によって婢《はしため》におとされたもの、どうして昔の尊称でお呼びになられるのですか」

高宗は彼女たちの悲惨な境遇をみて、あわれを催した。

「なにか朕に申したいことはないか」

二人はそれにこう答えた。

「もし幸いにも陛下のお助けで、ここから生きて出られ、ふたたび日の目を拝むことができますならば、どうかここを回心院《かいしんいん》と名づけてください」

「よしわかった。そのように処置しよう」

高宗はそういって悄然ともどっていった。

皇帝が二人に会いにでかけたことは、すぐ武后の耳につたわった。夫の高宗も高宗だが、それにしてもあいつらめ、もう許すわけにはいかない。むらむらと嫉妬の怒りが燃えあがった。生かしておけば災いのもとになるだけだ、ともおもった。そこでむりやり高宗に迫って、鞭打ち百の刑に処するとの詔を出させた。理由などはどうでもよかった。これをもって、彼らをなぶり殺しにしてやろうという腹づもりであった。

その詔が武后の手の者によってつたえられた。二人は、皇帝が結局、約束をはたせなかったことをすぐに了解した。同時にこれが、自分たちの命を奪うものであることを理解した。

王氏はこの詔をうけると、静かにいった。

「どうか天子の行く末がながく幸せでありますように。武昭儀めが陛下の寵愛を独り占めした以上、私にのこされたのは死あるのみです。どうぞご存分に」

王氏はなお皇后としての誇りを失わず、毅然と殺される道を選んだ。

だが蕭氏はちがった。もともと激しい気性で、自分の幸福を横から奪いとった武氏をどこまでも憎んでいた。恨みをのこして、死んでも死にきれない。

「武の女狐め、陛下をたらしこんで、まんまと皇后の座をしとめやがった。私はきっと猫に生まれかわり、鼠となったあやつの喉元を食いちぎってやる」

蕭氏のその絶叫は、ひろく後宮に響きわたった。

武后は彼女たちを引きだし、鞭打ちの刑ののち、その腕と足を切断させた。

「二人を骨の髄まで酔わせておしまい」

用意された酒の甕《かめ》のなかに、二人は首だけ出したまま放りこまれた。その状態で数日間生き、死んでから、その屍体はなお切りきざまれた。さらに、武后は王氏を蟒《もう》（うわばみ）氏、蕭氏を梟《きょう》（ふくろう）氏と改め、どこまでも辱めたのであった。

かつて漢の呂后《りょこう》が、嫉妬のあまり夫高祖の愛妾、戚夫人《せきふじん》の手足を切断し、眼をえぐり、舌を切って厠《かわや》に投げいれ、それを「人彘《じんてい》（ひとぶた）」とよんだ話は有名である。武后は、当然それを意識し、みせしめをおこなったのである。その相手は、もちろん王氏と蕭氏であるが、同時に高宗にもむけられていた。皇后の武氏をないがしろにすればどうなるか、暗に脅しをかけたのであった。その嫉妬の心と権勢欲は、なんともすさまじいことである。

ところで、つぎのような後日談がある。

蕭氏は死にぎわ、猫となってたたってやると叫んだが、それは武后の心に刻みつけられ、以来、彼女は猫をきらい、宮中ではいっさい飼うことを禁じた。このことがあってから、髪をふり乱し血をしたたらせた王氏と蕭氏の亡霊を、彼女はたびたびみた。たたりを恐れ、宮城の東北の高台につくられた蓬萊宮《ほうらいきゅう》（大明宮《だいめいきゅう》）に移ってみたが、それでも同じ亡霊があらわれる。さすがの彼女も耐えられなくなって、こののち長安をすてて洛陽に暮らすことになった、と。

この後日談については、疑問のむきもある。ことに洛陽に拠点を移すことと亡霊の出現とのあいだには、直接的なつながりはないのではないか、といわれる。洛陽を東都とよび、神都とよび、実質的な首都にして住みつくのは、もっと大きな政治的要因からきている、というわけである。確かにそうといえるかもしれない。ただ武后という強烈な個性のもとでの、そうした動きである。彼女の私的側面がそこにふかく関わっていたとみても、まんざらおかしくはない。

実際、武后は何事にも負けないつよい意志の女である反面、些細《ささい》なことを気にし、縁起をかつぎ、神仏にたよる意外な一面をもちあわせる。つよさとよわさ、表と裏、その両面を意識し、理解することで、彼女がうちだすさまざまな政策や行動の意味が明らかになり、人間像もふくらみを増すのである。

皇后になって、まず奥向きのことは始末をつけた。つぎに表の政治の場にのりだすわけであるが、ここは慎重を要する。武氏が皇后になることを阻もうとした長孫無忌らは、そのままに置かれた。左遷された褚遂良にしても、潭州《たんしゅう》(湖南)都督という地方の要職にあった。長孫無忌らのグループも、武后という女がそのままますますはずのないことはわかっていた。表面上の静けさとはうらはらに、水面下では虎視眈々の緊張がつづいていた。

そして二年後の顕慶《けんけい》二(六五七)年七月、武后側がまず仕掛けた。

「侍中韓瑗と中書令来済は、褚遂良と国家転覆をくわだてております。彼らは用武の地たる桂州(広西桂林市)の都督に遂良をすえ、内外呼応して決起するというのです」

こう訴えでたのは、武后の意をうけた許敬宗であった。たしかにこの年三月に、褚遂良は潭州から桂州の都督に移っているが、この発令に武后がかかわらないはずはない。にもかかわらず、自分は知らなかったことにして、韓瑗らの仕業と訴えさせた。桂州都督への異動は、彼らを一網打尽にするための伏線だったのだ。

結局、三人は辺境の州の刺史《しし》（長官）に左遷された。褚遂良は愛州《あいしゅう》（ベトナムのハノイの南、タインホア）、来済は台州《たいしゅう》（浙江）、韓瑗は振州《しんしゅう》（海南）である。このとき、王皇后の祖父であった柳奭も、象州《しょうしゅう》（広西）刺史にされている。彼らの任地は、来済をのぞけば、当時もっとも嫌われた瘴癘《しょうれい》の地で、マラリヤや風土病で死ぬことを覚悟しなければならない。それに全員に、「今後二度と都の土を踏むことはまかりならぬ」との命令も出ていた。

気がつけば、長孫無忌は朝廷で完全に孤立させられていた。それまで無忌グループが占めていた主要ポストは、李義府と許敬宗をはじめ、杜正倫《とせいりん》、辛茂将《しんもしょう》、許圉師《きょぎょし》らの、武后の息のかかった者たち、あるいはそれまで疎外されてきた者たちによって埋められていく。李勣と于志寧ものこってはいるが、ともに無忌と距離をとることで保身をはかっている。

長孫無忌の孤立に決着をつけるお先棒をかついだのが、今回も許敬宗であった。彼にとって、無忌はなんとしてでもとり除きたい邪魔な存在であった。武后の引きで宰相の一員に加わったというのに、そこには無忌がまだ隠然たる力をのこし、しばしば新参の彼を面罵し、赤恥をかかせることがあった。この者を除かないかぎり自由に動けない、許敬宗はそう考え、時期を待った。

顕慶四（六五九）年夏、許敬宗の前にはつぎのような事件がもちあがった。いや、でっち上げられたといった方がいい。ことの顛末はこうなる。

太子《たいし》洗馬《せんば》の韋季方《いきほう》と監察御史《かんさつぎょし》の李巣《りそう》とが「朋党《ほうとう》」を結んでいる、との訴えが、洛陽の住人の李奉節《りほうせつ》というものからだされた。朋党と聞いて、朝廷はだまっているわけにはいかない。許敬宗を責任者にして調べをはじめた。朋党とは官僚間の党派をさすが、これは勝手に結んではいけないものとされてきた。そもそも官僚は、皇帝の意にしたがって忠実に動くべきもの、朋党はそうした皇帝政治をゆるがせにし、ねじまげ、不正の温床となるからである。

　とり調べのなかで、話は思わぬ方向に強引にむけられる。一方の当事者、韋季方が自殺をはかった。幸い一命はとりとめたが、これをとらえ許敬宗は、事件の裏に長孫無忌がかかわっている、とむりやり結びつけたのである。朋党事件にして自殺をはかるほどであるから、背後に大きな黒幕がいる。それが長孫無忌であることを証明する手紙や文書や証言がある。許敬宗は話をそのように仕立て、高宗に訴えた。

「無忌は先帝と玄武門の変をおこし、以来三十年、宰相の座にとどまって隠然たる勢力をきずいております。いま彼がこのクーデター計画の発覚したことを知れば、どのような行動に出るかわかりません。即刻とらえ、処罰をおこなうべきです」

　これに高宗は涙声で答えた。

「さきに房遺愛の謀反、今度は大伯父長孫無忌の件と、朕の親族にかかわる事件がたてつづけにある。いったいどういうことなのか。朕はこれ以上、姻戚の者に手をかけたくはない」

「陛下、ここはよくお考えください。かつて漢の文帝《ぶんてい》は、母君の弟で、その即位に功績のあった薄昭《はくしょう》を、殺人という理由だけで殺しましたが、名君たる評価は変わっておりません。長孫無忌の罪は、国家転覆の陰謀という点において、この薄昭の比ではないのです。罪状が明らかである以上、ぐずぐずしてはおれません」

弁舌で、高宗ごときがとうてい勝てる相手ではない。結局、説得されてしまった。やむなく、ずっと後見役としてあった長孫無忌の言い分も聞かないまま、地方に左遷する文書に署名してしまった。

武后側の待っていたのはこれであった。一番の本命を中央政界からひきはがす。あとはさまざまな理由をでっちあげ、最終地点に追いこんでいくだけである。無忌には表向き揚州（江蘇）都督という要職につけながら、実際はそれと関係ない黔州《けんしゅう》（四川）という辺鄙《へんぴ》な地に幽閉した。そして同年の秋七月、黔州の配所において自殺させた。

これに前後して、長孫無忌の一派と目された者たちやその一族が、処分されたのであった。柳奭は殺された。韓瑗は殺される直前に死んだため、検死の名目で墓をあばかれる辱めをうけた。すでに前年、任地で死んでいた褚遂良は、過去の官爵を剝奪された。また、彼らと一線を画し、保身につとめていた于志寧も、武后擁立に積極的でなかったと、結局、地方に出されてしまった。

もうひとりの来済は、まもなく台州から一転して、対西突厥との最前線、西北辺境の庭州《ていしゅう》（新疆《しんきょう》ウルムチの東）の刺史に移された。彼は西突厥との戦闘で、「これまでの国恩に報いるのだ」といい放つと、甲冑もつけずに敵陣に突入して、命を断った。ここまで死に場所をもとめつづけていたのであろう。

こうして長孫無忌グループは姿を消した。これはとりもなおさず、太宗が、高宗のために敷いた路線の解体にほかならなかった。高宗はみずからを支えるはずの体制を、成算もないまま、自分自身の手でたたきこわしたのである。だが考えてもみよう。このような人物を後継者におしあげたのは、ほかならぬ長孫無忌その人であった。それも自分が政界で地歩を確保するのに好都合である、との個人的思惑からのことである。無忌は自分でまいた種子を、自分で刈りとったのであった。

高宗はうまれつき体が弱かった。それに「風眩《ふうげん》」という持病に苦しんでいた。その症状は、頭に血がたまり重くなり、目がみえなくなるというものである。この病弱さと気の弱さが、武后をして政治的野心を際限なく膨らませる結果になったのである。

ただ高宗も、二度だけ、みずからの意志で武后をおいつめようと動いたときがあった。最初は、すでに述べたように、もとの王皇后や蕭淑妃の処遇をめぐってである。彼女たちの悲惨な境遇をみて、なんとかそこから釈放し、復権してやれないものか、と心を動かしたのであるが、結局どうにもならなかったばかりか、二人の惨殺というみじめな結末をもたらしたのであった。

二度目は、それから約十年たった麟徳《りんとく》元（六六四）年のことである。あるとき、宦官の王《おう》伏勝《ふくしょう》が、高宗に、

「道士郭行真《かくこうしん》という者がしばしば皇后のもとに出入りし、厭勝《ようしょう》の術をおこなっております」

と告発してきた。ある特定の人間をのろい殺すのが厭勝の術である。それを皇后が宮中でおこなったとすると、厭勝の対象はおのずから限定されることになる。

高宗は激怒した。自分にそれがむけられているというわけである。ひそかに宰相の一人、上官儀《じょうかんぎ》をよんで、どうしたものかと相談した。

「皇后の横暴な振る舞い、支持する者はだれもおりません。いっそこのさい皇后を廃されてはいかがでしょうか」

上官儀は即座にこう提案し、高宗も同意した。

上官儀は、姓が上官と、漢民族にはめずらしい複姓である。父が江都宮の副監をしていた関係で、江都（揚州）で生まれたが、隋末の動乱で孤児になり、私度僧《しどそう》として出家生活を送ったりしたのち、文才が認められ、太宗に仕えることになった男である。

高宗

上官儀といえば、唐初を代表する詩人として名がとおり、その五言詩を「上官体《じょうかんたい》」といい、時の高官たちに珍重された。彼は自己の才能を過信し、それを鼻にかけるところがあり、高宗から皇后問題を相談されると、あとさき考えることなく、皇后廃位の意見をしめしたのであった。

この高宗と上官儀との秘密の相談は、すぐ武后に洩れるところとなった。彼女が皇帝の身辺に、日ごろから張りめぐらしている情報網が機能したのである。彼女は血相を変え、高宗の執務室にどなりこんだ。おり悪しく、彼の机のうえには詔の草稿がおかれていた。あわてて隠そうとしたが間にあわなかった。

そこで高宗は、苦しまぎれに口からでまかせをいった。

「これは上官儀のしたことなのじゃ。朕は、はなからその気がなかったが、あやつがそうしろというから、そうしたまでだ」

高宗はまたも武后の見幕に恐れをなし、部下に責任をなすりつけて、逃げだした。

二度目もこうしておわった。上官儀とその息子の庭芝《ていし》、宦官の王伏勝が首謀者として殺され、一族は奴婢《ぬひ》に落とされた。それに梁王の李忠も上官儀につながっていると通報され、いっしょに処刑された。

李忠は、子供のできなかった王皇后のもとで皇太子にあげられ、その後、王氏の失脚によって皇太子を追われ、梁王に降ろされていたのであった。梁王になって幽閉の身におかれた彼は、武后の刺客にいつか殺されるとびくびくしているうち、精神がおかしくなってしまった。

武后側はこのようにどこまでも追いつめ、それでも生きのびることを許さなかったのである。皇后位をめぐる激しい権力争いのはての、最大の犠牲者の一人がここにあった。

高宗はこれを境に、武后にたいする「抵抗」をやめる。かりに彼がなおその気持ちをもちつづけたとしても、周囲にうけいれる場はもはやなかった。武后の息のかかった者で要所が固められた上に、臣下のあいだの高宗にたいする不信の念である。いくらそのために尽くしたとしても、最後に掌を返されてはたまったものでない。こうして高宗は完全に孤立した。

こんな高宗に、武后はもはや恐れることは何もなくなった。とはいえ、高宗という存在をはずす気はさらさらなかった。もしそんなことをすれば、体制全体、社会全体を正面から敵にまわすことは目にみえているからである。彼女にはまだそれをなしうる力も用意もなかった。皇帝である高宗の利用価値は、無限に大きかったのである。

ただ、武后が実質的な権限はにぎったといっても、女が公の場に出て、直接政治を指揮することは、まだ政界にうけいれられていない。武后はそうした現実をふまえ、皇帝と大臣たちとが政務をとる公の場に出席するが、皇帝の背後に椅子をおき、そのあいだに簾をかけて姿をみえなくする、という方法をとりいれた。これによって、男たちは名をとり、武后は実をとった。世にいう、

――垂簾《すいれん》の政《せい》
のはじまりである。高宗と大臣たちは、背後の武后の息づかいや衣ずれの音などに気をつかい、ときどき飛んでくる甲高い叱責の声にびくつきながら、政務をすすめなければならなかった。

名目的な高宗と実権をにぎった武后、二十有余年におよぶ高宗朝の大半は、ほぼこの形態で展開したということができる。人びとは、この二人をなかば揶揄の意もこめて、

――二聖《にせい》

とよんだ。二聖という関係による垂簾の政は、はやく顕慶五（六六〇）年ごろから開始されたのであった。

第十一章　武后政治の新展開

武后は日々、忙しかったが、充実していた。

毎日、さまざまな案件がもちこまれる。それを前にして、彼女は、手際よく、的確に指示を下していく。その端々から頭のよさと、文史におよぶ教養のふかさがうかがわれ、周囲の者たちは目をみはり、舌をまいた。高宗は、そのさまを横からみているほかはなかった。

武后には、もって生まれた資質のうえに、太宗のそば近くで送った十有余年の経験があった。大皇帝たる太宗の政治の手法を見聞きするなかで、彼女なりの政治にたいする認識と人をみる目を養った。こうした彼女であったれば、高宗にかわって政治の表に登場しても、なんらたじろぐこともなく、事にあたることができたのである。

政治の要諦は何か。武后にとって、それはやはり人であった。自分の意向を体して動いてくれる人間をできるだけ多く擁し、使いきることに、彼女は心がけた。実権を掌握していく過程で、また権力の座におさまってからも、その下には多彩な人材が登場し、彼女を女とあなどることもなく、それぞれのはたらきをしている。武后には、彼らを圧服させる威圧感と、どこまでも魅きつける人間的魅力との、あい反するふたつの側面が併存していたというべきだろう。

武后が権力をにぎる過程で、最初に協力した代表格が、李義府と許敬宗であったことはすでに述べた。両人は、おりにふれて武后の露払い役をかってでたが、なかでも李義府は、既存の家柄の秩序をくずすうえで、重要な役目をはたした。

太宗の時代、ときの山東貴族といわれる旧門閥《もんばつ》にたいし、唐室（隴西《ろうせい》の李氏）の優位を確定するために、「貞観氏族志《じょうがんしぞくし》」が編纂された。旧貴族は全体として凋落《ちょうらく》する傾向にあったとはいえ、これによってひくく押さえこまれたわけではない。彼ら名門と婚姻関係をむすぶことで、自分の家格をひきあげたいという官界からの要望は根づよく、貴族の側もそうした婚姻をつうじた莫大な結納金に期待をかけた。のみならず、唐室も関隴系官人も、旧貴族にまけない位置に立とうと意識することで、みずからの門閥化をうながした。人びとのなかに埋めこまれた門閥重視の観念は、そう一朝一夕で変わるものではなかった。

武后は、母の楊氏はともかく、父武士彠は山西の名もない家の出であった。彼が木材商として財力をつけ、李淵（高祖）の旗揚げに参加して唐朝につかえることになったが、それまでの武氏は一介の農民にすぎなかった。そうした身にとって、現実の家柄を誇る風潮はにがにがしさの一語につき、おりあらばそれを打破したいと考えるのは当然であった。

じつはこの思いは、李義府も同じであった。彼は当時の山東の一角にふくまれる瀛州《えいしゅう》（河北）に本貫をもつが、同じ山東の李氏といっても、家柄は名門趙郡《ちょうぐん》の李氏などとは月とスッポン、第一、「貞観氏族志」にすら名前がのっていない。官界で認められるにつれ、彼はこのことを恥じ、なんとかして家格をあげたいと考え、山東貴族に婚姻をもうしこんだが、体よく断られてしまった。「そんな成り上がりと手をむすべるか」というわけである。

　面目をつぶされた李義府は、そこで仕返しにでた。当時、名門中の名門と自負し、世間もみとめる代表的な門閥に、隴西の李氏、太原《たいげん》の王氏、滎陽《けいよう》の鄭《てい》氏、范陽《はんよう》の盧《ろ》氏、清河《せいが》の崔《さい》氏、博陵《はくりょう》の崔氏、趙郡の李氏、の七姓があった。隴西の李氏をのぞけば、いずれも山東の名族となる。李義府は武后にはたらきかけ、「この七姓間での結婚はみとめない」としたのである。同時に、彼らが家柄のつりあわない者から、多額な結納金の類をとることも禁止した。

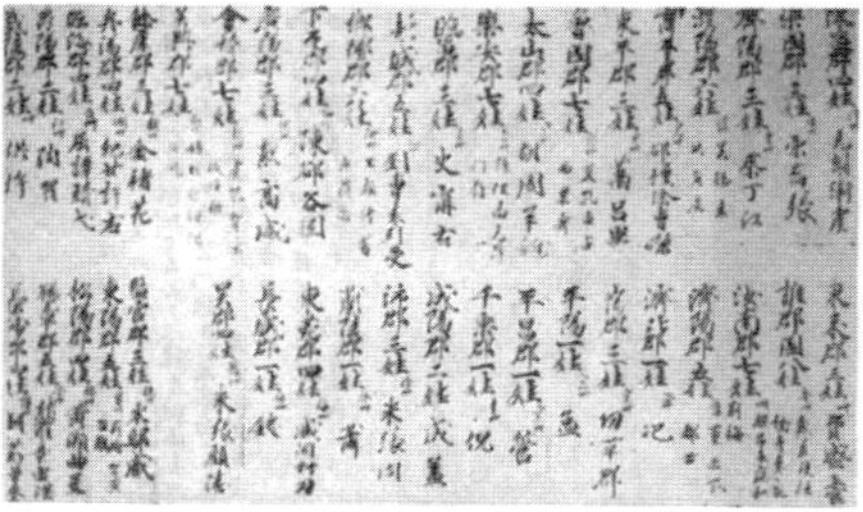

「姓氏録」残巻（敦煌文書）

　彼はまた、新たな氏族志の編纂をくわだてた。このたびの編纂のプリンシプルは、なによりも既存の家格体系をくずすことにあった。そのために、現在五品以上の官職や勲位《くんい》をもつ者を、新氏族志のなかに加えた。これを「姓氏録《せいしろく》」とよぶ。勲位とは、一般人が戦功などをたてると、それを表彰するために与えられる、いわば勲章に相当する位階であり、これをもつからといって正規の官職に横滑りができるわけではない。このため、つい昨日まで名もない低位だった者が、急に高い格の家として位置づけられるわけで、つけられた方も面食らったが、家柄だけを誇っていた旧貴族たちはもっと驚いた。

旧貴族たちは大いに不満であったが、裏に武后がいてはいかんともすることはできない。あれは「勲格《くんかく》」だ、成り上がり者の格付けだと、無視することに決めこみ、一方で、法の網をくぐって婚姻による家格の維持をはかろうとした。しかしそうした抵抗があったとしても、現実は、もはや家柄によって人間の価値や位階がきめられる状況ではなくなってきていた。彼らがいくら名家と誇っても、婚姻や閨閥《けいばつ》といった関係だけでそれを守りとおせるわけではない。そのような手段は、いわば後向きか、さもなくば現状を糊塗《こと》するにすぎないものであって、それ以上の発展は見込めない。

いずれにせよ、旧貴族は、一族として官界とのつながりをもち、より高い地歩を確保しないかぎり、長期低落の道を歩まざるをえないのである。その官界の秩序が、李義府による「勲格」によって根底からくずされようとしている。旧貴族たちはますます厳しい環境におかれることになった。時代は門閥系旧貴族勢力と新興の非門閥系勢力との交替期にさしかかっていた。李義府は結果として、それをいっそうおし進める役割をはたしたことになる。もちろんその潮流の頂点にたったのが、武后であった。

ところで、李義府は武后登場の露払いをしたという点で歴史に名をのこすが、本人はいたって素行のおさまらない男であった。

洛州《らくしゅう》(洛陽)の淳于《じゅんう》氏という婦人が、姦通の科《とが》で捕らえられた。姦通といえば、当時、大変な罪であった。彼女の場合、おそらく最低でも二年の徒《ず》刑(懲役刑)はまぬがれなかったが、たまたま美人ときていた。それを聞きこんだ李義府は、別宅で自分の妾としてかかえたいと考え、その取り調べにあたる大理寺《だいりじ》の丞《じょう》（副官）の畢正義《ひっせいぎ》に、「ひとつうまくはからってくれ」とたのみこんだ。だがこの一件は大理寺卿（長官）の段宝玄《だんほうげん》に知れ、一大疑獄にまで発展し、武后の助け舟でかろうじて揉み消された。結局、畢正義が詰め腹を切らされて自殺し、また激しく李義府を弾劾した王義方《おうぎほう》が地方に左遷されることで決着した。

また彼は、自分の一族の者には幼子にいたるまで官職を確保してやり、かたわら官位を売ったり、賄賂をとって刑罰に手心を加えたりで、門前市をなすありさまであった。地方の小役人にすぎなかった祖父の墓所を、高祖李淵の祖父李虎の墓、永康陵《えいこうりょう》の傍らに改めることを願い出、付近の農民をむりやり動員して墓をきずかせ、王公にもまさる盛大な葬送の儀式をやっている。そんなこんなで、彼にたいする風当たりはひどかった。

その彼にも、ついに年貢の納めどきがきた。ひとりの占い師が、

「貴殿の居宅には、獄に落とされた者たちの恨みがただよっております。それを払い除けるためには、二千万緡《びん》（一緡は銭一千文）というお金で厭勝《ようしょう》をやる必要があります」

といってきた。それを真に受けたところから、彼はおかしくなった。まずお金を得るために収奪をつよめ、売官につとめた。たまたまそのころ母が死んで喪に服したが、規定によると、その期間、毎月一日と十五日には死者を悼むための休暇がみとめられていた。その日がくると、早朝こっそり家をぬけだし、城東に出て古墓のうえに登っては、気配をうかがった。これが厭勝のひとつであったのだろうか。

このあたり、つまり洛陽城の東郊は古来から墳墓の地と知られた邙山《ぼうざん》の一角にあたり、付

近には多くの陵墓がならぶ。そのうえに登って、なにやら一心に祈禱のごときことをやっている。傍らからみる者には、それが異様でなくてなんだろう。本来なすべき亡き母親への哭《こく》礼《れい》はおろそかになる。かくして訴えられた罪名が、厭勝、不孝、異図《いと》、売官、秘密漏洩、不正蓄財等々、ついに巂州《すいしゅう》に永久追放となった。龍朔《りゅうさく》三（六六三）年四月のことであった。

李義府の取り調べにあたったのが、司刑太常伯《しけいたいじょうはく》の劉祥道《りゅうしょうどう》らであった。人びとは彼の追放を大喜びした。ある人は、戦勝をつたえる早駆けの者がもつ露布《ろふ》という帛書《はくしょ》をまねて、「劉祥道が李義府を破った露布」という書きものを、人目につく道端に張りだし、李義府憎しの思いのたけをあらわした。李義府は三年後に大赦令が出されたときも、その対象に加えられず、期待が裏切られた憤りのなか、配所で死んだのであった。

彼がこのように佗しい死に方をすることになったのは、もちろん自業自得のなせるところであるが、武后がそれを認めたからでもあった。彼女は、彼の役目がもう終わったと感じていた。それにひどく評判が悪いことも知っていた。李義府を切りすてることで、すべての悪評の責任をそこになすりつけ、一件落着としたのである。

臣下の能力を十分みきわめ、自分にとって必要とするかぎりはどこまでも使い、もはや利用価値がないとなると、冷徹なまでに簡単に見かぎる。これが武后に一貫する臣下にたいする姿勢であり、こうしたなかで生きのこった者が、彼女の政治を支える中核となるのである。李義府は武后という人物をよく知らないまま踊らされ、最初の犠牲者となった。

武后という人物をもっともよく理解していたのは、ときの宰相のなかで、李勣であったといってよいかもしれない。

　李勣は、武人に出て、太宗朝の後半に宰相となり、以来、その地位にとどまりつづけて武后の専権の時代にいたった。さきにふれたように、彼は太宗の死の直前、突然地方に出されたことがあり、武将として政治の中心にたつことがいかに警戒されるか、身をもって知った。もともと諸事に恬淡《てんたん》であったが、爾来、言動にはますます慎重につとめ、極力政治の前面にたたないようにと考えた。

　武照が皇后になるさいには、長孫無忌と別行動をとり、あの「家事」発言によって武后をたすけたが、これも同じ脈絡のなかでとらえることができる。彼は考えた。ここで武后側に反対し、かりに阻止に成功したとしても、長孫無忌らのグループとは肌合いがちがう以上、いずれは排除されるのはみえている。客観的にみれば武照の力はつよく、高宗も完全にそちらに籠絡されており、また関隴系の結集力にももはや往年の力がない。彼は、そのように大勢を冷静に計算し、武照の擁立にまわったわけで、政治的に突出したい野心から出たものとはややちがっている。

　それがために、武照が皇后になってからも、李義府らが寵臣として力をふるうかたわらで、ひとり淡々と宰相としての職務をこなしていた。彼は総章《そうしょう》二（六六九）年、七十六歳で死ぬが、そのまぎわ、弟の李弼《りひつ》にむかって懇々と遺言した。

「わしの死期は迫っている。知ってのとおり、太宗陛下のもとで名臣の名をほしいままにした房玄齢や杜如晦、高季輔《こうきほ》の家は、馬鹿息子たちのおかげで一家断絶の憂き目にあった。わ

邙山墳墓の風景

しにもそのような不肖の者たちがいる。あとのすべてをお前にまかす。彼らの行いがおさまらず、悪い連中と交わるようならば、すぐさま打ちすえ殺して、家をつぶすような事態はなんとしてでもふせいでほしい。

わしの葬式は簡単にすますように。金銀財宝は埋葬するな。柩《ひつぎ》は粗末な露車《ろしゃ》（霊柩車）ではこび、わしには平服を着せよ。ただ公式の朝服《ちょうふく》一揃いだけは入れてほしい。あの世で太宗陛下にお目にかかるとき、身に着けなければならないからな。明器《めいき》は陶馬五、六匹と木人《もくじん》十個ほどで十分だ」

彼はいうだけいうと、あとは一切口をつぐみ、静かに目を閉じた。

李勣の生き方は、みずから望んで宰相までのぼりつめたというより、武将としての能力と人柄によって押しあげられた、といった方が正しい。高宗朝になっても、必要とされることは変わらず、政界の重鎮でありつづけた。それに武照を皇后におした功績がある。だがそれを口にし、威権をふるうようなことがあれば、かならずや武后のプライドを傷つけ、いつかきっと失脚に追いこまれるのは明らかである。彼はできるだけ目立たないようにつとめ、差し出がましい行いは一切とらず、無事一生をおわることを願ったのである。

だが、あにはからんや、彼の必死の願いにもかかわらず、孫の李敬業《りけいぎょう》は武后への反乱をおこして殺され、その家もとりつぶしにあってしまった。なんとも皮肉な顚末《てんまつ》であるが、このことはあとでふれよう。

李勣が遺言で例にあげた房玄齢の息子とは、高宗の即位のはじめに謀反の廉《かど》で殺された房遺愛のこと、杜如晦の息子とは、太宗の皇太子であった李承乾の謀反にかかわった杜荷《とか》をいい、高季輔の息子とは、武后を失脚させようと動いた上官儀の一派であったとの科で、嶺南に流された高正業《こうせいぎょう》をいう。彼らは唐創業の功臣の二代目であり、建国時の苦労をなにも知らず、まわりからちやほやされて育った世代にあたる。しかも親が大きな存在であるがゆえに、それにおし潰されまい、すこしでも目立たせたいという意識が人一倍つよかった。

もともと二代目というのは、大変な立場である。創業者がおこした事業をしっかりと守りぬく守成の姿勢と、その事業を発展させる積極性との両方を求められるからである。まして、創業者が偉ければなおのことである。右の彼らも、親にとうてい及ばないのであれば、みずからわきまえ、守成に徹すべきであった。それは高宗においてもしかりである。だが彼らはそれもできなかった。

しかし、おかげでわれわれは、武后という歴史に例をみない強烈な個性にめぐりあうことが可能になった。高宗およびそれに連なる二代目の者たちの姿は、はしなくも唐がかかえる弱さを露呈した。武后はまさにその弱さを徹底的につき、権力の頂点にのぼりつめるのである。

皇后になったばかりの武后にとって、当然ながら困難や抵抗はあったが、しかしそれも予想されたほどではなかった。彼女は高宗にかわって政治をとることに、いっそう興味と自信をふかめた。社会的にみても、彼女が皇后になったことに一部で批判する空気はあっても、真っ向から反対するような動きはみえなかった。

それのみか、さらに彼女を有利にする状況がもたらされた。それは、長い間、中国側を苦しめてきた高句麗《こうくり》、その懸案の対外問題が、高宗の代になって、決着をみたことである。

高句麗は、遼水《りようすい》を中国との国境にして、旧満州から朝鮮北半分を領有するツングース系民族の国であった。もともと中国側とは対立せず、その文化を積極的にとりいれるなかで、国力の充実をはかってきた。この国が、隋の中国統一以降、次第に警戒心をつよめ、関係を疎遠にさせていく。一方、国内の統一をはたした隋は、さらに北アジアから東北アジアをふくむ、東アジア全体の盟主として君臨する野望をふくらませる。となると、意のままにならない高句麗は、隋にとってもっとも目ざわりな存在になるのは避けられない。

かくして、隋の文帝が一度、つづく煬帝が三度と、高句麗遠征軍を出したが、いずれも頑強な抵抗にあい、さんざんに追いかえされたのであった。高句麗は、かの広開土王碑《こうかいどおうひ》で有名な好太王《こうたいおう》（在位三九一～四一二年）のころから一世紀ほどが最盛期で、隋のころは下降線をたどりはじめていたが、それでもこの四度の攻撃をしのいだのである。

彼らがとった戦法は、まず領内に敵を誘いこみ、できるだけ人員と物資の補給線をのばしてしまう。たいする自軍は、籠城作戦をとり守りをかためつつ、敵の虚をつくゲリラ戦によって戦陣を攪乱《かくらん》する。地の利を知りつくしたうえで展開される抗戦によって、隋軍はただ翻弄されるだけであった。

彼らにはまた、冬将軍という強力な味方があった。すべてを凍《い》てつかせてしまう長い満州の冬には、中国兵はまったくついていけない。冬が到来する前のかぎられた時間内に決着をつけなければならない隋軍にたいし、民族意識を高揚させ、持久戦とゲリラ戦を併用してたたかう高句麗軍である。厖大強力な軍事力をもってしても、容易に倒せる相手でないことは明らかであった。

唐になると高句麗は、隋軍が敗走するときにとりのこされた中国兵を送還したり、遺骨の収拾に協力したりして、関係の修復につとめた。唐の方も隋のような強圧的な態度はとらず、良好な国交の回復をはかった。だがそれは、もともとあった緊張がここで雲散したことを意味しない。唐は、おりあらば高句麗を屈服させ、朝鮮全体を掌中にし、東アジアの盟主にたつ、という考え方に変わりはなかった。高句麗側は高句麗側で、国家と民族の独立を守りぬくことは至上命題であり、けっして警戒心を解いたわけではなかった。

太宗が、北の突厥を制圧し、西北諸国から「天可汗」の称号をたてまつられ、西のシルクロード方面にも進出をはたすと、高句麗はふたたび警戒の念をふかくした。唐の側でも、未解決のままのこされた高句麗問題があらためてクローズアップされた。

そうした矢先の貞観十六（六四二）年、高句麗国内において一大事件がおこった。西部（あるいは東部）大人《たいじん》という立場で国政を動かしていた泉蓋蘇文《せんがいそぶん》が、反対派の大臣ら高官百八十名ほどを皆殺しにしたうえ、国王の栄留王《えいりゅうおう》を絞め殺した。そして、王の弟の息子、高蔵《こうぞう》を国王に擁立し（宝蔵王《ほうぞうおう》）、みずからは莫離支《ばくりし》（将軍）という地位につき、政治・軍事を壟《ろう》断《だん》することになったクーデターである。

この報に接し、唐側は色めきたった。国王を殺した大逆人、泉蓋蘇文を討ち、塗炭の苦しみにある民衆を救うのだ、という朝鮮を攻める絶好の名分を手にしたのである。太宗は、すぐ本格的な準備に着手し、貞観十九（六四五）年の春を訪れを待って、水陸十余万の軍勢で、一斉に高句麗領に攻めこんだ。だがこれも失敗におわった。遼水を渡ったすぐ先にある高句麗側の拠点、遼東城《りょうとうじょう》（遼寧省瀋陽市）をおとしたまではよかったが、もうひとつの拠点、安市城《あんしじょう》の攻略に手こずり、結局それ以上進めないまま冬の到来をむかえ、撤収を余儀なくされたのである。

太宗は、煬帝の失敗を目の当たりにしておりながら、しかし同じ轍をふんだ。

「魏徴が存命であれば、その無意味なることを諌めてくれたであろうに」

あとでそう反省したが、いったん手を出した以上、止められない。その後も太宗は兵を出し、結局なんら成果をあげられないまま、犠牲だけを出しておわったのである。

高宗の治世になっても、両国の関係は好転しなかった。そればかりか、高句麗、百済《くだら》《ひゃくさい》、

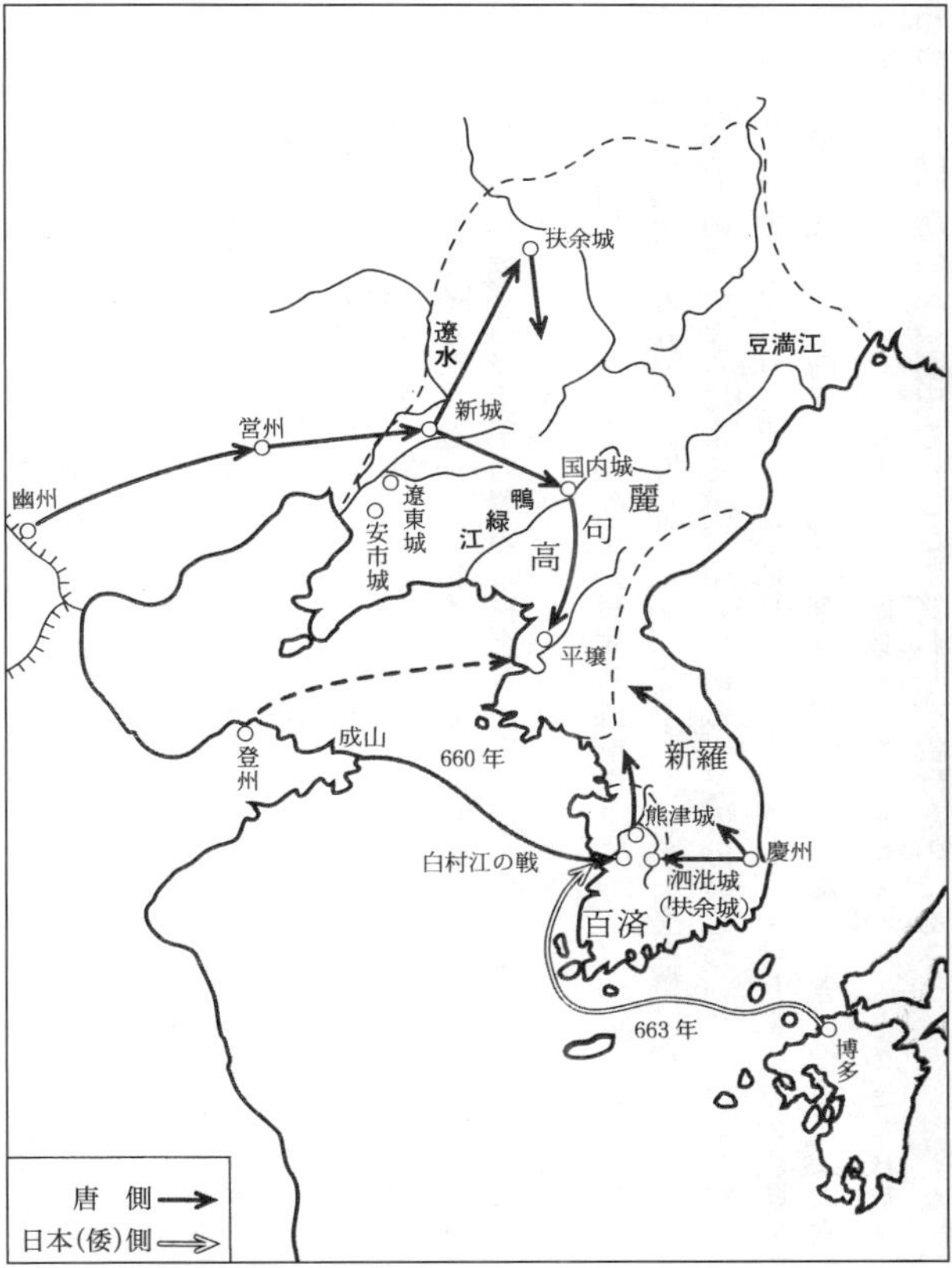
扶余城
遼水
豆満江
新城
営州
国内城
幽州
遼東城
安市城
鴨緑江
高句麗
平壌
登州
成山
660年
新羅
熊津城
白村江の戦
慶州
泗沘城（扶余城）
百済
663年
博多
唐側
日本（倭）側

高句麗征略関係図

新羅《しらぎ》《しんら》と三国が鼎立《ていりつ》していた半島にあって、唐の援助を得て力をのばそうとする新羅にたいし、高句麗と百済が連合して圧力をかけ、さらにその百済を日本がバックアップするという、新たな緊張がひろまったのである。唐は泥沼化をおそれながら、いよいよここに本腰をいれざるをえなくなった。

かねてから新羅は、共同で百済を討伐し、そのうえで高句麗を南北から攻撃することを提案してきていた。その要請をうけいれて、唐が、蘇定方《そていほう》ひきいる十万余からなる水軍をさしむけたのが、顕慶《けんけい》五（六六〇）年のこと。新羅軍と連携をとりあい、一気に百済の都、泗沘《しび》城（扶余《ふよ》）まで攻めこんだ。頼みの綱の高句麗は、北から唐軍に牽制されて動けない。一方の日本に援軍を求めるには遠い。抵抗もむなしく、秋口までに王以下が降伏し、百済王朝は滅亡した。三年後、百済王子の豊璋《ほうしょう》（扶余豊）を助けるために攻めてきた日本軍も、白村江《はくそんこう》（白江《はくこう》）で大敗させられた。

こうして唐は、南北から高句麗を挟撃する態勢をきずいた。ついで乾封《けんぽう》二（六六七）年、内外厳しい環境のなかで、高句麗を強力にまとめてきた泉蓋蘇文が死んだ。あとにきたのは、お定まりの息子たちによる跡目争いである。その分裂をついて、李勣を総大将とする唐軍は北から領内になだれこみ、一挙に都の平壌《へいじょう》を包囲し、一ヵ月あまりの攻防の末、陥落させた。国王高蔵以下、白旗をかかげ、李勣の軍門に降った。ときに総章元（六六八）年の秋もおしつまった九月のことであった。隋以来、たび重なる侵攻もしのぎ、民族の独立を守りつづけた高句麗の長い歴史も、ここに終わりを告げたのである。

武后が政治の実権をにぎったちょうどその時期、つまり顕慶五年から、朝鮮情勢は、唐にとって有利に動きはじめた。そしてわずか八年で、あの太宗もなしとげられなかった高句麗の平定に成功する。武后はこの過程、ことに百済攻撃を大胆に決断したところに、ふかくかかわっていたのはたしかである。この一連の展開は、なによりも彼女の強運さと政治的能力を、ひろく人びとの心に植えつけたのであった。

武后はこの高句麗との戦いのなかで、さらに貴重な拾いものをした。政治や軍事をささえるべき新たな人材を手に入れたことである。

それは、李勣にかわって軍事面にも目をくばることのできる存在、劉仁軌《りゅうじんき》であった。唐軍が百済を平定したとき、彼はその地の統治をゆだねられたが、一方、余勢をかって平壌に攻勢をかけた唐軍は、それに失敗し、総退却のやむなきにいたった。そうした最中、百済の故地では反唐の動きがたかまり、劉仁軌は窮地にたたされた。高宗からは「一時、新羅に退避せよ」との命令が伝えられ、部下たちのあいだには、国に帰りたいとの希望がつよかった。しかしひとり劉仁軌だけは、その両方ともとらなかった。

「いまこの地を捨てるならば、百済は日ならずして復活する。そうすれば高句麗を腹背から攻める目論みはつぶれ、その平定もいつのことかわからなくなる」

彼はそう部下に説いて、あえて百済にとどまる道を選んだ。それは大海にうかぶ孤島のようなものであったが、部下をよくまとめて百済残党の攻撃をしのぐとともに、戦乱で破壊された百済領内の橋梁や道路を改修し、産業を復興させ、荒廃した民生の回復をはかった。これを背景に、白村江で日本の派遣軍四百余艘と戦い、完膚なきまでにつぶしたのであった。

——仁軌、倭《わ》兵に白江の口に遇《あ》い、四たび戦って捷《か》ち、その舟四百艘を焚《や》く。煙焔《えんえん》は天に漲《みなぎ》り、海水はみな赤し。賊衆大いに潰《つい》ゆ。

そのときの情景を、『旧唐書』の劉仁軌伝はこう叙述する。世にいう白村江の戦いである。日本を半島から手をひかしめた張本人とは、この劉仁軌にほかならなかった。

劉仁軌はこのようななかで、武将としてだけでなく、行政官としてもすぐれた資質をもつと評価を得たのであった。それに出身といえば、汴州《べんしゅう》（河南）尉氏《いし》の人で、山東系であるが、たいした家柄でもない。人材を求める武后の目にぴったりかなったことはいうまでもない。彼は武后の信頼あついひとりとして、李勣のあとを埋めたのである。

人材といえば、劉仁軌をつうじて、一人の百済人がひきあげられた。黒歯常之《こくしじょうし》という人物である。身の丈七尺あまり（二メートル余）もある大男で、勇猛にしてしかも知謀に長けた男であった。唐が百済を平定したとき、百済の地方長官の立場から降ったが、総大将の蘇定方は彼をむしろ危険視して、反乱においやってしまった。だが彼はそのあと、劉仁軌に降伏した。このとき、

「こやつの性根は獣と同じで、まったく信用なりません」

という部下の忠告に、劉仁軌はつぎのように答えた。

「この者は、忠義にあつく、信義を重んずるものとみた。さきに反抗に出たのは、相手にみる目がなかったからで、場があたえられれば、命がけで働いてくれるものなのだ。疑うこと

は一切ならぬ」

以来、黒歯常之は唐側の武将として、吐蕃《とばん》や突厥との対外戦で、率先して敵に臨み、数々の手柄をたてることになる。いわば彼も、武后期に登場した新たな人材のひとりであった。

このような段階をへて、武后の体制が固まりをみせるのが、上元《じょうげん》二（六七五）年のころとなる。まず、この年の宰相陣をみると、戴至徳《たいしとく》が右僕射《うぼくや》で、劉仁軌が左僕射《さぼくや》、張文瓘《ちょうぶんかん》が侍中で、郝処俊《かくしょしゅん》が中書令となり、これに李敬玄《りけいげん》が吏部尚書としての立場で加わる。それぞれの出をみると、戴は相州《そうしゅう》（河南）安陽《あんよう》の人で、太宗のもとで吏部尚書についた叔父の戴冑《たいちゅう》のあとをついだ者、張が貝州《ばいしゅう》（河北）武城《ぶじょう》の人、郝が安州《あんしゅう》（湖北）安陸《あんりく》の人、李が亳州《はくしゅう》（安徽）の人となる。劉は前にふれたように、汴州尉氏の人であった。

その本貫名からわかるごとく、彼らはすべて非関隴系に属する者たちであった。家柄として、いわゆる名門クラスには入らず、多くは本人の才覚が認められ、ここまで登ってきたのであった。いずれも若いときから学問を身につけ、軍事面もふくめ、高い政治行政の手腕をそなえていた。

たとえば李敬玄である。この人物の暗記力は抜群で、人事にかかわる西台《せいだい》（中書）侍郎や吏部尚書のポストにあって、毎年一万をこえる人事異動の対象者たちの顔や経歴をすっかり頭に入れ、的確に対処したという。街でだれにあっても、それがどこのだれかすぐわかるほどであった。彼はただ、自分の出があまりよくないことへのコンプレックスがあり、そのため立場を利用して山東貴族から三度も妻をめとり、自分の家系を趙郡の李氏につなげ、はたまた貴族の者たちを中央の要職に配置した。結局、これが劉仁軌にきらわれ、辺境の軍職に出されてしまった。

李敬玄が門閥貴族の側に肩入れし、失脚を余儀なくされたという一事は、このとき政治の中枢部を構成した者たちの共通する弱みを、はしなくも露呈した。とはいえ李敬玄にしても、これで私腹を肥やし、権力を勝手にねじまげたというわけでは必ずしもない。ほかの者たちも、政務には熱心で公平につとめ、個人のふるまいも質素を旨としている。それに李敬玄のような行きすぎには、劉仁軌らによる内部のチェックがはたらいた。

劉仁軌といえば、戴至徳とのあいだにこんな話がある。

宰相についてから、劉は冤罪《えんざい》などの訴えをうけると、「それは大変なことであった」と、相手をいたわりそのとおり聞きとどけてやろうとした。これにたいして戴は理詰めで厳しく理非曲直を明らかにし、訴えの内容を額面どおりに受けとめなかった。しかし戴は、いったん正当と認めると、皇帝にこっそり奏上し、皇帝の意志で冤罪を晴らした形をとり、自分は表に出ることはなかった。このため事情を知らない者たちは劉仁軌の方を評価し、戴至徳は冷酷な者とみたのであった。

「もうすこしご自身の配慮ぶりを知られるようにしてはどうか」

と忠告してくれる者に、戴は恬淡《てんたん》としていったものである。

「慶事や刑罰で最終判断をくだすのは、人主たるものの権限なのだ。臣下が自分を目立たせようとして、人主と権限を争うことがあってよいだろうか」

戴の気持ちの片方には劉仁軌があり、彼をできるだけ目立つようにさせる、との配慮もあってのことであった。

郝処俊は剛直な男であった。病気がちな高宗が、位を武后にゆずって引退したいとの考えをもらしたとき、武后がそばにいるのにもかかわらず、はっきりと反対した。

「いったい皇帝が皇后に譲位するなどとは、聞いたことはありません。皇帝は陽で、皇后は陰を代表するもの、皇帝と皇后との関係は、いわば太陽と月にあたり、両者は位置と役割を逆転させることはできないのです。それに唐の天下は、高祖、太宗両陛下から陛下につたえられたのであって、陛下個人のものではありません。かりに譲位があるとすれば、それは子孫にたいしてであって、他人である皇后の一族にまわすべきではありません」

郝処俊はおそらく近い将来におこるであろう事態をみすえ、こう釘をさしたのであろう。さすがの武后も、この正論にはぐうの音もでなかった。それに、権力欲をむきだしにして動く時期ではないことも、彼女はよく承知していた。

武后がすでに実質的に権力をにぎり、高宗は飾りものに成り下がっていることは、だれの目にも明らかであった。それにもかかわらず、批判や反発はおもったよりも鈍い。その大きな理由のひとつは、こうした政治的資質に富み、それぞれ自分の見識をもち、バランス感覚のあるものたちを宰相に起用し、腕をふるわせたその手法に求められる。彼女は、こうした人材の登用をつうじて、人心の収攬《しゅうらん》につとめたのであった。

第十二章　武后とその一族

高宗は皇后の武氏とくらべて、年齢は五歳も若い。それなのに、青白い顔をして弱々しく、床にじっと横になっていることが多く、武后よりずっと年いってみえた。もともと病弱な体質であったところに、持病の風眩《ふうげん》があった。その発作も近頃は間隔をせばめ、そのたびに頭は割れるように痛み、体は激しく痙攣《けいれん》し、生きた心地がしなかった。

しかしどんなにつらくても、政治の重要案件があれば大臣たちの前に出なければならない。それが皇帝としてのつとめであり、武后もそうするように求め、むりやりにでも引っ張り出した。政務をとるときの武后の喜々とした姿をみて、「わしは政権を皇后にゆずって隠退したい」とつい口をすべらせ、郝処俊《かくしょしゅん》にきつくたしなめられたのもそんなときであった。

武后は、この世が自分を中心に動きはじめていることに、いよいよ自信をふかめた。ひょっとしたら自分が本当に帝位につく事態があるかもしれない、内心ひそかにそんなことも考えることがあった。もしそうなったとしても、私にはそれに十分耐えられるだけの資質がある、現にたよりない夫の高宗にかわって、いっさい政務に遅滞もおこさずやりとげていることがそれを証明しているではないか、彼女はそう自負していた。

もちろん、これは口に出せることではない。女が皇帝につくなどとは、まさに驚天動地の仕業であって、歴史上にも例をみない。ましてそれを思うことすらとんでもない、というのが当時の通念であった。しかし武后の胸には、そのとんでもないことに挑戦できないものか、と新たな野望が次第にふくらみはじめていた。

人間というもの、物心ついてからうけた屈辱やつらさの記憶は、いくつになっても消しがたく心にのこり、本人の精神形成に微妙な影をなげかけるもののようである。武后についていえば、それは幼いとき以来、目の当たりにしてきた、異母兄らによるいじめであった。

前にみたように、彼女の母楊氏は、武士護《ぶしかく》に後妻として入り、三人の娘を生んだ。そのとき前妻相里《そうり》氏が生んだ二人の息子、元慶と元爽は、すでに成人していたが、この継母母娘との関係はよくなかった。それに二人の背後には、武士護の親族たちも連なっていた。隋室の流れをくむ楊氏と、山西の田舎に出た彼らとでは、家柄において天と地ほどの差がある。日ごろそれを鼻にかけ、お高くとまった楊氏を、彼らが面白く感じるはずはない。

彼らはいっしょになって、陰に陽にこの楊氏たちを邪険にあつかった。武士護存命中はまだしも、彼の死後にそれは激しさをました。母の楊氏は気のつよい女性であるが、それに輪をかけて勝ち気な二番目の娘、つまり武照が、とりわけきついいじめを加えられたのであった。

母がちがうとはいえ、血肉を分けた兄弟姉妹であり、親族である。いったん事があれば、お互いどこまでも助けあう関係にある。それが中国社会における家というものである。だが武照の場合、そうではなかった。もっとも感受性豊かであるべきその年代に味わった屈辱は、彼女の心奥深くにどす黒いおりとなってのこった。彼女のなかに見え隠れする残忍さ、憎んだ相手はどこまでも追い詰め、平然と殺し、ときにそれは肉親にまでおよぶすさまじさは、その精神の成長期に刻印された人間不信が影を落としているといえなくはない。

そして、武照は皇后になった。過去の自分に加えた仕打ちを清算させることのできる立場にたった。武后が一番に憎んだ相手は、二人の異母兄と、父の兄である士譲《しじょう》の子供、惟良《いりょう》と懐運《かいうん》であった。彼らはまた、母の楊氏にたいしても無礼に振る舞った者たちであった。

武皇后が実現すると、当然のことながら、武氏の一族につながる者たちは栄転に浴する。異母兄とても同じく、それぞれ昇進をはたした。

あるとき、武氏一族が集まって酒を飲んだときのことである。いまは栄国夫人にのぼっている楊氏が、かつて冷たい仕打ちをした惟良らをつかまえて、自慢げに、また嫌みをふくんでいった。

「昔のことをおぼえているかい。今日このように栄達できたのはだれのおかげかな」

惟良らは、それにこう答えた。

「わたしどもは、唐朝創業にかかわった功臣の子弟ということで官位を与えられましたが、自分の分をわきまえ、それ以上の栄達など高望みはしておりませんでした。ところが思いもかけず、皇后の一族という理由で、このような過分な扱いをうけることになりました。日夜まちがいを犯さないかとはらはらするばかり、けっして栄誉なこととは考えません」

楊氏は肩すかしをくらった思いがした。てっきりぺこぺこし、過去をわび、追従笑《ついしょうわら》いをし、武后の偉大さを褒めたたえるだろう、と考えていたからである。すっかり腹をたてた彼女は、早速、武后にそれを告げた。武后はこれを聞くと、むくむくと昔うけた屈辱への怒りがこみあげてきた。彼らの応対次第では過去を水に流してもよいとまで、鷹揚なところをみせようとしていた矢先のその言辞に、ついに堪忍袋の緒が切れた。

こうして惟良らは、外戚を政治の枢要からはずすという表向きの口実で、つぎつぎと辺鄙の地に左遷されていった。惟良が始州《ししゅう》（四川）、元慶が龍州《りゅうしゅう》（四川）、元爽が濠州《ごうしゅう》（安徽）の刺史としてである。元慶は任地で病死し、元爽はさらに振州《しんしゅう》（海南）に流されて死んだ。それぞれの一家の者たちもいっしょに移された。

彼らへの処置はそれで終わらなかった。武后の従兄弟《いとこ》の惟良はまだ任地で死なず、その弟の懐運への恨みも晴らされていない。彼女はじっと時期をうかがった。

そうしたときのことである。武后にとって、もうひとつ許しがたい事態がおこった。彼女の姉をめぐってである。

武后が高宗の後宮へ迎えられると、その親族ということで、姉は韓国《かんこく》夫人の称号が与えられ、宮中に自由に出入りするようになった。韓国は、すでに早くに賀蘭越石《がらんえっせき》なる者と結婚し、敏之《びんし》という息子と、のちに魏国《ぎこく》夫人の名をたまわる娘の、二人の子供をもうけていた。韓国も魏国も、武后と同様に楊氏の血をひいたためであろうか、ともに目元がすっきりし、男好きのする顔だちの美人であった。

さて、韓国夫人もその娘の魏国夫人も後宮に出入りしているうちに、いつしか高宗と関係ができてしまった。まず韓国がそうなったが、このことは当然、武后に察知されるところとなった。しかし嫉妬ぶかい武后のこと、いくら姉といっても、そのまま目をつぶってくれるほど寛容ではない。ある日、食事に毒を盛り、なに食わぬ顔をして殺してしまった。そのとき韓国夫人には、どうも高宗とのあいだにできた乳飲み子がいたらしい。その後、この子がどうなったかは、武后しか知らぬ秘密として闇に葬られた。しかし、のちにそれが、ひょんなことから頭をもたげる。皇太子李賢の出生をめぐる問題としてであるが、いまはふれないでおく。

高宗は韓国が殺されると、つぎに魏国にも手を出し、すっかり彼女が気にいって、後宮に入れようとはかった。だがそれには武后の了承をえなければならず、いつそれを切りだしたらよいか迷った。そんな高宗のぐずぐずした様子をみて、鋭い武后はすぐぴんときた。

「あの牝猫《めすねこ》め、人の目を盗んで勝手なことをやって。いくら姪であってもそれは許せない」

彼女はなにくわぬ顔で、しばらくそのままにしておいた。

乾封元《けんぽうがん》（六六六）年になった。この年の正月一日、泰山《たいざん》で封禅《ほうぜん》の儀をおこなった。封禅の儀とは、天帝の子＝天子としてこの地の支配をまかされた皇帝が、地上の絶対者として君臨することを、天の神と地の神に報告する儀式である。それは、山東の平原に巍々《ぎぎ》としてそびえる泰山の頂《いただき》で、まず天帝に告げ、ついで麓《ふもと》におりてきて地の神に報告する形をとる。ただ古来これは門外不出の秘儀とされ、祭壇のまわりに張られた幔幕のなかで、ごく少数の介添役をしたがえた皇帝だけがおこなうものであった。

　この年の封禅を提案したのは武后であり、三年ほど前から準備にとりかかった。彼女がそれほど熱心であったのには、わけがある。この儀式に彼女も皇帝といっしょに臨むこと、それによって天神《てんしん》、地祇《ちぎ》の神々、さらには内外の万民に、彼女が高宗と同等の権力者、つまり「二聖」である旨を知らしめること、これが最大の眼目であったからである。そして彼女は、周囲の意向はおかまいなしに、ごりおしに進め、念願を達したのであった。

　さて、話をもどすと、封禅の儀には、始州刺史であった武惟良も、その弟で淄州《ししゅう》（山東）刺史の武懐運もよばれ、参列した。そのあと彼らは皇帝につきしたがって洛陽にもどったが、武后はその機会をとらえて、にっくき身内連中を一挙に処分してしまおうとはかったのである。

　八月のある日、武后は高宗にすすめて、母楊氏栄国夫人の宅に遊びにでかけた。武后の身内が集まって、内輪の会食をしようというのである。その席の食事は、惟良と懐運の側で用意した。料理はそれぞれ膳に盛られ、各人の前におかれたが、そのなかの一人、魏国夫人賀蘭氏が自分の膳におかれた肉の塩辛に手をつけ、しばらくするとにわかに苦しみだし、息絶えた。それをみて高宗はうろたえ、一座は大騒ぎになった。

　そのなかで武后は、声をあげ、静まるように命じた。

「これは、わらわの生命をねらった仕業に相違あるまい。魏国夫人は可哀想に、あやまって殺されたのだ。このなかでわらわを憎む者といえば誰か。その者とは、食事を献上した当の本人、惟良と懐運の両名にほかなるまい」

武后にそう決めつけられては、二人がいかに抗弁してもそれまでである。犯人はこの両名ということになり、ただちに死刑に処された。追い打ちをかけて、二人にはさらに蝮《ふく》(まむし)氏という姓がつけられた。だが真犯人は彼らでないことはいうまでもない。武后が部下に命じ、魏国の料理の塩辛にこっそり毒をもったのであった。武后はここでまんまと、憎い魏国も、二人の従兄弟も消しさり、一人ほくそえんだことであった。

こうして武后は、積年の恨みを晴らしたのであったが、ここまできてはたと困った。武氏の家の血統をどうつがせるか、の問題である。中国の観念では、家は代々男がつぐべきもの、もし後をつぐべき男子がいないとき、そのときこそ最大の不孝である。血統はそこで途絶え、先祖の祀りができなくなるからである。娘は幾人あっても家を出て他家に嫁ぐもので、そこで生まれた子供はあくまで他姓を名乗り、母方の血統をつぐ資格はない。武士彠の後は、ふつうなら異母兄の元慶か元爽のところがつぐべきであるが、二人とも左遷された先で死に、子供たちも父の任地で幽閉同然の境遇にあった。

迷った末、武后は姉の韓国夫人の息子、賀蘭敏之に武姓を名乗らせ、むりやり武氏の家系をつがせることにした。妹は郭孝慎という者に嫁いだが、子供ができないまま早世しており、正直なところこの若者しかのこされていなかったのである。

敏之は母親に似て、鼻筋のとおった色白の美青年であった。武后の実家、武氏一族の後継ぎということで、彼はまわりからちやほやされ、いつしかそれを鼻にかけたわがまま息子に成長した。とくに女性にたいし、素行がおさまらなかった。

司衛少卿《しえいしょうけい》の楊思倹《ようしけん》という者に、容色麗しい娘があった。時の皇太子の妃にと、婚姻の日取りまで決まっていたところ、敏之は彼女のことを聞いて、むりやり手籠めにしてしまった。彼女はこれがために、若い命を絶ったのである。また武后の末娘は太平公主《たいへいこうしゅ》といった。まだ幼かった彼女はよくお付きの女をつれて、宮中からお忍びで外にあそびに出た。そのおりをねらって、敏之はお付きの女にせまり、強姦したのであった。

その一方で、異常なことに、祖母の栄国夫人とも肉体関係があったという。栄国はすでに隠居していてよい老女であるのに、一向に萎えた様子もなく、あちこち飛びまわっていた。敏之は彼女にとって、孫というよりは若いツバメであった。のちのことであるが、武后自身、七十もすぎて、若い張昌宗《ちょうしょうそう》らを寝所にはべらすようになる。この母娘、よほど常人とはちがった強靭な肉体と精力をもちあわせていたのだろう。

敏之の傍若無人な振る舞いは、目にあまるものがあった。それに祖母と孫との倒錯した関係である。武后はこまりぬいたが、まだ黙ってみていた。じつは彼にたいし、武后もひとつの弱みがあったからであり、敏之がそれほど目茶苦茶な行動に出たのも、そのことがかかわっていた。

敏之の母韓国夫人は、武后によってひそかに宮中で殺されたが、のちに彼は、「母はどのように亡くなったのでしょうか」と、高宗にたずねた。高宗はこれにたいし、

「わしが政務をとるために出かけるときは、何事もなく元気な様子であったが、終わってもどってみるとすでに息絶えていた。どうしてこう急に逝ったのか不思議でならない」

と答えた。それを聞いた敏之は、わっと泣き伏したまま、あとは何もいわなかった。

武后はその一部始終を、はたからじっとみていた。彼女はおもった。

「敏之はその母が私の手によって殺されたと疑っている。これはおちおちしておれない」

この話はその後、宮中ではいっさい話題にはならなかったが、警戒心のつよい武后は、これがいつ自分の身にふりかかってくるかわからないと、気を配りつづけた。

咸亨《かんこう》元（六七〇）年九月、栄国夫人が亡くなった。武后は最後までそのそばにいた敏之に、宝物や錦を下賜して、それで仏像を造り、夫人の追善供養をするようにと命じた。ところが彼はそのために使わず、自分の懐にいれてしまった。ことここに至って、武后の堪忍袋の緒が切れた。

「こんなものは武家の後継ぎにはいらない」

彼は即刻、武姓を剝奪され、南方の雷州《らいしゅう》（広東）に流罪となった。しかし生かしておいては、武后にとってのちのち面倒である。流罪地に行く途中、密命をうけた者によって、馬の手綱で絞め殺されたのであった。ときに咸亨二年六月のことであった。

さて、後継ぎときめた賀蘭敏之が消えて、ふたたび武家をだれにつがせるかの問題がのこされた。だがすぐには答えを出さず、しばらく先のばしすることにした。

じつは武后にとって、身内にかかわって、それ以上に決着をつけねばならないもうひとつの重大な案件があったのだ。息子の皇太子である。

皇太子の李弘は、武后にとっては最初の息子で、高宗からいえば五番目であった。彼女と高宗が人目を忍ぶ仲になったときに、身籠ったのが彼であり、そのため彼女は、太宗の崩御によっていったん下がった後宮に、ふたたび舞い戻ることができたのであった。のみならず、そのあとただちに始まる王皇后追い落としにさいし、子供を産めない彼女を追いつめる最強の武器となった。いわば武后の今あるのは、李弘のおかげであった。

李弘は、母が皇后にのぼると、すぐ皇太子にあげられた。異母兄の李忠をを追い出す形をとってである。彼がわずか三、四歳の、まだ世の仕組みのなんたるかもわからないときのことであった。

それから二十年、李弘は立派な青年に成長した。彼は両親のよい部分をうけついだ。母からは、きりっとした顔立ちと頭のよさを、父高宗からはそのやさしくこまやかな気性を、である。こう成長した姿をみて、一番喜び、あとは安心してまかせられると期待をかけたのが、父高宗であった。

彼の人柄を示すこんな話がある。

先生の郭瑜《かくゆ》という者について、『春秋左氏《しゅんじゅうさし》伝《でん》』という古典を読んでいたときのことであった。ちょうど話が、楚の王子であった商臣《しょうしん》が父成王《せいおう》を殺して王位を襲う段になると、彼は本を閉じ、ため息をついた。

「このようなことに私はついていけない。経典は聖人の教えを垂れるもの、なのにどうしてこんな人倫にはずれたことが書かれているのだろうか」

「孔子は『春秋』で、善を褒《ほ》め、悪を貶《おと》すことにつとめました。商臣の悪事も後代の訓戒のために、書かなければならなかったのです」

「しかしこんな汚らわしいことは、口にするのも、耳にするのもいやだ。どうか別の本に換えましょう」

李弘はこのように慈悲心にあついうえに、下々の生活にも気をくばり、官人には腰を低く接した。そのためすこぶる評判がよく、立派なお世継ぎよと、人びとは口をそろえて褒めそやした。だがこのような彼に、もっとも嫉妬し、警戒の念をつのらせたのが母親その人であった。息子の評価が高まれば、高宗はいつ位を譲るといいだすかわからないし、母と正反対の息子はまた、いつ母のきたない一面を知って、反感を抱くかわかったものではない。いずれにせよ、この息子は、武后の立場をいちじるしく不利にしかねない存在であった。

そして、彼女の一番恐れた事態がやってきた。太子があるとき、後宮の一角に幽閉同然でおかれていた二人の女性を捜し出したことに、それは始まる。十分な食事も満足な世話も与えられないできたこの二人は、痩せやつれ、貧しい身なりで、おどおどしている。聞けば、彼女たちは、かつて高宗の寵愛をめぐって武后と激しく対立し、敗れさった蕭淑妃の娘、義《ぎ》陽公主《ようこうしゅ》と宣城公主《せんじょうこうしゅ》であった。

蕭淑妃の娘といえば、つまりは自分の異母姉である。それがこのような境遇におかれたままになっている。太子はびっくりした。彼は、母武氏が王氏や蕭氏を蹴落として皇后になったその昔の事件について、よく知らないできた。だれもそのあたりのことになると、かたく口を閉ざし、話題を避けてしまう。なにかありそうだとは薄々感じていたところ、この二人の姉に出くわしたのである。

彼は持ち前の正義感とやさしさ抑えがたく、すぐ二人のことを皇帝に訴え、最後にこう結んだ。

「お二人は、二十年も後宮の一隅に忘れさられ、すでに三十歳も過ぎたというのに、結婚の機会も与えられませんでした。どうか陛下のお力で、よい者にめあわせてやって下さい」

高宗は娘の不憫《ふびん》さに涙し、同時に太子の気遣いをうれしくおもった。横で武后は、じっと押し黙ったまま、やりとりをみていた。だが心中はにえくりかえっていた。太子をみるその目は、もはや息子としてでなく、自分を脅かすライバルとしてのそれに変わっていた。

武后はその日のうちに、二公主の結婚相手を勝手に決めた。相手はあろうことか、翊衛《よくえい》の権毅《けんき》と王遂古《おうすいこ》という者であった。翊衛とは親衛《しんえい》と勲衛《くんえい》とあわせて三衛《さんえい》とよばれ、近衛軍のなかで特別部隊を編成し、宮城内外の警備にあたる兵士のことである。当時の国軍の中心をになったのが府兵（衛士《えいじ》）であるが、これが農民から集められたのにたいし、三衛は官員の子や孫や、名家の出の者などによって占められた。

したがって、翊衛は一般の府兵からみれば数段上となるが、とはいえ所詮、彼らは一介の兵士にすぎなかった。兵士を指揮する将校でも、軍を動かす将軍でもなく、将来そうなる可

唐孝敬皇帝（李弘）恭陵遠景（河南省偃師市南景山）

能性もほとんどない者たちであった。その彼らに皇女が嫁ぐという。これほど皇女たちを傷つけ、あいだにたった太子と父親たる皇帝を馬鹿にした話はない。武后はもちろん、それがわかっていて、見せしめのためにこのような結婚を決めたのであった。

蕭淑妃は自分に罵詈雑言をあびせて死んでいった、憎んでもあまりあるやつである。その子供であれば、本来いっしょに処分されてしかるべきであったのに、こうして宮中で生かしてやってきたのはだれのおかげか。それだけでも感謝されるべきなのに、太子ときたらもっともらしい言辞をならべ、その配慮をわざわざぶち壊した。これは許すわけにはいかない。

「いまにみているがいい」。武后は、太子が自分にとって安心な相手でないことを知った。もはやこれ以上は放置しておくわけにはいかない、彼女はそう冷酷に判断をくだした。そして、洛陽城の西にある合璧宮《がっぺききゅう》に太子をよびだすと、食事に毒をもってあっけなく殺した。上元二（六七五）年四月二十五日のこと、二十四歳の若さであった。

太子の死を聞いて、高宗の落胆ぶりは大きかった。武后が手をくだしたことはだれの目にも明らかであった。しかし彼にはもう武后を責める気力も、権力もなかった。唯一できるのは、太子の生前を称え、それに孝敬《こうけい》皇帝の名を贈り、皇帝に準じて陵墓を営んでやることだけであった。

この李弘にかわって二代目の皇太子位を襲ったのが、弟の李賢《りけん》である。新太子も凡庸な男でなかった。端正な容姿にくわえて学問もあり、高宗の自慢の息子であった。彼が学者を動かしてまとめた范曄《はんよう》『後漢書《ごかんじょ》』の注は、後世にいたっても広く利用されている。

この皇太子は、もちろん武后所生の第二子であるわけだが、出生になにか秘密の匂いがただよう。記録によると、生まれたのは、永徽五（六五四）年の年末であった。永徽五年といえば、武后はまだ皇后位についてはいないものの、王氏や蕭氏との激しい対立の末、高宗を完全に自分のものにし、宮中で確固たる地位をきずいた年にあたる。そこで、高宗と武后はそうなった結果を太宗の墓前に報告すべく、昭陵《しょうりょう》にでかけた。その途中、にわかに陣痛がはじまり、産みおとしたのが李賢であった、という。

ただよくわからないのは、この年、武后は王皇后を失脚させるために、生まれたばかりの女児を自分の手で殺している。そしてこの李賢である。休む間もなく身籠り、出産したとなる。子沢山系の彼女のこととて、やや不自然さがつきまとう。それにこのころであろうか、武后の姉の韓国夫人が殺されたのであった。

李賢が皇太子につけられてから、しばらくたってのことである。

「皇太子様は皇后様の実のお子ではなく、どうも亡くなられた韓国夫人のお子らしい」

宮中の女たちのそんな噂話を耳にした。口さがない連中のいうことと、聞き流してしまえばよかったが、彼はそれにひっかかった。「そういえば母君は私にたいし、なにかよそよそしいところがある」と。

いったんそう思いこめば、ますますもっともらしく感じられてくるが、それを表に出していうわけにはいかない。彼は苦しみ、自暴自棄となり、あげくは心のうさを晴らすために、男奴隷の趙道生《ちょうどうせい》らとの倒錯した関係にのめりこんでいった。

そのころ、武后にはいつも身辺に出入りを許した一人の陰陽師《おんみようじ》がいた。名は明崇儼《めいすうげん》という。骨相をよくするとかで、皇子たちの顔だちについて、皇后に話したことがあった。

「どうも皇太子様の骨相は、お世継ぎにはむいておりません。それにひきくらべ、すぐ下の英王《えいおう》（李哲《りてつ》）様は、かの太宗陛下のお顔だちにそっくりです。その下の相王《そうおう》（李旦《りたん》）様は一番えらくなる顔つきをされています……」

おそらく彼は、日ごろ皇太子にぞんざいに扱われている腹いせをしたのであろうが、そんなことを聞いて、武后の皇太子をみる目が厳しくなった。素行もよくなく、反抗的な態度も目立つ。いろいろ注意したが効き目がない。そうしたとき、何者かによって明崇儼が殺された。武后の命で、必死の捜索がつづけられたが、犯人はわからずじまいになった。しかし武后は、皇太子の仕業にちがいないとみて、その廃位を決断した。

決断すれば、理由はなんとでもつけられる。皇太子の住む東宮を強制捜索し、馬屋から百揃いの甲冑をみつけだし、謀反をたくらんでいた証拠としてつきつけた。たかが百領ほどの武具のことである。皇太子の身であれば当然備えていても不自然ではない。高宗はそれゆえ不問に付そうとした。彼はこの息子を愛していた。

だが武后は絶対に許すわけにはいかない。もはや彼は息子ではなく、意にそわない敵対者以外の何物でもなかった。彼女はヒステリックに叫んだ。

「子の分際で謀反をくわだてるとは、もってのほか。あんな子供にかかずらわって、なにをぐずぐずおいいなの」

この一言で高宗は意気消沈し、あとは武后のいうがままに決着がつけられた。李賢は位を追われて幽閉され、つぎの弟、李哲（顕《けん》）があとを襲った。李賢が皇太子についてから五年目の、永隆元《えいりゅう》（六八〇）年八月のことであった。

李賢はこのあと巴州《はしゅう》（四川）に移され、その地で自殺させられる。わずか三十一歳の不幸な一生であった。武后の時代が終わったのち、その復権がはかられ、章懐太子《しょうかいたいし》という諡《おくりな》が与えられた。また高宗の陵、乾陵《けんりょう》の脇に盛大な墳墓が造営され、遺体が巴州からここに改葬されたのであった。

ちなみに文化大革命の最中の一九七一年から七二年にかけて、その墳墓の発掘が手がけられた。そこには長い墓道と二室の墓室からなる地下世界が横たわっていた。残念ながら、すでに盗掘にあっていて、目ぼしい出土品はなかったが、壁全体には彩色鮮やかな壁画がのこり、また李賢の履歴を記した二枚の墓誌があって、改めて彼の存在が注目されたのであった。

武后はこうして肉親を自分の手でつぎつぎと処分していった。このあとも、それはつづくが、いまはこのくらいにしておこう。いったん肉親の、それもわが腹を痛めた子にまで疑いの目をむけてしまった彼女にのこされたのは、どこまでもつづく荒涼たる世界であった。その点で、彼女は不幸な女であった。だがそれもみずから選んだ道である。あとはまっすぐ進むしかなかった。

第十三章　高宗の崩御

高宗は相変わらず体調がすぐれなかった。このごろは発作もたびたびおこり、そのたびにげっそりとやつれていくのが自分でもわかる。他方、武后といえば、ますます精力的に一手に政治をとり仕切っている。

その年、つまり永淳《えいじゅん》二（六八三）年の十月、高宗は奉天宮《ほうてんきゅう》という離宮で静養していた。もちろん武后もいっしょである。ここは前年、嵩山《すうざん》で封禅の儀をしたいとねらっていた武后が造った離宮であり、嵩山の南側、嵩陽県《すうようけん》（登封市《とうほうし》）に置かれた。

嵩山という山は、洛陽から目と鼻の先にあり、晴れた日には、遠くからその美しく威厳ある稜線が望まれる。だがその山並みも、近づけば樹木もまばらな峨々《がが》たる石と岩の山塊に変わり、人びとを容易に寄せつけない厳しさをむきだしにする。それがために、古来から多くの修験者や宗教者の修行の場所となった。かの山中で面壁黙座《めんぺきもくざ》した達磨《だるま》を初祖《しょそ》に、後世、禅宗と拳法で名をなす少林寺は、この山腹にあった。

武后は、高宗の体が思わしくなく、もはや泰山までの長旅に耐える体力のないことをみてとっていた。おそらく先はそう長くないだろう。急がねばならない。前回、封禅をやったのが乾封元（六六六）年、それから十七年のあいだに、絶大なる権力をほぼ掌中にしている。

高宗の死の前に、彼を介して、天地の神々や内外の人びとにたいし、自分のそうした姿を明らかにし、将来の後継者たるべき実情を印象づけておく必要がある。彼女はこのために、反対をおして奉天宮を営み、皇太子も長安から呼び寄せ、百官をひきいてここまできたのであった。皇太子とは、李賢にかわった弟の李哲のことである。彼女はすでに高宗亡きあと、唐室を簒奪《さんだつ》する野望と自信をかためつつあった。

ここに着いてまもなく、高宗が体の変調を訴えた。頭がずきずきと割れるように痛く、重いという。そのうち目が見えなくなってきた。高宗の苦しみぶりを傍らからながめながら、武后は彼の寿命が目前に迫っていることを実感し、もはや治る見込みがないと、見放そうとした。

そのとき、侍医の秦鳴鶴《しんめいかく》なる者が、

「ひとつだけ処方があります。頭に穴をあけ、血を抜きとらせて下さい」

と申しでた。それを聞いて武后は、甲高く怒りの声をあげた。

「なんということじゃ。玉体に傷をつけるとは。その者を斬っておしまい」

だが聞いていた高宗は、ひとつそれを試してみてくれと命じた。

そこで手術がおこなわれた。頭頂のつむじのある部分を百会《ひゃくえ》といい、後頭部の突出した部分からやや下がったところを脳戸《のうこ》という。この二ヵ所に鍼《はり》を刺し、血をすこし抜きとるというものである。やってみると、頭痛がにわかにおさまり、目もおぼろげながらみえるようになった。秦鳴鶴は医者としての面目をほどこし、武后から褒美の彩絹《さいけん》をもらってひき退った。

秦鳴鶴の試みた手術は、おそらく頭部にできた鬱血《うっけつ》状態をとり除き、血液の流れをよくするためのものであろう。当時すでに、このような高度な手術がおこなわれていたことは驚きであるが、どうもこれにはインド医学の影響があったらしい。

インド医学は、ギリシア医学やペルシア医学と関係をもち、早くより発展をみたが、なかでも外科術や長生術にすぐれたといわれる。これらは中国へ、まず仏教者たちの手を介して伝えられた。その嚆矢をなすのが、後漢のとき、最初の仏典翻訳をおこなった安息《パルティア》人の安《あん》世高《せいこう》であったと知られている。そして唐になり、これとは別のルートで新たな医術がもたらされたのであった。秦鳴鶴のそれは、これにかかわる可能性がある。

太宗から高宗にかけての時期、インドのヴァルダナ朝と遣使のやりとりが幾度かあり、唐側からは、朝散大夫《ちょうさんたいふ》の王玄策《おうげんさく》が使節としてこれにかかわった。そのインドへのルートは、一度はシルクロードからパミール高原越えが使われたとおもわれるが、あとはチベットに当時成立した吐蕃《とばん》の領地を通過し、ヒマラヤを越え、ネパールをへて中天竺《ちゅうてんじく》につうじるルートであった。彼の二度目のインド行の折りは、吐蕃やネパールの援軍を借りて北インドの小国ティラブックティを討ち、その王阿羅那順《あらなじゅん》を虜にして帰るという挙にでたことでも有名である。

王玄策はこのように時の中印交渉の主役であり、もっともインドにつうじた人物であった。その彼がインドからもどるにあたり、ひとりの変わった人間をつれ帰った。名を那邏邇《ならに》娑婆寐《しゃばび》（那邏邇娑婆《ならにしゃば》）といい、みずから語るところでは齢二百歳、不老の術を会得しているという。太宗はそれを聞くとすっかり信用してしまい、内城の一角、金飆門《きんひょうもん》のところに居場所を与え、不老薬の調合にあたらせた。そして彼の求めに応じて、国内のみならず、はてはインドにまで、薬の材料たる霊草異石を集めさせたのであった。

太宗はこのインド人の作った不老薬を服用したが、結局、効き目はなかった。早くから長命を願って丹薬を服用し、最後にインド不老薬にのめりこんだ太宗は、これがために命を縮めたといって過言でない。彼の死の床で、呼ばれた名医も手のほどこしようがなかった。

このような経緯があったにもかかわらず、つぎの高宗になっても、やはりインド医術をあつかう盧伽阿逸多《ろかあいった》（盧伽逸多《ろかいった》）なる者がいて、長命薬を調合し、高宗にすすめた。それをみて郝処俊は諫めていった。

「貞観の末年、先帝はバラモンの那邏邇娑婆寐に作らせた薬を服用しましたが、まったく効き目もなく亡くなられました。それをみて、あやつを極刑に処すべきだという意見もだされましたが、それではわが帝の恥をさらし、夷狄《いてき》の連中の笑いものになると判断し、処刑はとりやめになったのです。どうかその轍を踏まないで下さい」

高宗はこの諫言にしたがって、インド薬に手をだすことをやめたというが、ともあれ、太宗や高宗の朝廷には、このようなインド医術の使い手が出入りしていた。仏教の影響もあいまって、当然、唐朝治下に、インド系医学が広まっていたとみてよいだろう。秦鳴鶴のとった外科的手術も、こうした流れをくむ可能性が十分考えられるのである。

話はかなり横道にそれたが、ともあれ高宗はインド医術とおぼしき手術のおかげで、一時的に危篤状態から脱することができた。そのあいだにと、武后は急遽、高宗の体を洛陽に移したのであった。

そして翌十二月四日（丁巳）、病状が回復したことを示すために、弘道《こうどう》と改元《かいげん》した。改元には大赦令が発せられるが、そのさい皇帝みずから宮城の南門（外朝《がいちょう》）に出むき、群臣や民衆を前にそれを宣する。洛陽では則天門《そくてんもん》（応天門）がそれである。高宗は馬に乗ってそこまで行こうとしたものの、じつはそれだけの体力はもうなくなっていた。やむなく宮殿の前でそれをはたすと、その日のうちに息絶えた。皮肉なことに、なお生きることを前提にした改元という行為が、彼の最後の仕事になったのである。享年五十六であった。

高宗はもともと病気がちの上に、気の弱い、優柔不断な男であった。その当人が、人生において唯一、明確に自分の意志を示し、かち取ったものが、武后という女性であった。もちろんそれとて、裏で武后が糸をあやつっていたのではあったが。だがそれをはたすと同時に、役目を終えたかのごとく、舞台のそでに身を引いた。その後半生は、武后のために占拠されたといって過言でない。

ではそんな高宗を、不幸な一生とまとめてよいか。否、かならずしもそうとは決めつけられないだろう。たしかに彼は激しい気性の武后に辟易《へきえき》し、ときにそこから逃れたいと願ったことがあった。だが本気でそれをやりぬくことはなかった。それも優柔不断さのなせる業といえばそうなるが、彼の感情の奥底で、武后という女を必要とする気持ちがつねに勝ったからでもあった。武后もまた、政治的実権をにぎったのちも、高宗をそれはそれとして大事にした。高宗個人としては、まずは一応納得できる一生であったと理解してよいのではないだろうか。

さて、武后である。彼女はもうすこし夫が生きてくれるものと想定し、その間に高宗から権力が直接委譲される万全の段取りをつけたいと、ひそかに考えていた。その意味で、目算に狂いが生じた。このころには彼女は、つぎは自分が帝位を襲うとの意志をかためていた。しかし反面、高宗存命中はともかく、その亡きあと、それまで面従してきた臣僚や唐室関係者、それに世間の者たちが、いったいどのような反応を示すか、やはり不安としてのこっていた。失敗は許されない。そのために今しばらく時間がほしかったのである。

高宗の後釜をめぐって、武后は自分がなる可能性をすこしさぐってみたが、まだその状況にないとさとり、息子で皇太子の李顕（哲）を皇帝にすえることに同意した。これが中宗《ちゅうそう》となる。彼女は皇太后におさまったが、もちろん一切の実権は手放さず、中宗はいわば名目的な存在であるべきであった。

中宗はこのときすでに二十八歳、本来であればその年齢に相応しく、自分の置かれている立場を冷静に見極め、分別ある振る舞いが望まれた。だがこの男は、二人の殺された兄たちと比べてはるかに見劣りのする、これといった定見もない凡庸な人間であった。それがゆえに母からも警戒されず、今日までこられたといえなくはないが、皇帝位につくと、途端に母太后の怒りにふれることになった。

彼をしてそうしむけたのは、彼の妻で新たに皇后に座わった韋《い》氏である。彼女も武后にならぶ気の強い、独占欲の旺盛な女で、いつも武后のうしろ姿をみつづけ、いつかはきっと自分もあのようにと、野心を燃やしていたのである。高宗と武氏、中宗と韋氏、親子はともに似通ったカップルをなしている。

韋氏は夫の耳元でこうささやいた。

「あなたはもう皇帝なのです。いつまでも皇太后様の鼻息をうかがうばかりが能ではありますまい。もっとご自分を主張なさい」

彼女はこれを機に、父の韋玄貞《いげんてい》を表舞台に立たせようとねらった。その出自は、京兆《けいちょう》（長安）の韋氏といい、当地の名門であるが、彼女の祖父も父の玄貞も一地方官にすぎず、朝廷での地歩はけっして高くなかった。中宗はこれを聞くと、すぐ反応し、義父を門下省の長官、侍中《じちゅう》に抜擢しようとした。

だがこれら主要なポストは、すべて武后の息のかかった者たちによって埋められていた。尚書省の左僕射《さぼくや》には劉仁軌、中書令には裴炎《はいえん》、そして侍中には劉景先《りゅうけいせん》である。ここに割りこませようというのであるから、たちまち緊張が走るのは避けられない。

「朕は皇帝だ。朕には韋玄貞に天下を譲ることだってできるのだ。たかが侍中ごときをなぜ与えられないのか」

中宗は怒りのあまり、こう口走った。その言葉はすぐさま裴炎から武后のもとに報告された。そして翌年二月、突如、御前会議が召集され、全員の前で、武后の一方的な中宗廃位が宣言された。中宗は一瞬何がおこったのか飲みこめなかったが、たちまち両脇を固めた兵士のなかで、悲痛の叫びをあげた。

「わたしになんの罪があるというのか」

「お前は天下を韋玄貞に与えたいといったではないか。これ以上の罪はほかにあるか」

武后は引きたてられていくその息子の背中にむかって、にくにくしげにそういい放った。

こうして中宗は、在位わずか百日にも満たない短命さをもって帝位を追われ、盧陵王《ろりょうおう》という身で、それからおよそ十五年にわたる長い長い幽閉生活を、房州《ぼうしゅう》（湖北）の幽所に送ることになる。彼が命じた事柄は、皇帝としてはごく当たり前のことではあったが、あまりにも母のこわさを知らなすぎた。武后の眼前にあったのは、もはや子も子ではない、いかにして権力の頂点にたつかというその一点であった。中宗は母のそうした野望を甘くみた代償を払わなければならなかった。

中宗のあと、つぎに弟の李旦《りたん》が帝位につけられる。これが睿宗《えいそう》である。が睿宗は自分がここで何をなすべきか、わきまえていた。彼は帝位についたといっても、玉座には上らず、別殿にひき籠ってしまった。武后がそうすることを望んでおり、実際、自分の出る幕はどこにもないことは明らかであったからである。そのうえで、百官をひきしたがえ、「皇太后陛下みずからが政治を総覧されますように」と、申し出たのであった。

ここに武后政治が実質的にはじまる。以後、武后は洛陽宮中の紫宸殿《ししんでん》で、彼女のために特別に造らせた薄紫の帳《とばり》にかこまれた玉座に座り、大臣たちと会い、武氏政権の実現にむけて次々と指令を発していくことになる。

武后は六十二歳になっていた。体はなおどこも悪くはなく、意気はいよいよ軒昂ではあるが、それでも容色の衰えは隠しようもなく、内心あせりを感ぜずにはおれなかった。急がねばならない、しかし予想される克服すべき課題は多くある。それを思うと、ひとり暗澹《あんたん》たる気持ちにおちいることもあった。

ただこのころまでに、地方に流していた父方の武氏の者たちがひき上げられ、彼女の身辺をかため、支える態勢ができつつあった。かつて自分や母の恨みを晴らすべく、父方のおじ一族を徹底的に排除し、一度は賀蘭敏之という甥に武氏を継がせてみたものの、結局うまくいかなかった。やはり同じ武氏の血統をひく者こそが、先祖の祀りを絶やさないためにも、みずからの目的達成のためにも、一番頼りになると気づいたのである。

こうして呼びもどされた一族の者たちの先頭をきったのが、武承嗣《ぶしょうし》であり、武三思であった。承嗣は武后の異母次兄、元爽の長子で、三思は異母長兄、元慶の三男、ともに父親が武后の手にかかって悲惨な末路をとり、本人たちも長くつらい青年時代を送ったのち、ふたたび日の目をみたのであった。なかでも承嗣は年長で武后の信任あつく、その政権への筋道をつけたひとりに数えられる貢献をした。

武后が、一族の者たちに支えられ、野望をむきだしにしはじめたそのとき、足元で思わぬ抵抗にぶつかった。大臣のひとり、裴炎である。彼は、さきに中宗を廃位させるために武后に協力したが、そのあと一転して反武氏の行動に命をかけて立ち上がった。自分のとった対応が、李氏から武氏への政権移行に決定的に手を貸す結果になったことを、内心恥じたからでもあった。

武承嗣らは武氏政権が成立することを見越し、その手始めとして、新朝発足時にまず必要とされる七つの「おたまや」、すなわち七廟《びょう》の設定にとりかかろうとした。礼制では、天子には先祖の霊廟七つがなければならない、と決まっている。だが山西の農民の出にすぎなかった武家にとって、そんな七代も前まで素性がはっきりしているはずもない。せいぜいわかっても、三代前の曾祖父ぐらいである。武承嗣はしかしそれを逆手にとって、自分たちの武という姓は、上古の夏殷周《かいんしゅう》で知られた三代《さんだい》のうちの周《しゅう》王朝、その創始者たる武王《ぶおう》に由来する、したがって始祖は、武王の父の文王《ぶんおう》であると強引に決めつけ、七廟のなかに組みこもうとした。きたるべき新朝の方向づけをはかる意図がそこにあった。

裴炎はひとり、これにかみついた。

「太后陛下は天下の母であり、至公を示すお立場にあります以上、武家の先祖を特別扱いすることは戒めるべきであります。かつて漢の高祖の呂后《りょこう》が、高祖亡きあと、一族の者を勝手に王位につけ、そのあげく潰されることになった先例を、よもやお忘れではありますまい」

武后はこれに答えていった。

「呂后のそうした処置は、現に生きている一族を対象にしたもの、朕のそれは死者の追尊を目的とする。なんで同日に論じられようか」

「なににしてもその兆しがみえたところで、早く芽を断ち切らなければ、将来に禍根をのこします」

裴炎は、武后の意向を無視し、どこまでも頑強であった。

裴炎は河東聞喜《かとうぶんき》の裴氏といい、山東系貴族の家柄に属するが、明経科《めいけいか》という科挙によって官界に入り、宰相にまで登りつめた人物であった。いわばこの時期に登場しつつあった、新しいタイプの官僚の代表ともいってよい存在であった。そうしたことからくる自負心と、いまここで主張することが決して孤立した行為でないという確信が、彼の強気の背景にあったとみてとれる。

まもなく、李敬業《りけいぎょう》の反乱が起こった。裴炎はこれをとらえ申し出た。

「皇帝はもう立派に成人されておりますのに、まだ親政が許されておりません。それが連中に格好の口実を与えました。陛下が政治を皇帝におもどしになれば、彼らは決起の名分を失い、自壊することでしょう」

だがこれは、それまで彼の言動を苦々しくみていた武后派に乗じる隙を与えた。彼らは裴炎が権力を独り占めしようと野心を抱いており、裏で反乱側とつながっていると、さかんにいい立てた。実際、甥の薛仲　璋《せつちゅうしょう》がその陣に加わっていて、裴炎の立場を苦しくさせたが、それでも彼を支持する官僚も多くあり、両派、裴炎をめぐって一時、激しく論じあった。

結局、武后の断によって、裴炎は国家転覆を企てた謀反の罪ありとされ、人びとの行き交う洛陽の街の真ん中で、見せしめのために処刑された。それに先立って、「辞を低くして助

命を願われてはいかがでしょう」と勧める者もあったが、彼は、

「宰相たるもの、獄に落とされた以上、生き延びようとあがくのは見苦しい。すでに覚悟はできている」

といって、受けつけなかった。

このあとのことであるが、裴炎の甥で、まだ十七歳と若い裴伷先《はいちゅうせん》という者が、武后に面会を求めてきたので、武后は会ってやった。

「お前の伯父は謀反をはたらいたというのに、なお何をいおうというのか」

「わたくしは陛下の御為《おんため》を思って申し出ました。そもそも陛下は唐の李氏に嫁がれ、のち先帝高宗のもとで、朝政全般をとりしきることになりました。その間、次々と世継ぎをとり代え、李氏の者を排斥し、武氏の者たちを取り立てました。わたくしの伯父はそうした状態を正そうとして罪におとされ、子孫まで皆殺しの憂き目にあいました。陛下のこのような処置こそ、私の心から心配するものであります。今からでも遅くありません。どうかお子君に政権を譲られて唐のもとにもどし、陛下は隠退されますならば、武氏一族は安泰でおれましょう。さもなければ、将来のご一族が心配であります」

裴伷先は満座のなかで、ぬけぬけと武后とその一族の悪口をいい放ったのである。もちろん武后は烈火のごとく怒った。すぐさま命じて、宮廷からひきずりださせたが、その間、彼は「どうかお考え下さい」と叫びつづけていた。裴伷先は百たたきの刑を受けたあと、ベトナムとの国境近くの瀼州《じょうしゅう》（広西）に流されたのであった。裴氏の者たちには、このように

剛直な気性の者が多かったのであろうか。

ともあれ、こうして権力の前面に躍り出ようとした武氏にたいする、内における抵抗は終わった。じつはこれが、宮廷を舞台にした武后に正面から刃向かった、最初にして最後の動きであった。ちょうどこのとき、外部では李敬業の反乱がおきていた。裴炎がこの反乱と裏でつながっていたかどうかはともかく、武氏の専権にたいする内外軌を一にした行動であったことは確かである。

第十四章　李敬業の反乱

それは、武后が息子の中宗を追い出したときから、ちょうど五ヵ月を数える七月の日のことであった。ここは当時、第一の商業流通都市として栄えていた揚州、その雑踏する表通りからはずれた一角に、どう互いに示しあわせたのか、左遷されて地方におもむく途次、あるいは失職中の者たち数名が、密かに顔をそろえた。

その顔ぶれといえば、まず高宗朝の宰相で、武后が皇后になるさいに協力した、かの李勣の孫の、李敬業《りけいぎょう》という者の名があがる。彼は眉州《びしゅう》（四川）刺史《しし》から南の柳州《りゅうしゅう》（広西）司馬《しば》に落とされる途中とのことで、四川《しせん》から揚子江を下り、ここにもぐりこんでいた。その横にはまた、弟で盩厔《ちゅうしつ》（長安の西）県令《けんれい》を免職になった敬猷《けいゆう》もいた。他に中央の給事中から括蒼《かっそう》（浙江）県令にされた唐之奇《とうしき》、長安県の主簿《しゅぼ》から臨海《りんかい》（浙江）県丞《けんじょう》にされた駱賓王《らくひんおう》、詹事司《せんじし》直《ちょく》から黟《い》（安徽）県令にされた杜求仁《ときゅうじん》、それに先に御史《ぎょし》から盩厔県尉《けんい》に落とされ、さらにそれも首になった魏思温《ぎしおん》、という面々が居並んでいた。

その席に集まった者は、李敬業を除いては官階でいえば中堅以下に属し、いずれも枢要なポストを占めてはいない。年齢をみると、駱賓王が四十四、五歳、李敬業はそれより若く三十代の半ばころとみうけられる。ほかもだいたい三十代であろうか。

李敬業は列席した彼らにむかって、声をひくく抑えて切りだした。

「諸君も知ってのとおり、中宗陛下は武后とその一族によって位を追われ、いま盧陵王《ろりょうおう》として幽囚の身にある。われわれはこの盧陵王を復辟《ふくへき》させ、武氏一族の専横を排し、唐の正統にもどすために集まった。ここに心を一にして正義の戦いに決起しよう」

彼のそういい終わるのをまって、魏思温が身をのりだし、決起の段取りと反乱軍の態勢、それに各人の役割について説明をはじめた。魏思温こそ李敬業の意をうけて反乱の根まわしをし、ここ揚州に結集する場を設定した実質的な責任者であり、決起後、軍師役をつとめる人物であった。

魏思温らが揚州を選んだのにはわけがあった。彼らの描いた戦略はこうである。まず小さいながらも反武氏の火の手を、相手の急所とするところであげる。その衝撃によって、武氏側に本格的な出兵を余儀なくさせ、武氏対反武氏の対立という構図にもちこむ。そうなればしめたもの、自分たちの行動は反武氏の先鋒たる正当性を獲得し、広汎な呼応と支持を集め、武氏打倒の展望が開かれると。

こうであるからには、旗揚げしてすぐ潰されるようであってはならない。唐軍と衝突するまでに反乱軍の態勢をきずき、兵員をかき集められる時間的余裕がとれるだけ、中央から離れている必要がある。しかしあまり遠すぎてはいけない。遠すぎてはたんなる一地方の蜂起で片づけられるのがおちである。この点、揚州はうってつけの地の利にあった。

それにつぎの事情が加わる。隋の煬帝が北からここまで運河を引き、さらに揚子江をわたって南の杭州まで運河をとおし、歴史上はじめてこの幹線で南北を貫通させた結果、揚州は南方における物資の集積中継センターとして繁栄する基盤を確保した。その対象とする範囲は、揚子江下流域一帯だけにはかぎられない。揚子江の中流域から上流の四川盆地までふくまれる。南からは運河で、西からは揚子江の流れをくだって運ばれた租税や物資は、いったんここで降ろされ、運河船に積みかえられ北にむかう。大運河は南北をつなぐ大動脈であり、唐になり長安や洛陽が一大消費都市に発展してからは、ますますそれを支える役割を増していた。

彼らはそうした揚州の位置に着目したのである。ここを押さえることで、大量の物資や資金が容易に獲得でき、兵員の結集もたやすくなるはずである。それに揚州を通過する物資が動かなくなると、ただちに困るのはこれにたよる洛陽や長安の都市消費階級であり、そこから人心の動揺をおこし、反武氏の気運を一気に煽ることが可能になる。そんな計算も当然はたらいていた。

ところで、彼らがなぜ国家転覆の大事を企てることになったのか。じつはここのところはよくわからない。考えてもみるがいい。首謀者として加わった者たちは、ほとんどが県官クラスの中下級官人であって、国政に影響をおよぼすような力はまだなく、武后政治の矛盾や派閥抗争の渦中に直接身をさらしてきたわけではなかった。それに、唐朝に命がけで殉じなければならないほど、あつい恩義を受けてきたわけでもない。もし唐に恩義を感じなければならないとすれば、本当はもっと上の階層であるべきである。

このグループのリーダーに李敬業がなることは、最初から決まっていた。そもそも呼びかけたのが彼であったことにくわえ、李勣の孫という毛並みのよさと、刺史という地位の高さがあったからである。父は震《しん》といったが、早くに亡くなった。かわって小さいときから育ててくれたのが祖父の李勣であり、そのため李勣を継ぐという意識は人一倍つよかった。ただ前述したように、李勣はこの孫がやくざ者と交わり、素行が修まらないことをひどく心配していた。

彼の一面を伝えるものとして、こんな話がある。

――李敬業が蛮人の居住区を管内にもつ州の長官（眉州刺史か）に任じられたときのことである。たまたま蛮人の反乱がおこっていた。彼は二人の部下だけを連れ、単独丸腰で、反乱をおこした蛮人が立てこもる砦《とりで》に乗りこみ、説得にあたった。

「お前たちが汚職官吏の収奪のために、やむをえずこうなったのはわかっている。他に悪事をはたらいたわけでないから、すみやかに武装を解いて日常の仕事にもどるように。ぐずぐずする者こそ賊とみなすぞ」

彼はそこで、首謀者だけを皆の面前で鞭打ちの刑にしたのち釈放し、反乱の一件をまるく収めてしまった。その見事なさばき方と豪胆さに、祖父の李勣は感心するとともに、「わが家を滅ぼすのはこの者だろう」と述懐した。

李敬業は唐朝のいわば名門に生まれながら、祖父の死後、受けた扱いはけっして恵まれたものとはいえなかった。すくなくとも本人は、眉州という田舎町にとどまることに大いに不満であった。しかし武氏一族が勢力をひろげるにつれ、そこから脱出できないばかりか、さらに柳州という辺地に左遷されることになった。反武氏の行動にかかわる可能性をもったからである。

ことここに及んで、彼はひそかに弟の敬猷と連絡をとり、同じ境遇で不満をかこっており、しかも信頼できる者たちに声をかけ、揚州で合流することを約した。それが先の面々となったとみてとれる。李敬業の誘いにのって集まった彼らは、この機に乗じて一旗揚げたいという、それぞれの思惑を胸に秘めていた。

さて、地方で反乱をおこすにあたって、まず手始めにおこなうべきは、当該地域の行政軍事の組織をおさえることである。それには当地の責任者を排除し、その権限を奪うこととなるが、知ってのとおり揚州は要衝の地にあり、ふつうの民政だけにかかわる州機構とはちがい、民政と軍事の両方にまたがる大都督府が置かれていた。その長官を大都督というが、ただ大都督は権限が強大になるため、緊急の場合か軍隊を常時動かす辺境などの場所をのぞいて、ふだんは空席とされ、副官たる長史《ちょうし》がその民政面の職務を代行していた。揚州においても同様で、このときの長史が陳敬之《ちんけいし》という者であった。

この陳敬之を除き、揚州の統治機構をにぎること、それが反乱の第一挙となる。ここに、かねての手配どおりに加わってくる人物がいた。魏思温の仲間で監察御史の薛仲璋《せっちゅうしょう》であった。先にふれた裴炎の甥である。彼は魏思温の指示にしたがい、理由をつくって揚州に出張した。監察御史であるから、役人の悪行素行を調査するという名目はいくらでもたつ。彼が揚州に着いたのを見はからって、これも仲間の韋超《いちよう》という者が、薛仲璋のもとに訴え出た。

「揚州長史の陳敬之は謀反を企んでおります」

この一言で、陳敬之はあっけなく捕らえられた。監察御史の権限をうまく使ったものである。

それから数日後、李敬業が揚州司馬を名乗って揚州の役所に乗りこんだ。司馬とは長史の補佐官役である。ふつうは新任官が赴任する場合、それを証明する書類と魚譜《ぎょふ》という割符を着任時に提出するのであるが、いまは責任者たる長史は捕らわれの身で、いない。それに彼は、つぎのような特命をおびていることを人びとに告げた。

「高州《こうしゅう》の蛮族の首領、馮子《ふうし》猷《ゆう》が反逆をおこした。密詔があって、兵を募り討てとのご命令である」

高州とは、広東省の雷州《らいしゅう》半島つけ根近くにある茂名市《もめいし》のあたり、揚州からはるか南に位置する。この馮氏一族は、伝えられるところによると、もともと五胡十六国《ごこじゅうろっこく》のひとつ、北燕《ほくえん》の流れをくむ漢人に出る。北燕が北魏に倒されると、王族の馮氏の一部は船にのって広州付近に逃れた。そして、南朝側に仕える一方、土着の大族でベトナム系の冼《せん》氏と婚姻をつうじて結ばれ、それを後ろ楯に現地に根を張ることになったという。馮子猷はその末裔にして俠気に溢れた男で、唐には一定の距離を保ちながら仕えていた。

突如乗りこんできた男から、この馮子猷を討てと命ぜられ、人びとは面食らったが、確認を求める手だてはない。長史がいない以上、司馬がもっとも上位であり、その命令にはしたがわねばならない。それに命令書が密詔の形で、李敬業あてに出されているといわれれば、通常のやり方で身分証明が本物かどうかチェックすることはむずかしい。あれよあれよという間に、揚州大都督府全体は李敬業の手に握られてしまった。これは、地方機構の裏も表も知りつくした者による、大胆にして巧妙な策略であった。

李敬業たちはすぐさま倉庫をおさえるとともに、囚人を解き放ち、役所で働かされていた職人たちや徴発中の農民たちを集め、武器をもたせて手兵に仕立てあげた。彼らこそ支配のもっとも皺寄せを受けていた者たちである。牢獄におしこまれていた長史の陳敬之は、事情もわからないままその間に殺されていた。

かくして反乱の火の手はあがった。その年の九月のことである。ただちに「廬陵王を復辟《ふくへき》させ、武氏の専横を打倒する」を名分に、近隣に呼びかけがなされる。一方、魏思温らによって準備されていた新体制が実行された。すなわち全体が匡復《きょうふく》府、英《えい》公《こう》府、揚州大都督府の三府からなり、李敬業は匡復府上《じょう》将《しょう》を名乗り、揚州大都督についた。

なぜ三つの幕府を開いたのであろうか。このなかで実体のあるのは、いわずと知れた揚州大都督府だけである。しかしそれだけに拠るとすれば、一地方の反乱という枠を抜け出ることはできない。そこで「匡復」の名で唐室を回復するという大義をあらわす。一方、「英公」とは李勣の爵位を指すから、その名を出すことで唐室に恩義を感ずる人心の再結集をはかる。つまり二つの府名で、この挙兵が李敬業らの私的な行動でないことを広く訴えようとしたのである。

李敬業はこう態勢を組んだうえで、周辺に檄を飛ばした。この檄文こそが、「初唐の四《し》傑《けつ》」で知られた文章家、駱賓王の手になるものであった。それは非常な名文で、人びとの心を感動させずにはおかなかった。非難される当の武后もそれを見て感心し、部下を叱っていったという。

「これだけの才能を落魄《らくはく》不遇のまま放置させてきたのは、汝ら宰相の責任だ」

檄文はあらましこのようにいう。

――今、権力の座にある武氏は、性格は悪く、出は卑しい者である。その昔、太宗の後宮に入り身近に仕えながら、晩年になると、皇太子とただならぬ仲になり、次代も後宮に居座ることを画策した。そして目的を達すると、その美貌で地歩を固め、巧みに帝の心をとらえ、あげく皇后を位より引きずりおろし、わが陛下を乱倫の極におとしいれた。

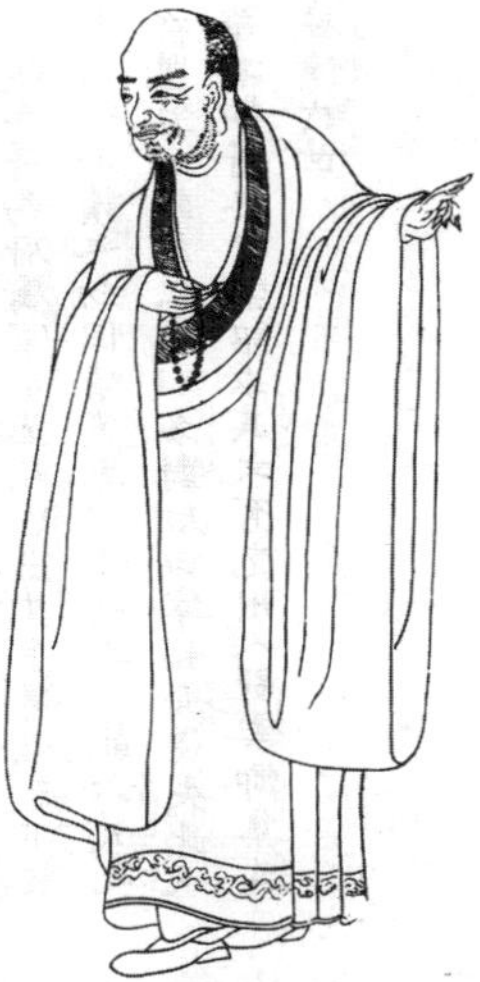

駱賓王

そのうえ、悪い連中を近づけ、忠良を殺害し、姉や兄、帝や母を殺戮した。これは人《じん》神《しん》のともに憎むところ、天地の容《い》れざるところである。それのみか国権の奪取を企て、帝の愛子を別宮に幽閉し、賊の一族に重任を委ねている。

李敬業は唐の旧臣にして、公侯の血筋、先君太宗の大業を奉じ、本朝高宗の旧恩を受けたもの。その因縁によって、世の乱れを憤り、社稷《しゃしょく》（国家）を安んぜんと思い、天下の人びとの与望と期待を背に、ここに義旗を挙げ、あの邪《よこしま》な連中を打倒しようと決意した。この決意でもって敵に当たれば、どんな敵、どんな城も、勝てないことがあろうか。

駱賓王の檄文は、こう武后の悪行をならべ、李敬業が立たねばならなかった必然を説き、つづけて「唐室の恩顧を受け、信任され、後をまかされた貴公たちよ、忠義の心を忘れず、ともに勤王の軍を興そう」とよびかける。そして最後は、つぎの有名な文句で締めくくる。

——一抔《いっぽう》の土、未だ乾かざるに、六尺《りくせき》の孤《こ》、安《いず》くにか在る。

——請う看られよ、今日の域中、竟《つい》にこれ誰が家の天下か。

高宗を葬った墳墓の土（一抔の土）がまだ乾かない、つまりその死よりそれほど日時もたたないこの時期、その跡取りの息子（六尺の孤）はどこにいってしまったのか。とくと見られよ、唐の天下は今、いったい誰の手の中にあるかと。

蜂起は順調に動きだした。十日ほどのあいだに、近隣から続々と参加があって、十万を超

に置き、

える兵力になった。これらをまとめるために、李敬業は李賢にそっくりのものを選んで陣中

「李賢様は死んではいないぞ。このようにわが城中に身を寄せておられ、挙兵を命じられたのだ」

と煽った。先の皇太子李賢はすでに幽閉先の巴州《はしゆう》（四川）でひそかに殺されていたが、武后側には公表できない弱みがある。それを李敬業は逆手にとったのである。

旗揚げは成功し、勢力も確実に伸びていくことになって、さてこの先、どう展開させていったらよいか、彼らはこの新たな問題に直面することになった。そのなかで、軍師の魏思温は主張した。

「兵は迅速を貴びます。公は唐の回復を標榜されたからには、堂々と前進し、まっすぐ都洛陽に攻めのぼるべきです。そうすれば人びとは、公の私心なき勤王の心を理解し、四方から駆けつけてくるでしょう。なによりも途上にあたる山東の豪傑たちは、みずから飯を炊いて軍糧とし、鋤《すき》を鋳《い》て武器となし、われわれの北上をいまや遅しと待ち望んでおります。こうした力を結集し、敵のまだ十分態勢がとれていない都を攻めることこそ、上策というものです」

これにたいし、薛仲璋はいった。

「いやいや、われわれには確固たる拠点がありません。敵の強力な軍勢にたち向かうには、まず覇業の基礎を固めてこそ可能になるのです。さいわい金陵《きんりょう》には王気がのこり、揚子江は

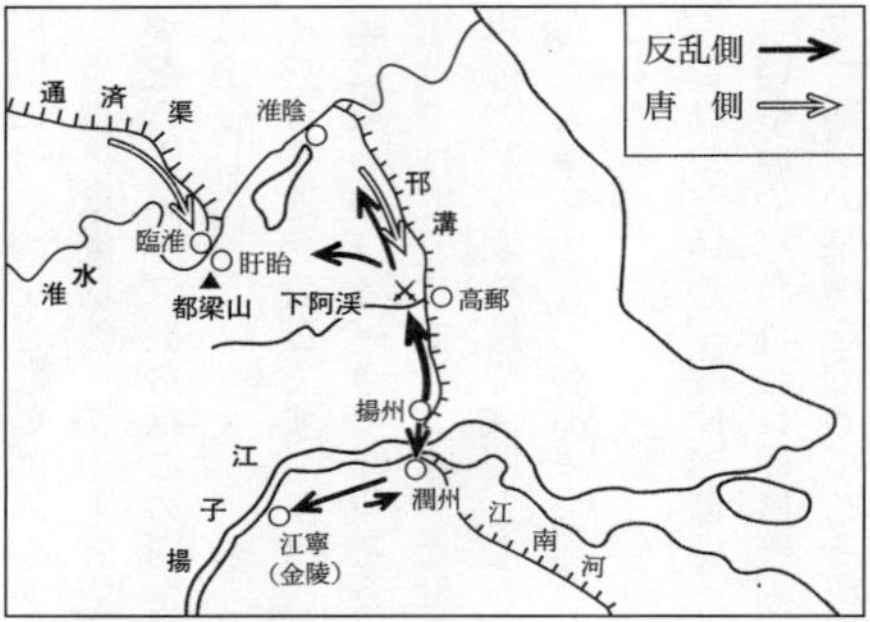

李敬業反乱関係地図

敵を阻む城寨《じょうさい》の役目をはたしてくれます。いったん江を渡って江南をおさえ、それから北上するのが良策です」

金陵とは今日の南京《ナンキン》のこと、かつての南朝の都、建《けん》康《こう》の所在地を指す。隋が南朝最後の陳《ちん》を滅ぼしたさい、徹底的に破壊したため、その当時はさびれた田舎町に転落していた。ここに拠り江南をおさえ、基盤を固めたうえで、北に攻めのぼるという。それは一見道理にかなうようにみえるが、目前に敵の大軍が迫りつつある一刻の猶予もないなかでは、現実を回避した敗北主義といわれても仕方ない。

しかし李敬業はこの策をとり、兵の半分を割いて、南の潤州《じゅんしゅう》（鎮江《ちんこう》）攻略に振りあてた。魏思温は嘆いていったものである。

「力を分散してはだめだ。一丸となって淮水《わいすい》（淮河）を越え、山東の衆と合流して洛陽を攻めるべきも、李敬業殿はそれをしない。わが軍の敗れるのが目にみえる」

敬業らがこうした前提には、唐軍はすぐには出てこないだろうとの読みがあった。だがあにはからんや、日ならずして左玉鈐衛《さぎょくけんえい》大将軍の李孝逸《りこういつ》が揚州道大総管となり、兵三十万を率い、運河ぞいに南下を開始した、という情報がもたらされた。それは彼らの描いた作戦に合致するものであったが、予定より早すぎた。

急遽、分散した兵力が集められ、敵軍の阻止に振りあてられた。李敬業は本陣を高郵《こうゆう》県の下阿渓《かあけい》という川ぞいに置き、先陣として弟の敬猷を淮陰《わいいん》県に、韋超《いちょう》と尉遅昭《うつちしょう》を盱眙《くい》県の都梁《とりょう》山《ざん》に、それぞれ兵をつけて配置した。両地点は運河と淮水との交差する要地にあり、この淮水の線で南下をはばむ作戦に出たのである。

唐軍は、予期したとおり都梁山の対岸の臨淮《りんわい》（泗州《ししゅう》）までやってきた。だが大将の李孝逸は、この反乱軍にたいし、はじめからやや腰が引けたところがあった。彼は唐室の人間であった。父は唐朝の創業時に活躍した淮安王《わいあんおう》の李《り》神通《じんつう》で、高祖李淵とは従兄弟、したがって孝逸は太宗と又従兄弟ということになり、この時期、唐室関係者をまとめる長老的立場にあった。

武后はそれをわかっていたうえで、あえて彼を起用した。唐朝の回復と武氏の打倒をかかげる李敬業に、唐室の長老で人望ある李孝逸をぶつけ、反乱軍の主張を曖昧にさせてしまう、巧妙なやり口であった。ただそのやり方は反面で危険もともなう。征討が実際にうまくいくか、矛先がどこにむかうかの心配である。事実、李孝逸は、都梁山で敵と戦ってうまくいかないのをみてとると、軍の前進をおさえ、全面的な衝突を避けようと動いた。

武后は当然その身辺に、信頼できる監視役を配置していた。そのひとり、殿中侍御史《でんちゅうじぎょし》の魏《ぎ》元忠《げんちゅう》は李孝逸にむかっていった。

「国家の安危は、わが軍の行動にかかっており、天下はそれを注視しております。ここでぐずぐずすれば、人びとを失望させることはもとより、将軍、あなたにとってもその罪はまぬがれませぬぞ」

これを促すかのように、黒歯常之《こくしじょうし》を江南道大総管とする第二陣も、洛陽を出発した。李孝逸は全軍に前進を命ずるしかなかった。李孝逸はそこで意を決し、全軍でまず都梁山にたてこもる韋超を攻めおとし、ついで淮陰の李敬猷をけちらし、南下した。

こうして十一月中旬、李敬業の本隊と唐軍が、下阿渓をはさんで対峙した。早速、唐側は小舟で奇襲をかけたが、待ち構えていた賊軍につぶされた。そのとき、李敬業の陣では捕えた成三朗《せいさんろう》というものを李孝逸にみたて、兵士たちの前で殺した。士気を高めようというわけである。成三朗は、

「わしは李将軍ではない。お前たちの敗れるのは目前に迫っている。わしは死ねば、妻子は栄誉をうけるが、お前らにはそれがないぞ」

と大声で叫ぶなか、首を切られたのであった。

ここでも李孝逸は、ためらいの姿勢をみせたが、魏元忠はそれを抑え、火攻めの策を提案した。おりしも季節は冬、両岸の河原には枯れて乾いた葦が風に揺れている。これに風上から火をつけ、相手を攻めたてようというのである。その奇策を用いたところ、はたして虚をつかれた李敬業の軍は、火に追われて隊伍を乱し、殺された者七千、溺死した者は無数と、一瞬の間に無残な敗北を喫し、壊滅したのであった。

李敬業はそのなかをかろうじて脱出すると、揚州に逃げ帰り、妻子を連れ、船に乗って逃走を図った。追及の手は激しく迫ってくる。目指すは朝鮮の地、かの地で唐に倒された高句麗の遺民と手をむすび、再起をはかろうという考えであった。しかし揚子江をすこし下ったところで、風がはたと止まってしまい、そこを追っ手に捕まえられた。

李敬業の乱はこうして終わりを告げた。揚州でひそかに準備をはじめてからおよそ四ヵ月、決起からわずか二ヵ月のことであった。彼はすぐに処刑され、首は都の武后の前に運ばれた。武后はまた、その李姓を剝奪してもとの徐姓にさせるとともに、一族の墓をあばき、太宗の昭陵に陪葬された李勣の墓も破壊させた。それればかりでない。血のつながりのある者を徹底的に捜し出し、幼児にいたるまで皆殺しにした。李勣によって唐に貢献した一族は、ここに根絶やしにされたのであった。自分に刃向かう者がどうなるか、武后は憎しみをむきだしにし、畏怖の念を刻みこませようとした。

一方、反乱を鎮圧した李孝逸も、役割はそこまでであった。武氏たちにとって、唐室李氏は利用価値がなくなれば、邪魔以外の何物でもない。彼は帰朝後、さまざまな誹謗中傷をうけ、左遷され、配流先の儋州《たんしゅう》（海南）でひとり寂しく死んだのであった。皮肉にも、反武氏の動きを除き、武氏政権への道をつけることが、彼にできる最後の仕事であった。

ここに後日談がある。

百年あまりたった貞元《ていげん》十七（八〇一）年のこと、チベットの吐蕃《とばん》が麟州《りんしゅう》（陝西）に攻め入り、住民を拉致《らち》して塩州《えんしゅう》（寧夏）あたりまで来た。そのとき、徐舎人《じょしゃじん》とよばれるひとりの武将が出てきて、住民のなかの延素《えんそ》という僧に話しかけた。

「法師、怖がるでない。わしはもとは漢人、かの英公徐勣の五代の孫である。武后が唐室を奪ったみぎり、わが祖は義旗を挙げたが果たせず、子孫たちは追及を逃れ絶域に身を沈め、今で三代になる。しかし、このように要職につき、兵権をまかされても、心は故国を忘れたことはない。ただすでに係累も多く、それを絶ちきって帰るわけにはいかないのだ」

彼はそうしみじみ述懐すると、住民たち全員の縄目を解き放ってやったという。

こんな話も人口に膾炙《かいしゃ》していた。

天宝《てんぽう》（七四二～七五六）の初めのころ、齢九十にもなる住括《じゅうかつ》という老僧が、弟子とともに南岳衡山寺《なんがくこうざんじ》（湖南）を訪れ、そのまま杖を置いた。一ヵ月ほどして、彼は寺僧たちの前で過去に殺人を犯したことを懺悔《ざんげ》した。

「汝たちは徐敬業の名を聞いたことがあるだろう。拙僧がその当人なのだ。反乱に失敗したのち、大孤山《だいこざん》に隠れ、外界と関係を絶ち、懸命に修行した。いま死期の迫ったことを知り、拙僧が修めた第四果《だいしか》のさとりを伝えるために、ここにやってきたのだ」

彼は、そのとおりに亡くなり、衡山寺に埋葬された。

また、詩人で知られた宋之問《そうしもん》が、江南杭州の名刹、霊隠寺《れいいんじ》に立ち寄ったときのことである。夜、月があまりにも明るかったので、長い廊下を行き来しながら、寺内の美しさを詩にまとめようとした。しかし詩の出だしの句がどうもしっくりこない。と、ひとりの老僧が、

「こんな夜更けに何を苦吟しているのか」とたずねた。これこれと説明すると、僧はその詩文をみさせ、二、三度口で吟じたのち、こうしてはどうかと表現を改めた。驚くことに、詩全体がこの贈句によってみごとに精彩を放つことになった。

明け方、宋之問がその僧侶を訪ねると、その人物はすでに姿を消していた。事情通の寺僧がいて、之問に説明した。

「あの方は駱賓王だ」

えっ、と驚く彼にむかって、寺僧はさらにつづけた。

「先年の反乱後、じつは李敬業や駱賓王らはうまく追捕をのがれ、逃げおおせたのだ。唐の将帥たちはその頭目を逃した罰をうけるのを恐れ、死者のなかから彼らに似た者をさがし、首を都に送ってその場をしのいだ。そのようなわけで、のちに生存がわかっても捕らえられることはなかったのだ」と。

いつの世でも、絶大な権力の前に散っていった主人公たちに、ある種の共感と同情を示し、彼らがなお別の世界で姿を変えて生きつづけたと信ずる、否、信じたい、とする人はいるものだ。右の李敬業や駱賓王の話もその類いであろう。同時に、武氏の登場を許したことへの悔恨の念と、その最後の戦いを挑んだ李敬業らへの鎮魂の情がそこにあるのかもしれない。

第十五章　酷吏と告密の恐怖政治

中宗が皇帝位から追放されて、あまり日がたたないときのことである。洛陽の町の、とある路地を入った一角に小さな飲み屋がある。ちょうどその床几《しょうぎ》に陣どり、十名ほどの男たちが酒を飲んでいる。男たちの体つきはいずれも大柄でいかつく、顔中に髭をはやし、みるからに人を圧する荒々しさがある。

男たちは飛騎《ひき》という兵士であった。ふだんは宮城の北門である玄武門《げんぶもん》に詰め、宮城とその北側一帯をかため、皇帝がお出ましのときには、その警護と儀杖《ぎじょう》の役をつとめる。彼らは兵士といっても、いわゆる府兵の兵士（南衙禁軍《なんがきんぐん》）とはちがい、特別に選抜訓練を受けたもので、北衙禁軍《ほくがきんぐん》とも総称されている。

今日は非番なのだろう、すでにだいぶ酒が入ったとみえ、座はかなり盛り上がり、それぞれ勝手な気炎を上げはじめている。そのとき、仲間内の気安さか、酩酊したひとりがろれつの回らぬ舌で、こういいだした。

「まったくけしからん。中宗を退位に追いこんだあの場にわれわれは動員されたが、恩賞にもあずかっていない。こんなことなら、今度は退位させられた廬陵王を担ごうではないか」

酒の勢いにまかせ、一同は「そうだ、そうだ」と賛同の声をあげた。

酒席がそう盛り上がっていったとき、なかの一人が小用をたすかのように、つっと立ち上がってその場を離れたのを、だれも気にとめなかった。だが男は厠には行かず、外に出ると、すぐに走りだした。小半時ほどして、彼がもどったとき、そのうしろには多くの捕り方の影があった。酒盛りはなおつづいていた。

酔っていた彼らは、いったい何が何だかわからないまま、踏みこんできた捕り方に高手小手《たかてこて》に縛りあげられていった。一緒に飲んでいた仲間に密告されたと、やっと事情が飲みこめたのは酔いも覚めたとき、もはやあとの祭りであった。判決は、廬陵王の名を出した当人が、反逆罪の極悪人として斬刑、その場にいた者たちは反逆不告の罪で絞首刑、つまり全員死刑であった。そして、あの酒席をぬけ出し仲間を売った者はというと、五品官という破格の肩書が与えられたのであった。

飛騎という、たかが知れた下っ端兵士の一見とるに足らぬこの事件が、じつは大きな意味をもった。まもなく始まる武后の告密《こくみつ》政治の遠因となったからである。このときの密告人は、武后派と意をつうじていた者かもしれないが、武后はこうした事例から、それを統治の一手段として定着させる方途を模索しはじめていたのである。

なお密告といい、告密といい、いわんとするところはほぼ同じである。ただこの時期、白昼堂々と密告がおこなわれ、現実の政治を規定する重大な役割をそれは負った。そんな意味もあってか、史書ではいずれも告密の語を用いており、本書でもそのいい方にしたがうこととする。

その事件から二年たった垂拱《すいきょう》二（六八六）年、武后は銅匭《どうき》という銅製の函《はこ》を作らせ、これを洛陽皇城にある東西朝堂《ちょうどう》の前の、宮城正門の応天門《おうてんもん》（のち即天門）から南に通ずる応天門街上に置いた。ここまでは一般民も入ってくることができる。いわゆる目安箱である。下々の意見を聞き、まつりごとにそれを生かすという触れ込みであるが、それはあくまで表向きのこと、密告を公然と受けつけることが真の目的であった。

この具体的な大きさや形態はよくわからないが、設置のはじめは東西南北を示す四個の函からなっていた。それらが街路上にまとめて存置され、各函の前には門が設けられていた。だが大路にそのような大仰なものが置かれたのでは、通行を妨げる。そこで函をひとつだけにし、まわりの四門は撤去した。函は内部を四つに仕切り、それぞれの上に文書を投函する口をあけ、しかもいったん投入すると、その口からは取り出せないようにと工夫がほどこされた。

四つの投函口のうち、東側は延恩匭《えんおんき》とよばれた。才能が認められることや、栄進を望む者が、自分の詩文の作品をここに投函する。南側は招諫匭《しょうかんき》とよばれ、朝政にたいする意見が集められる。西は伸冤匭《しんえんき》といい、無実の罪の汚名を着せられ牢獄につながれる者が、その事実をここに入れる。北は通玄匭《つうげんき》といい、天災地変や国家機密にかかわる事柄を投函する。各側には、東から青、赤、白、黒と、方向を示す色が塗られ、役割のちがいがわかるようにされていた。

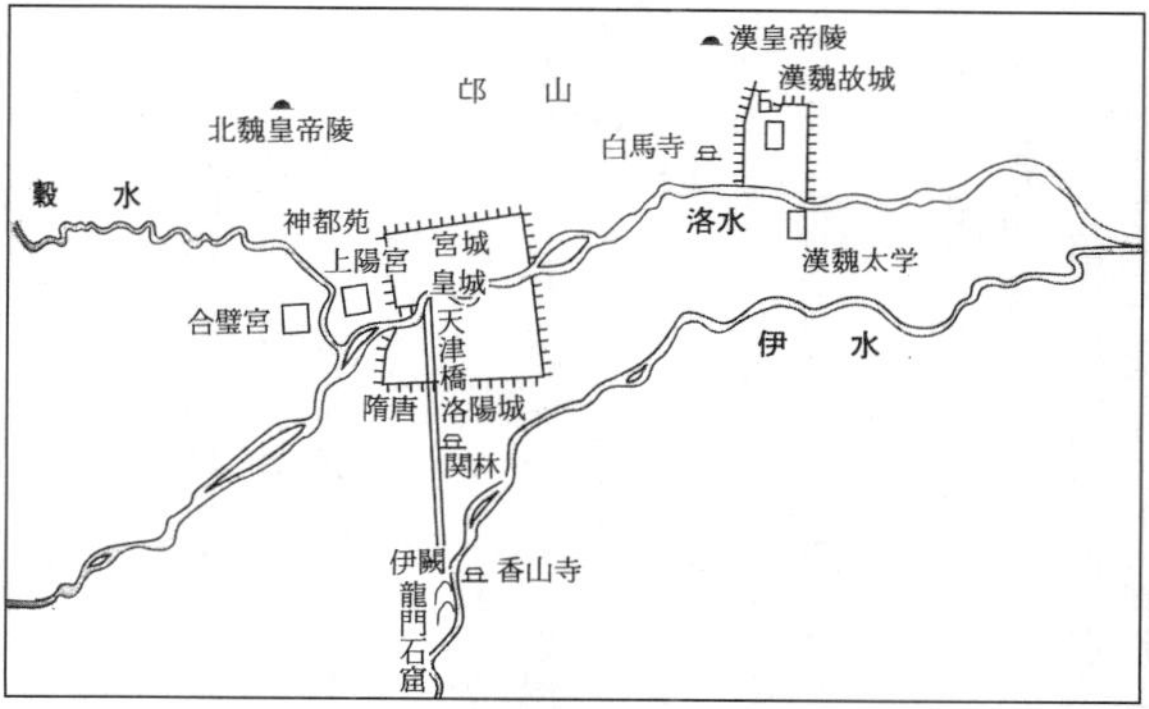
漢皇帝陵
漢魏故城
邙　山
北魏皇帝陵
白馬寺
穀　水
洛水
神都苑
宮城
上陽宮
皇城
漢魏太学
合璧宮
天津橋
伊　水
隋唐　洛陽城
関林
伊闕
香山寺
龍門石窟

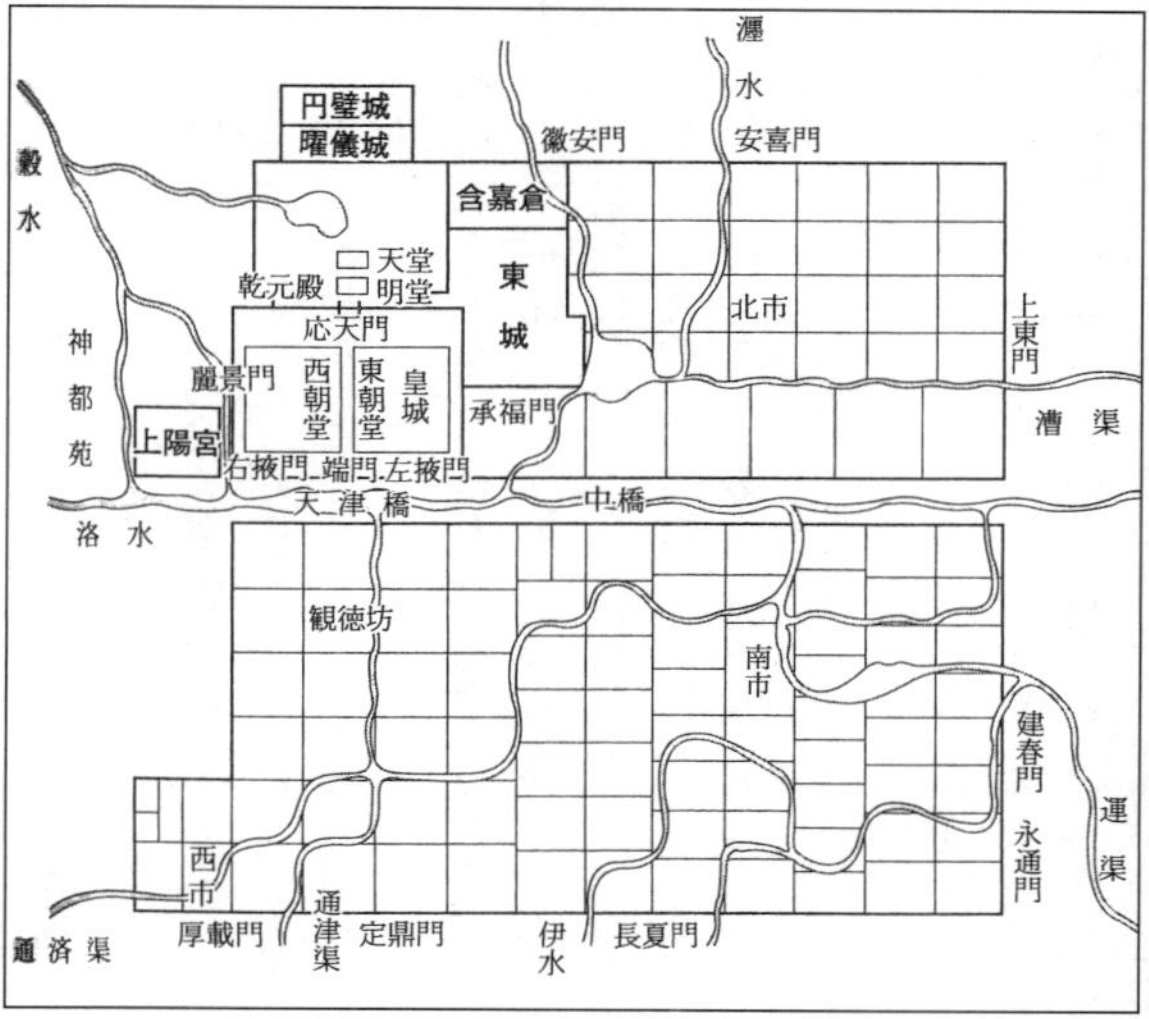
瀍水
円璧城
曜儀城
徽安門
安喜門
穀水
含嘉倉
天堂
明堂
東城
乾元殿
北市
上東門
神都苑
応天門
麗景門
西朝堂
東朝堂
皇城
承福門
漕渠
上陽宮
右掖門
端門
左掖門
天津橋
中橋
洛水
観徳坊
南市
建春門
運渠
永通門
西市
通済渠
厚載門
通津渠
定鼎門
伊水
長夏門

唐洛陽城及び附近図

これの管理はというと、匭使院《きしいん》という役所が新設され、責任者に知匭使《ちきし》、補佐に知匭判官《はんがん》というポストが配された。ただこれらのポストは、諫議大夫《かんぎたいふ》や補闕《ほけつ》、拾遺《しゅうい》という正式の地位にある者の兼任で、このためだけの専任は置かれなかった。

彼らの職務は、つねに銅匭を監視し、投函があればその文書を上にまわすとともに、投函者の応接にあたり、下知があるまで待たせることであった。銅匭は毎朝、辰《たつ》の刻（八時）前に出され、午後の未《ひつじ》の刻（二時）すぎにしまわれる規定になっており、投函する者はその間にすまさなければならなかった。

こうして銅匭の制が実施されるが、これは、もちろん過去にもあった事例などを参考にしながら整備された。このプランを提案したのが、魚保宗《ぎょほそう》という男であった。彼は李敬業が反乱をおこしたとき、裏でそれにつうじ、武器の製作にかかわった。乱後はなにくわぬ顔で武后に銅匭案を提示し、その陣営にもぐりこもうとしたのであった。だが彼の過去はのちに露見する。みずから策定した銅匭に投ぜられた告密によってである。皮肉なことに、銅匭による最初の犠牲者は、それを作った当の本人であった。


銅匭の策定に前後して、武后はそれを実体あるものにするために、触れを全土に出した。

――告密しようとする者があれば、役人はその内容を問わず、途中の駅馬や食事を提供し、上洛に便宜をはかれ。農夫や樵夫《きこり》の賤しい身分のものでも目どおりがかない、客館で接待されるであろう。申すところが旨にかなえば、重くとりたて、告密がかりに本当でなくとも罰せられることはない。

彼女は、これに呼応して動きだしてくる者は、既存の政治勢力のなかにはいない、と読んでいた。何ももたない底辺にある者たちこそ、これをチャンスと動きだすはずだ。彼らは社会的にアウトサイダーで、失うべき地位も名誉ももっていない。そうした連中をうまく利用すれば、今まさに権力の座を目指して邁進《まいしん》する彼女の先導役をはたすにちがいない。彼女の前に無言で立ちはだかる者たちを潰すには、こうした存在こそが必要なのだ。そう考えたのである。

期待にたがわず、各地から一斉に動きがおこった。彼らはたいていまともに職にもつかない食いっぱぐれか、ならず者であった。

「こいつは結構な話じゃないか。どっちに転んでも損はない」

彼らは地方の役所に、告密したき儀がありますと、われがちに名乗り出ると、特別仕立ての馬を用意させ、行く先々で飲めや歌えやの大騒ぎをしながら、洛陽へと乗りこんだ。世の人びとは、こいつらにいったい何をいわれるかとびくつき、息をひそめたのであった。

こうして、銅匭に告密するという一事をつうじて、武后のまわりには、それまで見たこともないようなおかしな連中が、肩で風を切って徘徊しはじめた。それでも彼らは権力の一員であるから、これを酷吏《こくり》とよぶ。武后の政治の前半は、こんな輩の跳梁《ちょうりょう》で明け暮れた。

この当時、酷吏として名をのこした者は、三十名近くにのぼる。しかもそれぞれは数十人、数百人という無頼あがりを手下にかかえ、社会のすみずみまで情報網を張り、告密の材料を用意した。

酷吏の先頭をきって、索元礼《さくげんれい》という者が登場した。彼は胡人であった。敦煌《とんこう》や吐魯番《トウルフアン》から発見された唐代戸籍のなかに、索姓の者がみえるから、先祖は中央アジア・ソグド系で、商人などとして中国に定住していたのであろうか。彼は游撃将軍《ゆうげきしようぐん》（従五品）に抜擢され、制獄《せいごく》という武后直属の特別監獄を動かす特権を与えられた。

索元礼のやり方は、一人の罪状を構成するのに、かかわりのありそうな周辺の者まで巻きこんで、徹底的に取り調べ、その数は数十人から百人にもおよんだ。いくら無実であっても、これだけ締め上げれば、罪状に関係する言質《げんち》や状況証拠はいくらでも手に入る。なによりも被疑者本人が、無関係の者にまで累をおよぼすことを恐れ、取り調べ側のいうがままに罪を認めることにもなる。このような手段で殺されたものは数千人にもなり、とりわけ身分のある者たちが彼を恐れるさまは、虎狼にたいしてよりもひどかったという。

索元礼がこのようにして手柄をあげるのをみて、遅れてはならじとすぐあとを追ったのが、周興《しゆうこう》、来俊臣《らいしゆんしん》、丘神勣《きゆうしんせき》といった連中である。なかでも来俊臣こそは、あとにつづく酷吏の頭目格で、索元礼とならび、「来索《らいさく》」と通称されたのであった。

彼は長安の出身で、父親の来操《らいそう》は博打うちであった。来操には友人の蔡本《さいほん》という者があり、そこに出入りするうちに蔡本の妻とねんごろになった。あるとき二人は博打をし、蔡本は大負けしたが、払う金がなく、やむなくそのカタとして妻が渡された。妻は来操にゆずられたとき、すでに身ごもっており、生まれたのが来俊臣であった。父親がどちらかはっきりしないような博徒の環境に育った彼は、まともな職にもつかず、ならずもので、皆の鼻つまみであった。

　のち、和州《わしゅう》（安徽）に流れていき、盗みで牢屋に入れられたとき、告密のことを知って牢内からそれを申し出た。最初は刺史（州長官）にはばまれたが、二度目にそれをはたし、忠義者と武后に褒められ、活動を開始する。彼の場合、侍御史《じぎょし》から御史中丞《ぎょしちゅうじょう》と、官吏の動きを監視し弾劾する御史《ぎょし》台《だい》の中心に座をしめ、索元礼より息ながく、強大な権限をふるったのである。

　彼にも数百人にものぼる手先があったという。ある人物を罪におとしいれようとするとき、配下の連中をつかって一斉にいわせたものである。

「この案件はどうか来俊臣にまかせてみてください。きっと全容を明らかにするはずです」

武后はそうした声を聞いて、信頼をつよめ、皇城の西門の麗景門《れいけいもん》の内側に、推事《すいじ》院《いん》という建物をとくに設けてやった。取り調べをうける者のために新たに開かれたという意味で、門は「新開門《しんかいもん》」とも通称されたが、じつにここに入ったもので、百に一も無事には出られなかった。そこで酷吏のなかには、麗景（li-jing）と同じ音であることに引っかけて、「例竟《れいきょう》門《もん》」（例竟《みなお》わる門）と冗談をいう者もあった。

　彼ら酷吏の取り調べは厳しい拷問をともない、期待する供述をひきだすまでその手はゆるめられることはなかった。そうしたなか酷吏たちは、いかにより効率よく、より数多く自白させるかを競いあい、やり方にさまざまな工夫をこらした。それを来俊臣は、『告密羅織《こくみつらしょく》経《けい》』という一篇にまとめている。内容は数千言からなり、どうやって無実のものを一網打尽にし、どう拷問によって自白を引き出すか、細部にわたって縷々《るる》記され、酷吏の参考書となった。

　ここで、彼らの拷問のやり方についてすこし紹介してみよう。

来俊臣がよく用いたのは、体を横にして鼻から酢を注ぎこむ、大甕《おおがめ》のなかに入れ下から火であぶる、食べ物をまったく与えない、糞尿汚穢《おあい》のなかに置く、あるいは頭に鉄の輪を固くはめ、隙間に楔《くさび》を押しこんで脳髄が飛びだすまで締め上げていく、などがあった。

　索元礼は大きな首枷《くびかせ》を使って責める方法を練りあげ、それをつぎのように十の形にまとめた。定百脈《ていひやくみやく》、喘不得《ぜんふとく》、突地吼《とつちこう》、著即承《ちやくそくしよう》、失魂胆《しつこんたん》、実同反《じつどうはん》、反是実《はんぜじつ》、死猪愁《しちよしゆう》、求即死《きゆうそくし》、求破《きゆうは》家《か》。この拷問一つひとつがどのようなものかはわからないが、文字面から、重い首枷をはめられた被疑者の苦痛でゆがんだ表情をおもい浮かべることができる。取り調べを受ける者は、これらの責め具をみせられるだけで恐怖におののき、いわれるままに自白したという。

　あるいはこんなやり方もあった。

「鳳皇曬翅《ほうおうしし》」（鳳凰の翼干し）……手足を縛って天井の垂木《たるき》につるし、その体をぐるぐる回転させる。

「驢駒抜撅《ろくばつけつ》（橛）」（ロバの荷運び）……枷《かせ》をつけたまま背に荷物をゆわえつけ、枷を引っぱって歩かせる。

「仙人献果《せんにんけんか》」（仙人の果物献上）……首につけた枷を両手で支えさせ、その上に瓦を積み重ねていく。

「玉女登梯《ぎょくじょとうてい》」（天女の梯子登り）……枷をつけて高い木の前にたたせ、枷の後ろから引っ張りあげる。

「獄持《ごくじ》」……右にあげた来俊臣がやったようなことのほか、竹の串を爪の間にさしこむ、耳に泥をつっこんで籠をかぶせる、髪をつるし鼻や目をいぶす、など獄中でのさまざまなやり口の総称。

「宿囚《しゅくしゅう》」……連日食事を与えず、昼も夜も尋問をつづけ、眠くなっても体をたたいたり揺すったりして休ませない。

　案出された拷問の数々はこれだけにとどまらないが、このくらいにしておこう。おそらくこれほど拷問が公然と、しかも大胆におこなわれ、特異な発達をみせた時期は、中国史上、他にあまり例はないだろう。それを担ったのは、社会の底辺からとり立てられた一群の酷吏官僚たちであり、背後で武后がそれを黙認していた。彼らは告密と拷問の二本柱によって武后の敵対者をのぞいていき、武氏権力のための地ならし役として、十分その期待に応えたのであった。

　ただ酷吏たちの存在は、いってみればむき出しの暴力装置である。しかし新権力はそれだけで実現できないことは明白である。他方、彼女は武氏であって、李氏ではない。女であって、男ではない。このハンディをのり越え、人びとを納得せしめる論理と論拠をどう提示していくか、彼女は酷吏たちを使って反対派を排除していくかたわら、そのための準備に邁進《まいしん》する。

ここでも、彼女の意を体し、手足となって動いたのは、既存の官僚集団から出た者ではなかった。

第十六章　怪僧薛懐義

神都《しんと》と名を変え、首都としてこのごろとみに賑わいをました洛陽の大路を、肩に荷を背負ったひとりの若者が歩いていく。身につける衣類はくたびれ、顔は砂ぼこりをあびてよごれているが、その歩みは軽やかでしっかりしている。体つきといえば、全身筋肉質でよくひきしまり、背は高く、それにやや苦みばしった顔つき、獲物を求めるような鋭い眼光が人を魅きつける。年のころは二十代の半ばといったところであろうか。

男の名前は、馮小宝《ふうしょうほう》。長安の近くの鄠《こ》県に出身し、一旗あげようと、裸一貫で洛陽に出てきたのであった。肩に背負う荷のなかには、薬草や鉱物の類いが詰められている。そう、彼は薬の売買を生業にしていたのである。どこで薬の製造や調合の術を身につけたのであろうか、その過去はだれも知らない。だが、彼の薬はよく効くと、いつしか評判になりつつあった。

それに、である。もうひとつ、彼には強力な武器があった。

――陽道壮偉

陽道とは男の一物をさす。彼のそれは文字どおり、ひときわ大きくたくましかった。彼はそれを自慢し、薬とあわせて売りこんだ。薬とは、もちろん精力増強剤、回春剤といった類いである。

その日、馮小宝がむかっていたのは、洛水をはさんで皇城のちょうど南側にあたる観徳《かんとく》坊《ぼう》、そこにある千金公主《せんきんこうしゅ》の屋敷であった。それよりすこし前のこと、彼は客としてきたひとりの女とねんごろになった。女は千金公主につかえる腰元であった。その彼女の口から馮小宝のことが話題となり、ではさっそく一度会ってみようと、公主は伝えたからであった。

千金公主は高祖李淵の第十八女で、年齢は武后と同じか一、二歳下といったところであった。当時、唐室李氏の血筋の者は武氏からにらまれ、いつ殺されるかとびくびく暮らす日常にあって、彼女ひとりだけはちがっていた。早くから武后に言葉巧みにとりいって気にいられ、のちの武周革命では、李姓を捨てて武姓を賜り、武氏の一員に加えられたほどである。その公主が馮小宝に興味を示した。その用件はおのずから明らかである。すでに六十路《むそじ》にさしかかったその身の回春をはかりたい、ということであろう。

こうして、馮小宝は千金公主の屋敷に足繁く顔を出すようになった。以来、彼女は日に日に元気になり、肌もみちがえるほど若返った。彼の調合した薬と、若くたくましい肉体に抱かれることが、その効き目の源泉である、人びとはひそかにそう噂しあった。

じつは馮小宝は、早くから千金公主の屋敷に出入りする機会をねらっていた。彼女が武后の信任あつい一人であったからである。彼には薬と肉体でどんな女も歓ばす自信がある。その能力と才知で、ゆくゆくは時の権力者武后にとりいり、思う存分力をふるいたい、という野望を胸に秘めていた。そこで、まずその腰元を手なずけ、公主に近づく目的を達したのである。

彼は折りにふれて、武后様に一度お目にかかりたいと、千金公主に話した。それを聞くうちに彼女も、この若者を武后にひき合わせてみるのもおもしろいかもしれない、と思うようになった。そしてある日、宮中に参内したとき、馮小宝のことを武后の前で話題にした。

「最近、私のもとにひとりの薬屋の若者が出入りしております。この者の調合する薬はとてもよく効きます。私が元気になったのもそのためです。一度お会いになってみてはいかがでしょう」

武后はそれを聞いて、すっかりその気になった。このごろ容色の衰えも気になりだしている。それに政務の忙しさにとりまぎれ、心のゆとりを欠いているように感じられる。こうした者を相手にしてみるのもおもしろいかもしれない、と。

さっそく、千金公主に手配を指示し、こっそり宮中に入れて会った。そして一目みて、武后の心はすっかりのぼせてしまった。その粗野ながらきびきびした挙措、適切な受け答え、たくましい肉体とその容貌、それら一つひとつがすべて好ましく映った。このような男はこれまで自分のまわりにはいなかった、なんとかしてそばに置くことはできないものか、彼女は柄にもなくそうおもったのだった。

一方、馮小宝も武后をみて圧倒された。相手をひれ伏さしめずにはおかない威厳に、凛《りん》とよくとおる声、上目づかいに盗み見た美貌、そこには六十歳を越えた老女を感じさせない女性の姿があった。噂に聞いた冷酷無比で醜悪な女はどこにいるのか。彼は心地よい緊張に酔っていた。

こうして、武后のもとに得体の知れぬ男がまたひとり、出入りをはじめる。今度は武后の男妾としてである。だがそのままであれば、口さがない宮廷雀に格好の話題を提供するだけで、どうも外聞がよくない。それに彼女は、もっと彼を公然と自由にそばに置きたい気持ちになっていた。

そこで考えだしたのが、まず出家させることであった。坊主であれば仏に仕え、女色は絶った身、武后の寝室にひとり入ったとしても咎《とが》めだてられる筋合いはない。武后は、仏教が最初に伝えられたときの寺と知られる洛陽の東郊の名寺、白馬寺《はくばじ》を急ぎ修復させ、彼をその寺主にすえた。こうなれば表向き、だれも非難することはできないとふんだのである。

その一方、彼の出自を飾る手をうった。武后の末娘、太平公主《たいへいこうしゅ》は、母親に顔形から性格までよく似、母の行動の一面でのよき理解者であった。夫を薛紹《せつしょう》というが、この父の兄弟の末尾に、つまり薛紹の叔父として名を連ねるようにした。つい先ごろまで必死にはい上がろうと生きてきた馮小宝は、一夜にしてその過去を消し去り、新たに名門薛氏の一員の僧懐義《かいぎ》として、大手を振って武后の寵愛をうける立場にたったのである。

薛懐義には、もともと出家の経歴も素養もなかった。にもかかわらず、彼は宮廷の拝仏所たる内道場《ないどうじょう》で、洛陽の高僧たちをしたがえて念仏読経をおこなうなど、一応それらしくこなし、武后をほっとさせた。機敏で頭のよい彼にとって、そのくらいはまだ朝飯前であった。

武后はこの孫のような男を、ますますかわいくおもった。

武后の寵愛をよいことに、成り上がりの懐義が横暴な振る舞いに出るのは、それからすぐであった。彼は宮中に出入りするのに、武后から与えられた立派な馬に乗り、その前後を十数人の宦官がかためる。道行く人はこれを見ると遠くに身を避けた。近くにおれば鞭でたたきのめされ、血を流したまま路上に捨ておかれるのがおちだったからである。とくに道教の道士を目の敵にし、みつければとことん殴ったのち、その髪の毛を剃りおとした。

そのような彼に、武后の一族の者ですら這いつくばらんばかりにぺこぺこし、彼が馬に乗っていれば、その轡《くつわ》を進んでとるへりくだりようで、他の朝貴たちもそれにならった。また、若いならずもの連中を僧形にして配下とし、勝手に不法をはたらいたが、だれも文句がいえなかった。

そんなとき、彼は一度こっぴどく痛めつけられる。ある日、朝堂で宰相の蘇良嗣《そりようし》に出会ったが、彼はこの宰相にむかって、人もなげな傲慢な態度をとった。蘇良嗣は剛直な男であった。なんと無礼なやつだと激怒すると、即座に配下に命じひき倒させ、何十回も頰を張りとばした。ほうほうの体でそこを離れた懐義は、その足で武后のもとに駆けこみ、泣きついた。だがさすがの武后も、非は懐義の方にあるとわかっているから、それに取りあわず、逆にたしなめる側にまわった。

「お前さんは、これから北門から出入りすることだ。南側は宰相の往来するところだから、そこにふみこまない方がいいだろう」と。

懐義が武后の寵愛をうけはじめたころ、ちょうど外側では酷吏たちの動きが本格化しようとしていた。彼らは告密と拷問で反対派をつぶし、武氏権力への先導をはたそうとしている。ならば自分は内側から武后を美化し、彼女が帝位につくことを正当づける、そのためには仏教を最大限活かすことだ、懐義はそう役割を意識した。実際、武后も彼が他人にはないとてつもない構想力と実行力をもつ可能性を認めていた。武后は、たんなる男妾として引きいれたのではなかった。

彼がかかわった最初の大仕事は、明堂《めいどう》の造営であった。いったい明堂とは、上代周の時代に、天子が政務をとったといわれる宮殿のことをいう。後代、儒教が普及するとともに、周こそはもっとも理想的な政治がおこなわれた時代、そしてその政治や祭祀の中心が明堂、という観念が定着した。そのため歴代、儒者たちのあいだで、明堂の形状や仕組みをめぐって議論がつづけられてきた。

彼らは自分の解釈こそが正しいと主張して、一歩もゆずらない。有名な話では、隋の文帝のとき、宇文愷《うぶんがい》がその精巧な模型を作製し、文帝は場所の手配までして、いつでも工事に着手できるようになっていた。なのに結局、細部の議論が紛糾し、挫折に終わったことがある。こんな調子で、唐に入っても、具体的に日の目をみるに至らなかった。

だが武后になって、この長年の議論に強引に決着がつけられた。彼女は儒者たちの意見をいっさい聞かなかった。そんなことをすればまたもめるのが目にみえている。そのかわり、

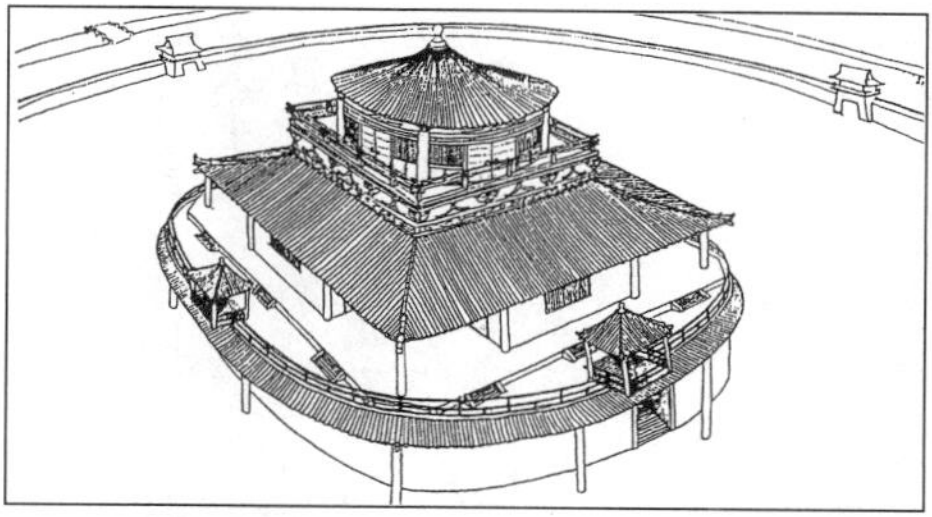

隋宇文愷の明堂模型推定図（田中淡著『中国建築史の研究』より）

北門学士《ほくもんがくし》という彼女のブレーンたちにプランをたてさせた。彼らは文学の士で、儒者たちのように細部で自説を主張しつづけることはしない。それに彼らは、武后がここでなぜ建設を急ごうとするかが、わかっていた。武氏は周の武王の末裔と名乗っている。まもなく開かれるであろう武氏の王朝は、当然、周を意識したものになる。そのさいの象徴は明堂でなければならない、という筋書きがである。

明堂をどこに設置するかでも、一部の儒者から、宮殿から離れた地点にすべきなどの意見が出されたが、それらも無視し、宮城の正殿で公式な儀式にもちいる乾元殿《けんげんでん》（含元《がんげん》殿）をとり壊し、その場所に新築することにしたのである。そしてこの工事の最高責任者に起用したのが、薛懐義であった。

工事は垂拱《すいきょう》四（六八八）年二月に始まり、その年の十二月に完成したというから、一年に満たない突貫工事であった。ここに動員された人夫が数万人、一本の大木を曳くのに千人がかり、頭《かしら》の号令のもと皆一斉に声をあわせ運びこんだという。できあがった明堂は、三層からなり、高さは二百九十四尺、およそ九十メートルという巨大なもので、これを上から下まで貫く十本の大木が支える。第一層は正方形をして一年の四季にあわせ、中層は十二角形で十二支にあわせた。上層は円形をして屋根となり、一年の二十四節気《せっき》をかたどる。さらに屋根の上には一枚の盤《ばん》を九匹の龍が捧げる像が置かれ、建物の地面の周囲には鉄板でつくった水路がまるく囲み、上代の大学をかこんだ辟雍《へきよう》という水沢《すいたく》をかたどった。

武后はこの明堂を万象神宮《ばんしょうしんきゅう》と名づけた。中国の森羅万象の、すべての神々の寄り集まる場所、という意味である。理想の政治がおこなわれた周王朝をつぎ、かたわらあらゆる神々の祝福を一身に受けるという、欲張った思いがこの建物にはこめられている。これでは儒者の意見に耳を傾けるわけにはいかないのも当然である。

公式の政治や儀式に用いられる第一層は、一辺三百尺（九十三メートル）四方の大広間であった。あくる永昌《えいしょう》元（六八九）年元旦、武后は威儀をただしてここに足を踏みいれ、荘重で盛大な儀式をおこなった。つぎつぎと祝賀の辞を述べる百官や近隣の長老、婦人たちを前にして、彼女は上機嫌であった。かつて明堂の造営がくわだてられながら、だれがそれをはたしえたか。しかも、これだけの壮大なものをだ。これでわが新政を実現させる足場が確保できたと。彼女はいよいよ最後の権力奪取に意欲を燃やすことになる。

武后の喜ぶ姿をみて、薛懐義は大いに面目をほどこし、鼻高々であった。実際、これだけの大工事を短時日のうちになしとげるのは、並大抵のことではない。彼はこの面で隠れた才能があったことを、人びとに披瀝《ひれき》したのである。だがしかし、それで手を休めなかった。もうひとつ、これこそ彼が中心となって立案した仕事、天堂《てんどう》の造営がのこされていた。

懐義は明堂のすぐ裏手に、これに勝るとも劣らない大規模な天堂の建造を開始した。巨大な大仏を納めるためのものであった。明堂とは中国伝統の考え方から構想されたもの、とすれば武后の立場を正当づけるべき仏教からのものが、それと一緒に置かれなければならない。彼はそう真剣に考え、武后に説いて実行したのである。大きさは五階からなり、その三階あたりですでに明堂を見下ろすほどの高さがあった。ただこれほどの高さにくわえ、なかの大仏を外から拝めるようにと、南面が空けられていたから、風には弱い。そのため一度できかかったところで大風に倒されてしまい、再度着工されたものの、結局、完成にはこぎつけなかった。

薛懐義は武后のために、もうひとつ重要な仕事にかかわった。それは仏教のなかから、女である武后が権力の座につくことを正当づける論理を用意することであった。

唐朝李氏は、老子李耼《ろうしりたん》と同姓であることをひとつの理由に、道教を仏教より上に置く、つまり「道先仏後《どうせんぶつご》」の宗教政策を国初よりとってきた。この宗教政策を変更することが、李氏とはちがう立場を鮮明にさせ、あわせて隠然たる勢力をもつ仏教界を味方につけることが可能になる。彼女はこの点を早くから意識し、仏教側に肩入れしてきた。もちろん、彼女の母楊氏の系統が敬虔な仏教信者であったことも、そこには影響があったはずではあるが。

たとえば、こんなことがあった。一九八七年の四月のこと、陝西省扶風《ふふう》県の法門鎮《ほうもんちん》という田舎町にあった古寺、法門寺の崩れた寺塔を整理していたとき、その地下から大量の金銀器

法門寺「監送真身使衣物帳」碑の一部
(3行目に「武后繡裙一罥」とみえる)

などの宝物が発見された。まさにざくざく出てきたといった表現がぴったりくる。そこでわかったことは、これら宝物は唐の末年、咸《かん》通《つう》十五（八七四）年正月に、ときの皇帝以下が喜捨《きしゃ》し、収蔵された、当代第一級の品々であったことである。こうした貴重な品々がまったく盗掘にもあわないまま、二十世紀も末のこの時までのこされた事実は、われわれを驚かしてあまりがあった。

それはさておき、宝物類といっしょに、それらの埋葬品リストたる「衣物帳《いぶつちょう》」という石碑がみつかった。これもまた大変貴重な資料であるが、その碑の最初の部分には「武后繡裙《しゅうくん》一罥《いちよう》（腰）」という一句が刻まれ、われわれの目をひいた。じつはこの法門寺という寺は、釈迦の本物の骨「真身舎利《しんしんしゃり》」を保存する数少ない寺のひとつといい伝えられ、とくに唐になってから、そのために熱狂的な信仰を集めることとなった。その仏舎利は、おおむね三十年ごとに一度、寺塔地下室（地宮）からとり出され、都に運ばれて、皇帝以下の前に開帳される形式が定着し、唐末までおよんだのである。

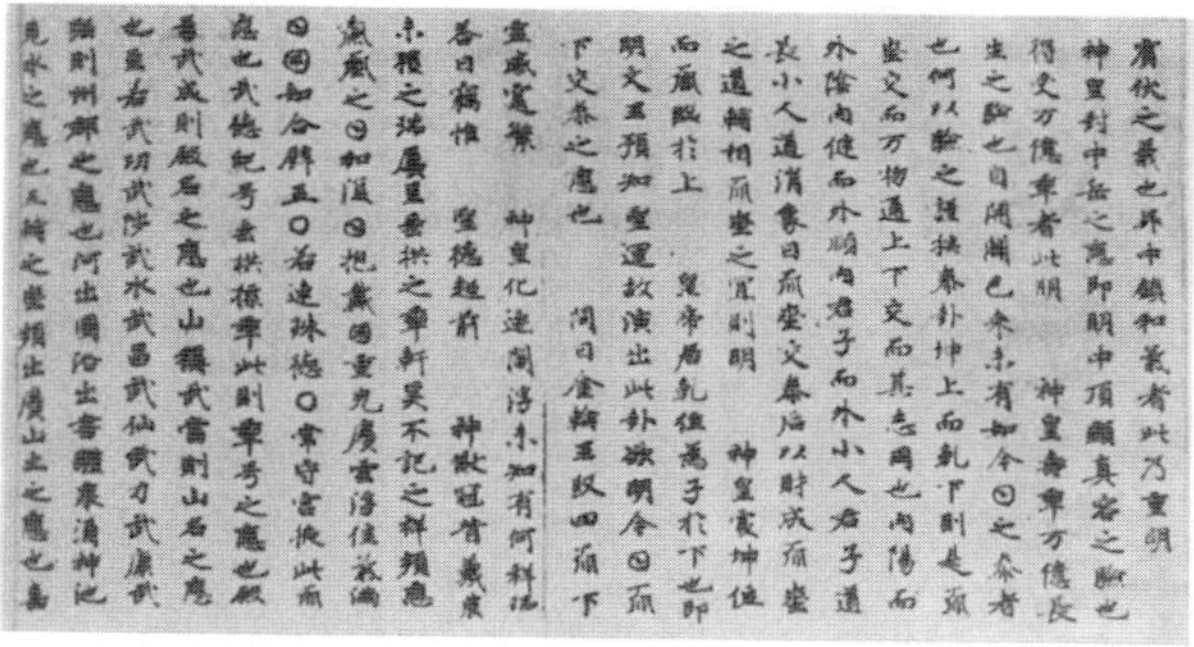

敦煌発見「大雲経疏」の一部（文中に則天文字もみえる）

右の「武后繍裙」は、それに立ち会った武后が、舎利を仏とみたて、みずから刺繍してつくって寄進した裙（肌着、スカート）の類いであって、寺に宝物としてのこされてきたものだろう。武后は、一度は高宗の皇后として、もう一度はみずから皇帝として、二度にわたって法門寺の舎利《しゃり》を洛陽に迎えた。そして、舎利を納める金銀製の舎利函《かん》を奉納し、熱心に供養をしている。三十年に一度の開帳の形は、武后がその定着にあずかっていた。彼女の仏教によせる信仰ぶりは、こうした一事にも現れている。

　さて、薛懐義は武后の意をくんで、武后と仏教の結びつけにつとめたが、それは彼ひとりでできる相談ではない。その知恵袋になったのが、法明《ほうみょう》（一説に法朗《ほうろう》）、処一《しょいつ》、恵儼《えげん》ら八名の高僧たちであった。彼らは、懐義が洛陽外城の東門、建春門《けんしゅんもん》の付近に与えられた仏授記寺《ぶつじゅきじ》に集まっては、準備を重ねた。そうしてたどりついたのが、弥勒下生《みろくげしょう》の信仰であり、『大雲経《だいうんきょう》』という経典であった。

弥勒菩薩とは、釈迦がすでにこの世から西方浄土に旅だった過去仏であるのにたいし、いわば未来の仏である。釈迦の弟子であったといわれる弥勒は、死後、世界の中心に位置する須弥山《しゅみせん》の上に広がる天界、欲界第四天である兜率天《とそつてん》に再生（上生《じょうしょう》）し、五十六億七千万年ののち、ふたたびこの現世に生まれ出て（下生《げしょう》）、世の平安をもたらし、人びとを苦悩から解き放つ、仏教ではそう信じられてきた。それからいえば、わが国の広隆寺《こうりゅうじ》や中宮寺《ちゅうぐうじ》の弥勒菩薩の半跏思惟《はんかしゆい》像は、兜率天において地上の衆生をいかに救うか、静かに苦悶する姿であった。

弥勒信仰、わけてもその下生の信仰は、北魏《ほくぎ》の末期、六世紀のはじめころから、人びとの心をつよくとらえた。苦しい現実から逃避するのでなく、まさに生きているその場を変える世直しの論理としてであった。以来、世の中を変えようとするとき、弥勒の下生が広く意識され、無知なる民衆を引きつける拠りどころに利用される。唐にかわる新政権をめざす武后の側が、ここに目をつけるのは至極当然であった。だが通常考えられてきた弥勒は男である。そこで、この壁をのり越えるために、『大雲経』なる経典が注目されたのである。

『大雲経』は、五世紀の初頭、北涼《ほくりょう》の曇無讖《どんむしん》が『大方等大雲《だいほうとうだいうん》（無想《むそう》大雲）経《きょう》』六巻として訳出したものにはじまる。なぜ懐義らはこの経典に目をつけたのか。それはまず、非常に多くの女たちが、仏の教えをうけるために登場することである。このような経典は他にない。そしてその中に、仏弟子の浄光天女《じょうこうてんにょ》なるものがいて、仏が彼女にむかっていうくだりがあった。

――汝は、私が出世《しゅつせい》するとき、また私の深い教えを聞き、今の天女たる姿を捨てて、女に姿を変えて国の王となり、世界を治める転輪聖王《てんりんせいおう》の領地の四分の一をもつことになるだろう。

この天女から女王となって出世する彼女を武后と重ねれば、武后こそは仏に予言された存在と位置づけることができる。ただこの天女では人びとに知られておらず、いまひとつパンチ力を欠く。そこで、これを弥勒に読みかえれば、万事うまくいくだろう。彼らはこうして拠るべき経典をさがしあてると、経文全体をつじつまが合うように訳しなおし、注釈もつけ、新『大雲経』四巻として世に出した。

『大雲経』はここに一躍もっとも重要な経典に変身した。武后はさっそくこれを全国の寺院に配布し、それぞれ信者をあつめて講説させた。また州ごとに大雲寺（大雲経寺）を設置し、『大雲経』とそれが説く本意の徹底をはかり、武后の登極《とうきょく》（即位）の先には、慈愛あふれる御仏《みほとけ》の世界が広がるであろうことを期待させたのであった。武后が帝位に登る二ヵ月前の、載初《さいしょ》二（六九〇）年七月のことであった。

こうして薛懐義らのはたらきで、仏教面からの理論武装ができた。しかし考えてみると、これだけではまだ十分ではない。中国人の観念では、伝来以来いくら時間がたったとはいえ、仏教はあくまでも外来の教えであり、中国の本来のものでない。中国の権力の本質やあり方を、それで説明するのには限界がある。したがって、仏教の仏に匹敵するもので、しか

洛水河畔風景

も中国固有の存在、これによって武后が登場する必然性が明らかにされなければ、人びとを納得させられない。せっかくの仏教側からの準備も、たんなる一部の試みで終わりかねない。両々相まってはじめて効果が発揮できるというわけである。

中国には古来より、聖天子が現れるとき、黄河からは天の啓示を記した「河図《かと》」が、洛水からはやはり天の啓示たる「洛書《らくしょ》」が浮かびあがる、という伝説がある。また黄河をつかさどるのが河伯《かはく》という男神、たいする洛水の神は洛神《らくしん》とよばれる女神であったとされる。ここにいう洛水とはもちろん洛陽をつらぬいて流れる川のこと、その川に女神が住み、「洛書」が出るといえば、武后のためにこの伝説を利用しようとするのは、至極当然の成り行きであった。

この仕事には武后の甥の武承嗣《ぶしょうし》がかかわった。彼は、新朝成立のあかつきには皇太子となり、ゆくゆくは帝位を継ぐものと自任し、内部の体制固めにもっとも熱心に動いていた人物である。彼はそこで、白い石を探してきて、「聖母臨人、永昌帝業」の八文字を彫り、その刻んだ文字のところに、紫石を粉末にし薬物とまぜて埋めこみ、もとの石の表面と同じようにしておく。すると古びた八文字が白い石の表面に浮き出てきたようになる。武承嗣はこれを唐同泰《とうどうたい》なるものに命じ、垂拱四（六八八）年四月、「洛水からこれを手に入れました」と献上させた。

武后はすぐさまこれに反応した。

――聖母、人（民）に臨み、永く帝業を昌《さか》んにす。

これこそ、洛水の神が私を聖母にみたて、「洛書」として下された天の啓示である。彼女はいかにも感動を禁じえないといった神妙な体で、かねての手はずどおり、矢継ぎ早に命令を下していった。

まずこの石を「宝図《ほうと》」と名づけ、それが見つかった洛水のほとりに出かけて、うやうやしくおしいただき、みずから聖母神皇《せいぼしんこう》と名乗った。ついで神皇の印章を三つ作らせた。まもなくして、宝図を「天授聖図《てんじゅせいと》」と呼びかえ、洛水を永昌洛水《えいしょう》に、洛水の神を顕聖侯《けんせいこう》に、石の出た場所を聖図泉《せいとせん》に、その泉のまわりを永昌県にと、たてつづけに名称を改めた。

ところで、中国では山川の神の代表というと、五嶽四瀆《ごがくしとく》の神々となる。五嶽とは北嶽恒山《こうざん》、東嶽泰山《たいざん》、南嶽衡山《こうざん》、西嶽華山《かざん》、それと中嶽の嵩山《すうざん》である。四瀆とは、四本の直接海に注ぐ大河のことで、黄河、済《せい》水、淮水、揚子江を指し、ふつう河、済、淮、江の一字ずつをとってあらわす。それぞれには神がいて自然界をとりしきっており、皇帝はこれらの神々を怒らせないために、おりおりに役人を出して祀ってきたのであった。

武后は、洛水の神をこうした神々の上に立たせる手をうった。「天授聖図」を神のご託宣としてつき進むためには、洛水の神を権威づけておくことが必要だったからである。そこで、つぎのような強引な三段論法的手法をもちいた。まずこの四瀆の神と同じ位置にひきあげる、一方で嵩山を特別に神嶽《しんがく》とし、その神を天中王《てんちゅうおう》と呼び、五嶽中でもっとも高い位置を与える、そのうえで洛水の顕聖侯と天中王とを同等に祀る、というものである。

このようにして万端の手配をおこなったのち、その年の暮れ、洛水の北岸で、中橋《ちゅうきょう》の東寄りの場所に壇を築き、あらためて洛神より聖図を受ける一大セレモニーを挙行した。このとき武后は皇帝（睿宗）、皇太子をしたがえて壇上に登り、内外の文武百官や蛮族の長たちが正装し、厳粛にそれを見守った。壇の下には、珍しい鳥獣が集められ、きらびやかな財宝がならべられた。いずれの史書も、このときのさまをこう記録する。

——文物鹵簿《ろぼ》（儀式全体の態勢）、有唐より以来、未《いま》だかくの如きの盛んなることあらざるなり。

この盛大な儀式がおこなわれたちょうど同じ時期、明堂が完成をみた。武后はここで神々からうけた正式な認知を明堂のなかにもちこみ、定置させようとした。明堂を万象神宮とつけた理由のひとつはそこにあった。

白石に刻みこんだ八字を、たかがまやかしの行為と笑うことなかれ。彼女にとって、権力の座に登りつめるために、これはこれで避けてとおれない重要な手つづきであったのだ。

第十七章　武周政権への最終コーナー

　武氏政権の樹立に本格的に動きはじめてから、一方で銅匭《どうき》による告密の門を開き、酷吏を使って反対派の弾圧が進められた。他方で、薛懐義を責任者とする明堂の建築から、新『大雲経』の訳出、また「天授聖図」をめぐる一連の措置がなされた。前者がブルドーザーによるむき出しの地ならしであったとすれば、後者は精神の面、観念の面での地ならし、現れる姿や形にちがいはあっても、その底流では固くつながれていて、どれも欠かすわけにはいかないものであった。

　そうみてくると、武氏政権実現へむけての一連の流れは、たんにその場の思いつきや行きがかりからではなく、一つひとつかなり周到な計画にもとづいてできていることがわかる。もちろんそれを決め動かしてきた中心は、権力欲に燃えたぎった武后その人であった。ただ彼女がいくらスーパーウーマンだからといって、一人で全部やりぬくのは困難である。ましてその渦中におれば、見えるものも見えなくなってしまう。

　それに皇后の身から、唐朝を奪い、新王朝をおこすのである。過去に先例のない女帝としてである。なぜそうするのかという大義名分は、ふつうの革命よりも入念に詰められなければならない。武后の野心だけでは、とうていおぼつかないことである。そうした彼女のもとで、彼女を助け、政策の立案にあたったのが、北門学士《ほくもんがくし》とよばれたブレーン集団であった。

学士と名のつくブレーンとしては、唐初、太宗がまだ秦王であったときの秦府十八学士《しんぷじゅうはちがくし》がつとに有名である。彼らはそれぞれの学問や武芸の才能で秦王を助け、玄武門の変を勝ちぬき、その後の政権の中核をになった錚々《そうそう》たる官人である。唐では、諸王やときに皇帝が、このように才能ある者を学士の名をつけて個人的にかかえることが、ままあった。北門学士とよばれる者たちも同じ類いのもので、学士といっても正式な官名にはなっていない。こうした存在がのちの玄宗時代、制度に組みこまれて、翰林《かんりん》（院）学士という正規の職名となるのである。

北門学士は、武后が、文学文章の才能ある人材の手を借りて本を出す、という名目のもとに集めたものにはじまる。遅くとも上元《じょうげん》二（六七五）年ごろまでには出揃うが、その代表格は、左史の劉禕之《りゅういし》、著作郎の元万頃《げんまんけい》を筆頭に、左史の范履冰《はんりひょう》、苗楚客《びょうそきゃく》、右史の周思茂《しゅうしも》、韓楚賓《かんそひん》といった、いずれも記録、文筆にかかわるポストにある者たちであった。家柄では格別高い者はみあたらず、出身でも、劉禕之が南朝系で、范履冰以下が山東系と、武后の好みや条件にマッチする者が選ばれていた。ただ元万頃だけは、北魏王室の末裔という由緒ある家の出であったが、これも関隴《かんろう》系貴族の中心とは無縁であったようである。彼を世に出したのは、高句麗征討軍の総大将となった李勣《りせき》の下で、その文章の才を認められたことにあった。

しかし武后が北門学士によせた期待は、たんに文章の才能だけにあったのではない。上元二年段階、彼女は「二聖」のひとりの天后《てんこう》として、将来への野心をたくわえつつあった。だがみるところ、既存の宰相以下の官僚体系によるかぎり、結局みずからの野望を貫徹させることは容易ではない。とすれば、直接自分の意志を理解する自前の人材をもち、彼らを手足として既存のシステムに揺さぶりをかけ、同時に、来るべき時期にむけての理念的な方向づけをおこなう、つまり現実政治への対応と、将来をにらんだ対応の、この両面に耐えられる能力を求めたのであった。前述した高宗の皇后として存在する正当性を周到に準備することは、彼らに求められた第一の仕事であった。

彼らに冠された北門とは、南衙《なんが》にたいする呼称である。南衙は宮城の南にある皇城の官庁街をいう。ここでは宰相以下正規の官人たちが政務をとり、宮城の南門＝正門から公的に皇帝とつながる。これにたいし北門は宮城の北門で、裏門であり、いわば皇帝と背後から私的にむすばれる姿を象徴する言葉である。当時の人びとが、彼らを指して北門学士とよんだ裏には、正規の存在でないとする揶揄《やゆ》と、皇帝と私的に結ばれたエリートとみなす羨望の、相反する感情がまざりあっていた。

さて、武后は、彼らの才能を結集して、『列女伝《れつじょでん》』『臣軌《しんき》』『百僚新誡《ひゃくりょうしんかい》』『楽書《がくしょ》』などの書物をたてつづけにまとめた。それは総巻数で一千巻にものぼる膨大なものであり、武后の一貫した構想と情熱のもとで実現したのであった。ではは武后は、これらをつうじて、いったい何を示そうとしたのか。

武后が北門学士をつかってまとめた作品は、ほぼすべて散逸してしまった。女の分際《ぶんざい》で帝位を奪ったけしからん悪女、という後世の評価のなかでは、やむをえないところであった。だが幸いにも、『臣軌』だけは、唐の太宗の『帝範《ていはん》』と対の形をとって日本にのこされていた。本書は、武后が権力への意志をむき出しにしはじめた垂拱元（六八五）年に、撰出された。そして新王朝ができたのちの長寿《ちょうじゅ》二（六九三）年、科挙《かきょ》の試験科目に、『老子』をやめてこの『臣軌』を課すことにし、そのまま武后朝の終わりまでつづけられた。それゆえ『臣軌』は、武后の政治方針を理解するうえで、もっとも重要な位置をしめるとみることができるのである。

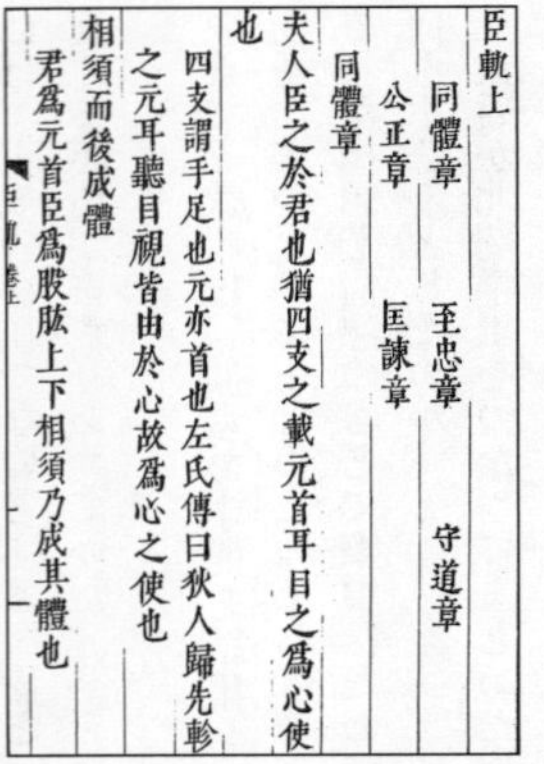
臣軌上
同體章　至忠章　守道章
公正章　匡諫章
同體章
夫人臣之於君也猶四支之載元首耳目之爲心使也
四支謂手足也元亦首也左氏傳曰狄人歸先軫之元耳聽目視皆由於心故爲心之使也
相須而後成體
君爲元首臣爲股肱上下相須乃成其體也
臣軌　巻上

『臣軌』巻上の「同体章」の冒頭（佚存叢書本より）

『臣軌』は上下二巻の書である。それぞれに五章ずつ、計十章が記載される。たとえば第一章は「同体《どうたい》」の章、こんな書き出しではじまる。

——それ人臣の君におけるや、なお四支（手足）が元首（頭）を載せ、耳目が心の使いとなるがごとし。相い須《ま》ってのち体を成し、相い得てのち用を成す。故に臣の君に事《つか》えるは、なお子の父に事《つか》えるがごとし。父子は至親といえども、なお未《いま》だ君臣の同体には若《し》かざるなり。……

そもそも君主と臣下とは、頭と手足、心と耳目のような関係であり、それぞれの分をもって支えあい、一体を構成する。したがって君臣関係は父子関係にもなぞらえられるが、肉親たる父子以上に強い同体たる関係にあるのだ。

第一章ではこのように君臣の同体であることが縷々《るる》述べられるが、じつはこの君臣同体の論調こそが、本書全体を貫くテーマであった。ただ、君臣同体論といっても、君主たるもののあるべき姿といった視点から問題にするのではない。それはすでに太宗の『帝範』においてなされていた。ここでは、立場をかえて、臣下がいかに主君に仕えるべきかと、力点はあくまで臣下の側にあったのである。

ちなみに、この第二章以下はさらにこうつづく。至公の精神で忠義につとめよ。臣下たる分を守り職務にはげめ。公正無私であれ。諫言につとめよ。誠実信義を重んぜよ。機密を漏らさず行動には慎重であれ。清廉潔白であれ。上には忠、下には愛の優れた将であれ。農を勧め、民草の生活を安心ならしめよ、と。これらは臣下として、官僚としてふみおこなうべき規範であった。

何度もくり返すことになるが、彼女は唐を奪い、女ではじめて権力の最高の座につくことをねらった。しかしこれは一朝にしてできることではない。長い長い血のにじむような準備の期間があって、なしえることである。その野心は、皇后の座をかちえた永徽六（六五五）年段階に早くも芽生えていた。以来、長孫無忌に代表される関隴系の貴族たちや、山東系の旧門閥の排除をすすめ、かわって非関隴系非門閥系に属する李義府や許敬宗らを重用した。

一方で、武后は、科挙による新たな人材の獲得に力を入れだした。科挙はよく知られるように、試験による官吏登用方法であり、隋にはじまる。発足時から、秀才科、明経《めいけい》科、進士《しんし》科などの科目によって選挙（試験）をしたことから、その名がついたが、ただ当初官界へすすむコースからいえば、主流はなお家柄（門蔭）や父祖の官爵（恩蔭）にあり、科挙は傍系あるいは補完的な位置にとどまった。

武后の時期になると、それまで科挙の中心をしめた秀才科はまったくすたれる。かわりにまず儒教の経典の能力をためす明経科が重んじられ、ついで文学の能力をためす進士科に人気が集まっていく。こうした変化にともなって、合格者の数も大きくのび、科挙から官界にすすむコースが定着した。この結果、家柄も低く恩蔭もない新興の階層の者たちが、政権への参加の道を開かれる一方、旧貴族の家系からも科挙に応ずる者たちが目立ちはじめた。武后がすすめた新氏族志「姓氏録」の編纂や婚姻政策などによって、もはや家格だけに生きる時代でないとの認識が浸透しはじめたからである。

武后の時代、官界はこのように大きな転換期にさしかかり、動揺していた。上層部はなお旧来の系統の者たちが占めるといっても、下から才能ゆたかな科挙出身の新官僚たちが、ひたひたと追い上げてきている。それに、武后の個人的な引きで官界にもぐりこんできた連中が幅をきかせている。それがために官僚界をまとめる価値観や基準がゆらいでいた。武后はまた、正規の機構の外に、みずからの政治的野望をとげるための指揮系統をもっていた。これによって、政治に二重の流れが生じ、官僚機構全体を動かすシステムが混乱におちいるのは避けられなかった。

こうした状況のなかで、『臣軌』は出されたのである。したがって基調をなす君臣同体とは、何よりもこの混乱し動揺した皇帝と官僚の関係を引き締め、皇帝を中心とする新たな支配体制を実現させようとするものであったことは明らかである。またそこには、官僚としての規範が列挙されていた。それは、武后がおもい描く官僚のあるべき姿であり、前提には、今後政界のにない手となる科挙系官僚が想定されていたといえよう。

絶対的な皇帝権力と、職務に忠実で倫理性をたもった官僚群の存在、この両者の関係を軸にした新たな支配体制を確立し、民生にも配慮した安定した政治を実現する、武后は『臣軌』をつうじてそのような政治理念と方針を、内外に明示しようとしたのではないか。もしそうであれば、彼女のなかに、貴族制の終わりと君主独裁制の始まりが明確に意識されていたことになる。これはまぎれもなく、時代を先取りした感性であった。

武后が中宗を廃位させ、睿宗を幽閉においやって以降、唐室関係者をとりまく環境は大きく変わった。彼らは表向きは丁重にあつかわれながら、そのじつ警戒され、政治の要所からはずされていく。そこに中宗の復位をかかげて李敬業の反乱がおこった。この反乱自体、さほど広がりをみせる前につぶされたが、もし唐室の有力者たちがここにかかわっていたらどうなったか、武后はこの点を深刻にうけとめた。いずれ徹底的に除いてやるのだと、彼女は告密と酷吏の網の目を狭めていった。

武后がわがもの顔で政治を牛耳っていくのをみて、李氏の者たちは危機感をつのらせ、監視の目をくぐって、ひそかに連絡をとりあった。その中心となったのが、高祖の第十一子、韓王李《かんおうり》元嘉《げんか》と息子の黄国公李《こうこくこうり》譔《せん》、太宗の第八子、越王李《えつおうり》貞《てい》と息子の琅邪《ろうや》王李沖《おうりちゅう》らであった。

そうしたおりの垂拱四（六八八）年、彼らに武后からひとつの命令が出された。

――来年正月、明堂の完成を祝う儀式を大々的にとりおこなう。王族たちは全員出席するように。

これをみて、李元嘉らは口々にいいあった。

「これはわれら李氏一族を洛陽によびよせ、その席で一網打尽にし、根絶やしにしようとする策略にちがいない」

彼らはあせった。だが互いに分断されている状況下で、連絡をとり、時を同じく決起することはむずかしい。しかし以前より、「いったん事があれば、いっしょに武氏打倒に立つ」との返事が、各地からよせられていた。それをたよりに、動きやすい場所にいた李沖がまず行動にうってでた。そのとき彼は博州《はくしゅう》（山東）刺史であった。

李沖は集めた五千ほどの兵力で、まず州内の武水《ぶすい》県城を攻めた。ここをおさえたのち、黄河を渡って済州《さいしゅう》に出、山東方面を結集すると考えたのであるが、緒戦につまずいてしまった。県城の攻撃で、車に草を積んで南門近くに置き、それに火をかけて南門を燃やす作戦をとったところ、思わぬところで逆風にみまわれ、失敗した。意気阻喪《いきそそう》したうえに、「これは反乱だ」と批判した部下を斬ったために、全軍ちりぢりになってしまった。彼は博州城に逃げかえったが、形勢不利とみた城の者に殺される。兵をおこしてから、わずか七日目のことであった。

李沖は旗揚げにあたり、皇帝睿宗《えいそう》の命令を捏造し、四方に飛ばした。——神皇《じんこう》（武后）は李氏の社稷《しやしょく》を移し、武氏に授けようとしている。

だがあにはからんや、彼が期待した呼応はどこからも現れなかった。決起があまりにも早すぎ、準備が整わなかったこともあったが、いざとなって失敗した場合の武后の処置をおそれ、二の足をふんだからである。そうしたなか唯一応じたのが、李沖の父、予州《よしゅう》（＝蔡州《さいしゅう》、河南）刺史の李貞であった。

しかし李貞とて、反武后で腰がすわっていたわけではない。息子の決起を聞いて立ちあがってみたが、失敗の報に接するとすぐ腰くだけになり、あわてふためき、武后にわびるために都に急ぎ上るといい出す始末であった。その後、兵士が結集してきたため、思いなおして態勢を整えたが、兵士には戦よけのお札をもたせたり、僧侶たちを集めて戦勝祈願の読経に力をいれたりで、いっこうに気勢があがらなかった。

そのうちに武后がさしむけた唐軍が迫ってきた。このときの唐軍は、総大将が麴崇裕《きくすうゆう》と岑《しん》長倩《ちょうせん》の二人で、十万人の兵力であった。腰がすわらない上に、兵力でもはるかにおよばない反乱軍は、当然唐軍の敵ではない。またたくまにけちらされ、李貞はもはやこれまでと、毒をあおいで命を絶った。兵をあげてからおよそ二十日のことであった。

一方、反武后の先鋒であり、李氏をまとめる最長老であった李元嘉、息子の李譔の親子は、それぞれ任地の絳州《こうしゅう》（山西）と通州《つうしゅう》（四川）にあって身動きがとれず、李貞らを無駄死にさせるはめになった。

この意気のあがらない反乱にあって、ただひとり激しい気概を示した人がいた。高祖の第七女で寿州《じゅしゅう》（安徽）刺史趙瓌《ちょうかい》に嫁いでいた常楽長公主《じょうらくちょうこうしゅ》である。李貞からの決起をつたえる使者がきたとき、こういって激励した。

「帰ったら越王に私の気持ちをこう伝えてほしい。汝ら諸王、男児たれば、この時に遅れまいぞ。かつて隋の文帝が北周を奪おうとしたとき、周室につらなる尉遅迥《うっちけい》は兵を挙げて社稷を救おうとした。それは結局成功しなかったが、忠誠ぶりを海内《かいだい》に知らしめた。ましてや汝ら諸王は先帝の実の子、今李氏は危殆《きたい》に瀕《ひん》している。国家を救うために立ちあがって忠義の鬼と化し、後の世の笑いものとなるまいぞ」

李貞の乱が失敗におわると、趙瓌夫婦も捕らえられ、従容《しょうよう》と死についた。

ともあれ、武后はこのような唐室のものによる反乱がおこることを、十分予期していた。むしろそう仕向けるようにもっていった、といったほうがよい。かくして武后は、李氏一族を処罰する絶好の口実を手に入れた。あとは酷吏の手にゆだね、関係があろうがなかろうが罪におとしいれるだけだった。ここに武后の革命を前に、李氏に連なる数百家はほとんどが殺され、幼弱者は南方炎暑の地に流され、ほぼ根絶やしにされたのであった。

新王朝の創業が迫っていた。もはやだれも武后の前に立ちふさがるものはなかった。女が権力をにぎることに異議をとなえる者もいない。否、人びとは女帝の出現に違和感も感じなくなっていた。

武后はひとり感慨にひたった、ここまでよくたどりついたものだと。

そういえば、ちょうど高宗の後宮に迎えられたころの永徽四（六五三）年、陳碩真《ちんせきしん》（貞）という女が睦州《ぼくしゅう》（浙江）で兵を挙げたことがあった。乱そのものは二ヵ月ほどで押さえられたが、しかしそれは武后にとって新鮮な驚きであった。このような南の地から、妖術を使うといっても、民間の一女性にすぎない彼女が数千人の首領となり、しかも文佳《ぶんけい》皇帝と名乗って立ちあがったのである。歴史上、女の身で皇帝までも僭称《せんしょう》した反乱は、まだない。宮中でその話を耳にしたとき、新たな女の時代の先ぶれになるのではないかと、予感を覚えたものだった。

その予感が、まさか自分の手で現実のものとなっていくとはおもわなかった。高宗の後宮にもぐりこみ、激しい権力闘争の末、皇后の座を手にした。以来、権謀術数《けんぼうじゅつすう》がうずまく伏魔《ふくま》殿《でん》たる宮中にあって、片時も気をゆるしたことはなかった。それに、権力の味とはこわいもの、いったんそこに君臨し、巨大な機構や力を動かす面白さを知れば、アヘンのように人をとらえて離さない。そのようななかで、いつしか高宗のつぎを狙う立場を、自他ともに意識するようになり、その延長線上に今日があった。

ただ、と武后はつづけておもった。権力を動かすようになって、自分が女であることの不利さ、不平等さをなんとか克服できないものかと考えた。女が男と対等に近づくために、たとえばこんなこともそのひとつとみてもらってよい。服喪《ふくも》の規定である。

親が死んだときの喪《も》に服するきまりとして、父が死んだ場合、母が健在かどうかに関係なしに、喪に服するにはもっとも重い斬衰《ざんさい》三年、とするのが礼の規定であった。ところが母が死んだ場合、従来は、父がすでに亡くなっている時には斉衰《しさい》三年という、斬衰三年にほぼ匹敵する重いものであったが、父存命中の時であれば、斉衰一年という軽い服喪となっていた。存命中の父を悲しませないというのが、その理由であった。

しかしそれは、父権に代表される男重視の典型である。父の死の場合は、母が存命か否かにかかわらず斬衰三年の服喪となっている。ならば母の死にも、同様の論理があてはめられなければならない。その発想のもとに、上元元（六七四）年、礼の規定をこう改めるよう提案し、認めさせたのであった。

――父在《いま》せば、母のために斉衰三年を服す。

母権を父権と同等にあつかう。そのことが女の立場を高め、ひいては自分の政治的地位を強化することにつながる、と考えてのことであった。

男と女という関係でいえば、彼女には、もうひとつ気になっていたことがあった。文字の問題である。漢字はみずからの立場や思考を表現する唯一の手段である。だが考えてみると、その漢字たるや、男たちのものとしてあった。男たちの世界、男たちの思想、それらを説明するのが漢字の役割であって、女たちのためにはなかった。男優先の通念にどっぷりとつかった漢字を使いつづけるかぎり、男の土俵の上でしか戦うことができない、武后はそんなことにもこだわった。

文字を女の側に近づけるにはどうすればよいか、その課題にひとつの答えを用意してきたのが、側近の宗秦客《そうしんきゃく》であった。彼は、まず十二個のそれまでにない独特の文字をあみだし、普及をはかるように申し出てきた。世にいう「則天文字《そくてんもじ》」である。

その最初には、武照の照の字にあたる曌という新字を出し、天空の上から明るく照らす様子を表現する。以下、天、地、日、月、星、君、臣、人、生、国などとつづく。文字すべてを変えることはできない相談であるし、またその必要はない。日常よく使うもの、あるいは使わざるをえないもの、そして男を前提に存在するもの、それらの一部にこの独特の文字を用いさせることで、人はそのつど女性の絶対者、武后がそこにいることを意識し、時代の変化を再確認しなければならなくなる。そのように楔をうちこむことで十分なのだ。

則天文字はただちに実行に移された。載初《さいしょ》二（六九〇）年正月（旧暦十一月）のことである。それはあらゆる公文書のなかに使われ、さらに新たに撰定された『大雲経』をつうじ

則天文字

て、全国津々浦々までまたたくまに広められた。このあとも、年号の文字などがそのつど追加される。新字はその字体からして、いやおうなしに人の目をひきつける。そこには自分と自分に凝縮した女たちの世界が刻印されているのだ、武后は心中そうおもい、満足気であった。

この新文字は、武后政権がクーデターによって倒れ、使用停止の命令が出される神龍《しんりゅう》元（七〇五）年二月まで、十六年間の長きにわたって真面目に用いられた。したがって、今日われわれは、それが武后期に書かれた史料かどうかを、この文字の有無によって確かめることができるのである。

第十八章　武周革命

永昌元（六八九）年十一月一日の正午、武后は万象《ばんしょう》神宮《しんきゅう》（明堂《めいどう》）において、この日をもって載初元年正月とすると宣言した。これによって十二月を臘月《ろうげつ》、正月を一月とするように改めた。革命をおこなうに先だって、周の暦を採用したのである。これはまた、武后のもとでほぼ一、二年ごとになされる改元のはじまりでもあった。

そして同二年（六九〇）年九月になった。と突如として、武后をとりまく動きがあわただしくなった。口火を切ったのが、酷吏として頭角をあらわしてきた傅遊芸《ふゆうげい》であった。その三日、彼は関中《かんちゅう》の長老たち九百名余をひきしたがえて、「国号を周と改めて下さい」と願い出てきた。関中とは長安一帯を指し、いわば唐朝のお膝元にあたる。その地区の大勢の長老がわざわざ願い出てきたという形をとることで、革命の提案に重みをもたせようとした。革命とは、天命（王統）を革めることである。

彼はこれと前後して、酷吏としての立場でにらみをきかせ、各方面から革命を願い出るようにはたらきかけた。こうした場合、その数は多ければ多いほど、対象は広ければ広いほどよい。かくして傅遊芸に右にならえで、百官、皇族、遠近の農民、僧侶や道士、はては近隣異民族の族長までが、われもわれもと申し出てきて、その数は六万を超えた。彼の演出はこれでおわらない。瑞鳥《ずいちょう》である鳳凰《ほうおう》が明堂から飛び立った、赤雀《せきじゃく》数万匹が朝堂に群れ集まった、これは吉兆だと仕組んだ。

事態が急に動きだしたのをみて睿宗《えいそう》も不安になり、言上してきた。

「どうか私めに武姓を賜り下さい」

名目だけといっても唐李氏の皇帝である。その彼がみずから李姓をやめて武姓に改めたいといってきた。つまり皇帝位を辞退し、武后に譲りたいという。これは決定的な意味をもった。それまで表向きは「いやいや、私ごときは」と辞退するふりをしてきた武后は、頃合いやよし、と革命を決断した。

九月九日、重陽《ちょうよう》の日である。この日、武后は宮城の正門、則天門（応天門）にのぼり、眼下の大広場を埋めた百官や農民たちにむかって、周王朝の成立を高らかに宣言した。年号は天が授け賜うたものからとって、天授《てんじゅ》とした。楼上より人びとのどよめく様子を見おろしながら、武后はついに自分は皇帝になった、それもかつてだれもなしえたことのない女性の皇帝としてだ、と得意の絶頂にあった。

即位するとすぐ、みずからを聖神《せいしん》皇帝と名乗り、前皇帝の睿宗を皇嗣《こうし》に、前皇太子を皇孫《こうそん》にと改めた。同時に武氏の祖霊をまつる七つの宗廟《そうびょう》が定められた。七廟は天子七廟といって皇帝家だけが許された特権で、それが国家の宗廟にもなるから、新王朝の発足にあたって、まず確定しておかなければならないことであった。

国号の周は、すでにふれたように、武氏が周を創始した武王の流れをくむと称したことに由来するが、それとともに忘れてはならないのは、中国人が上代の周という国によせた思いである。かれらの観念では、周は理想的な国であった。したがって、後世の為政者は、おうおうにしてその理想的な体制に復帰すると標榜することで、現実の矛盾や課題から目をそらさせ、また危機を乗り越えようとした。やはり内部に問題をかかえた武周も、その国名に同様の期待をこめたことはたしかである。

ともあれ、皇后になって以来三十五年、高宗が死んでから七年の準備をへて、ここに念願の武周政権が誕生した。武后（以下、皇帝、女帝などでよぶべきであるが、便宜上、武后の呼称をつづけてもちいる）はこのとき六十八歳、皇帝になるには遅すぎた年齢であったが、体のどこも悪くなく、意気にすこしも衰えはみえない。夜には、薛懐義《せつかいぎ》を寝室にひきいれるという生活もつづいていた。しっかり化粧した姿は年齢を感じさせず、周囲のものたちは、彼女の老齢をすっかり忘れるほどであった。その二年後、武后は歯が生え変わったといって、年号を長寿《ちょうじゅ》と改めるが、臣下たちは内心驚きながらも、一方で、彼女のことだ、さもありなん、と納得する始末であった。

こうして武周革命は成功した。だが、いったいこれで何が新しくなったのか。酷吏は相変わらず幅をきかせ、勝手気ままに人を罪におとしいれ、恐怖をまき散らしている。男妾たる薛懐義も、皇帝の寵愛をよいことに、わがもの顔で振る舞っている。政治の中心には、武承嗣や武三思をはじめとする武氏一族が位置することは変わらない。それに武后の娘の太平公《たいへいこう》主《しゅ》が、もう一方の側から武后の政治を支えている。

太平公主は、顔形から性格まですっかり母親似で、早くから母の密謀に加わり、秘密はいっさい漏らさない口の堅さで、信頼された。最初に結婚した相手が薛紹《せっしょう》、しかし彼は、垂拱四（六八八）年の琅邪王李沖の反乱に連座したかどで殺された。武后が彼女のためにつぎに用意したのが、公主と又従兄弟の間柄になる武攸曁《ぶゆうき》であった。一族のきずなを固めるとの配慮からであった。攸曁にはそのとき妻があったが、武后はそれを殺害して、結婚させた。公主はこの二度の結婚で、四男三女をもうけた。これも母親似の子沢山系であった。

とはいえ、革命が一応無事終わり、事態が落ち着きをみると、少しずつ場面は動きはじめる。薛懐義にせよ酷吏にせよ、そして武氏のものたちにせよ、彼らはそれぞれ皇帝との個人的な関係をバックにして存立しえたのであって、かりに彼女の支持を失うとすれば、他に支えるべき基盤も社会的背景もないものたちであった。その不安定さをカバーするために、彼らは武后の関心をひきつける対象をつねに用意しつづけなければならない。そのようにしてしのぎを削りあうなかで、いつしか亀裂を生み、状況から浮き上がり、自滅への道を歩まざるをえなかった。

しばらく彼らのその後の動きを追いかけてみよう。

まずは薛懐義である。彼が宮中に出入りをはじめてかなりたつというのに、武后のあつかいは一向に変わらない。年増女が若いつばめのために、一心に気遣ってやっている姿にも似ているところがある。出家者であるにもかかわらず、世俗の将軍号を授け、さらに北方の突《とっ》厥《けつ》を討伐する軍を出すたびに、つねにその総大将に任じている。もちろん彼に軍事のことがわかるはずもなく、副将にかならず歴戦の勇将がついていた。あくまでも経歴に箔《はく》づけしてやる目的であった。突厥が唐のくびきを脱して、いわゆる第二帝国をうち立て、攻勢をかけてきている。そのようなとき、武后は愛人を世に出す絶好の機会と、悠長に構えているのである。

薛懐義は武后のために、明堂を建て、天堂を建て、『大雲経』を用意し、大雲寺を設置した。天堂は風で一度壊れたが、南方から大木を運び、日々一万にものぼる人間を使役し、数年かけて完成に近づけた。そのなかには、夾貯《きょうちょ》大仏という大仏が武后の命で置かれた。

夾貯大仏とはいわば張子《はりこ》の仏像のことである。まず心木《しんぼく》に粘土を盛りつけていって仏像の大体の形を作り、それに麻布を張りつけて覆う。ついでその上から、何枚もの麻布を漆《うるし》で張り重ねる。乾燥させたのち、布を切り開いて内部の心木と粘土をとり除き、改めて心木を入れなおして全体を固定させる。それから切り目を縫いあわせ、全身に漆木屑《うるしきくず》を塗りつけて盛りあげ、姿形の最終仕上げをおこなってでき上がるのである。

薛懐義のこの大仏は、およそ百尺（三十メートル）あり、手の小指の中だけで数十人が入るという、とてつもない大きさであった。そういえば、武后はこのような大仏が好きであった。洛陽の南に有名な龍門《りゅうもん》石窟がある。五世紀末の北魏から唐にかけて盛んに掘られたこの石窟群において、ひときわ目につくのが、その中央部に鎮座する奉先寺《ほうせんじ》の大仏である。これこそ武后が化粧料《けしょうりょう》二万貫を出し、三年九ヵ月をかけ、上元二（六七五）年に完成させた盧舎《るしゃ》

龍門奉先寺の大仏

那《な》仏《ぶつ》で、高さが十七メートル余あった。薛懐義はこの大仏の形状を念頭におき、それをはるかにしのぐ規模のものとして、この夾貯大仏を制作したとみてよいだろう。ちなみに、わが奈良東大寺の大仏の原形は、この奉先寺の盧舎那仏を模したものとされる。

薛懐義がその間に費やした経費は莫大なもので、ために国庫は空になったといわれる。のみならず、しばしば派手な無遮会《むしゃえ》（功徳をほどこす布施の法要）を開き、あるときには十台の車に満載した銭をばらまき、群がる民衆で死者まででたことがあった。彼はいよいよ傲慢になり、宮中にもほとんど参内せず、白馬寺で、千人もの腕っぷしの強い私度僧《しどそう》連中にかこまれ、悦にいっていた。かつての比叡山の僧兵のような存在である。

これをみて、侍御史の周矩《しゅうく》が、薛懐義を取り調べたいと申し出た。武后ははじめ許さなかったが、最後に御史台（粛政台《しゅくせいだい》）に出向かせることを同意した。武后の命で薛懐義はしぶしぶ御史台まできたが、建物の階《きざはし》まで馬で乗りつけ、取り調べ室では長椅子に腹ばいになり、てんで相手を馬鹿にしたままである。いざ取り調べに入ろうとすると、部屋を出て帰ってしまった。周矩がこのことを武后に報告すると、武后は弁解がましく答えた。

「あれは風癲者《ふうてん》だから、それ以上厳しく責めないのがいいだろう。そのかわり、あれがまわりに集めた私度僧の処置はまかせよう」

結局、薛懐義までは手がつけられず、私度僧たちだけが流刑になった。しかし後日、このことで周矩自身、薛懐義によって免官させられたのである。

そして世間をびっくりさせる大事件がおきた。証聖元《しょうせい》（六九五）年正月十六日のことである。その前日の十五日、また無遮会が明堂で開かれた。もちろん武后がその中心にいる。薛懐義は武后を驚かそうと趣向をこらした。やや離れたところに、深さが五丈（十五メートル）にもなる穴を掘り、中に金剛大仏を入れておき、穴の周囲に絹の幔幕を張り、穴の上にはやはり絹の布で屋根をつけ、宮殿をかたどらせる。そこに参列者の注目を集めさせ、地中から大仏を引きあげさせた。人びとは「大仏が地中から涌き出た」と口々に叫び、喝采した。このとき、彼はまた、絹布に描いた高さが二百尺（六十メートル）にもなる大仏の顔を、皆にみせた。それは牛の血で描かれたが、彼は自分の膝から抜いた血で描いたと吹聴しまわった。

このころ、薛懐義はひとつの噂を耳にしていた。武后が近ごろ侍医《じい》の沈南璆《しんなんきゅう》なるものを寵愛しているという。彼はあせった。皇帝が寵愛するのは自分一人だけだと決めこんでいたからである。なんとかして女帝の目をこちらに向けさせねばならない、そんな気持ちが無遮会での趣向となったのである。

翌十六日、今度は洛水にかかる天津橋《てんしんきょう》の南で、僧に食事をふるまう斎会《さいえ》を催した。そのとき民衆に見せるために、薛懐義は膝の血で描いたという例の大仏画を張りだした。集まった僧や信者たちは、信仰にあついい方よと、盛んに褒めそやす。彼らのそのような言葉を聞いているうちに、彼の心はまた激しく揺れはじめた。

「自分はこれほど尽くしてきているのに、聞くところによると、皇帝は侍医のごとき輩《やから》に目をかけているという。それが事実とすれば許せない。なんとかして元の関係にもどさなければ……」

嫉妬と焦燥感のなかで、いつしか彼は平常心をなくしていた。

その夜二更《こう》(十時)、天堂から火の手があがった。火は中の夾貯大仏からはじまり、またたくまに建物全体をつつんだのち、さらに隣の明堂に飛び火した。天空につきでたこの二つの建物は、二本の火柱のごとく真っ赤に天をこがしつづけ、洛陽城下を昼のように明るく照らしだした。火は風をよぶ。薛懐義が天津橋の南にたてた大仏画は、その風にあおられ、ずたずたにちぎれ飛んだのであった。火は明け方になってやっと消え、あとには一片の木片すらのこらなかった。武后が新政の拠点にした明堂、そして天堂は、一晩にして灰燼《かいじん》に帰したのである。

この燃える火を、薛懐義は血走った目で見つめながら、叫んでいた。

「燃えろ、燃えつきろ。そうすれば陛下はきっとまた、わしの方をふりかえってくれる。皇帝にとってわしは絶対必要な人間なのだ」

明堂や天堂が燃えたことは武后にとってショックであった。彼女はすぐ、薛懐義が火をつけたことを察知した。しかしこのことをかたく口止めし、原因は天堂で工事をしていた人夫の失火とした。もし薛懐義とすれば、痴話のもつれが白日のもとにさらされ、武后の面目をつぶすことになる。それに、そうまでして自分を想ってくれる者はまだ殺すには惜しい、とも感じていた。彼女は内面の動揺をおし隠し、ただちに明堂の再建を命じ、総括責任者に薛懐義を再任したのであった。

薛懐義は勇みたった。武后の寵愛は衰えていなかったと。彼はここで心を入れかえればよかったが、安心するとともに、いよいよ威張りはじめた。武后の方はそれをみて、もうこの男は使いものにならない、と見切りをつけた。いったん見切りをつければ、武后のこと、あとの対処は早い。これは外部の者の手にゆだねるわけにはいかない。ひそかに娘の太平公主に宮女百人ほどを選りすぐらせておき、武后の寝所近くにある瑤光殿《ようこうでん》前で捕らえ、殴り殺させた。死体はそのまま車にのせて白馬寺にとどけさせ、荼毘《だび》にふし埋葬させ、塔を建ててやった。武后最後の心遣いであった。

一介の薬売りから武后の男妾となり、武周革命のために多大な演出をおこなった一代の怪僧、薛懐義はここに姿を消す。宮中に出入りをはじめて、ちょうど十年目であった。

彼がやりのこした明堂の建設は、そのままつづけられ、翌天冊万歳《てんさくばんざい》二（六九六）年三月、前とほぼ同じ規模と形状で再建された。屋根の上には黄金に塗った鳳凰が置かれ、新たに通《つう》天宮《てんきゆう》と名づけられた。翌年四月には、全土をまとめる象徴として、銅を鋳て造らせていた九《きゆう》州鼎《しゅうてい》が完成し、通天宮の前庭に配置された。洛陽にあたる予州（神都）鼎がもっとも大きく、高さが一丈八尺（五・四メートル）、他の八州鼎で一丈四尺（四・二メートル）という巨大なものであった。これらは、北の玄武門から、兵士十万余を動員し、大牛や白象にひかせ、運び入れられたのであった。

武周革命成就後も、酷吏たちは相変わらずわが物顔で動きまわっていた。来俊臣らが編んだ『告密羅織経《こくみつらしょくけい》』の指南書は、その後、定着し、彼らの告密と拷問による罪のでっちあげを指す「羅告《らこく》」や「羅織《らしょく》」という単語は、当時の通用語にまでなっていた。

酷吏のなかで先頭をきって登場した索元礼は、そのあまりにも残酷な拷問と賄賂が問題となり、最初に除かれた。彼は獄に下されたとき、罪状を否認したが、みずから考案した鉄枷《てつかせ》の責具《せめぐ》をみせつけられると、恐怖に顔をひきつらせ、罪を認めたのであった。「来索」とならべられたもう一人、来俊臣の方は、ますます力を振るった。彼は二度失脚し地方に出されたが、二度とも復活した。武后が終始ささえたからである。その背後には多くの酷吏が連なり、それにならって告密でチャンスをつかもうとする輩が、あとを絶たなかった。さすがの武后もその多さにいささかうんざりし、あるとき厳善思《げんぜんし》なる者にチェックさせてみたところ、虚偽の理由で罪にされている被害者が八百五十人にものぼったというありさまであった。

来俊臣についで凄腕でならしたのが周興で、彼は法律に詳しく、それを操って殺した者が数千人にものぼったという。この周興と近い関係にあったのが丘神勣《きゅうしんせき》というやはり酷吏、彼は琅邪王《ろうやおう》の李沖が博州で反乱をおこしたとき、大総管となって討伐におもむいた。博州についたとき、すでに乱はおさまっていて、城中全員はおとなしく降伏したが、しかし彼は許さず、その千余家すべてを皆殺しにして収まりをつけた。

周興は、のち丘神勣と謀反を企てた廉《かど》で、告密された。調査が来俊臣に命じられた。周興はそのことを知らない。来はなに食わぬ顔で、周にたずねた。

「囚人たちはなかなか自白しないが、どうしたらいいだろう」

周はとくとくと答えた。

「なに容易《たやす》いことだ。そいつらを大甕《おおがめ》の中に入れ、外から強い炭火であぶりたててみたまえ。どんなことでも白状するさ」

「よし、そいつはいい手だ」

来はさっそくその支度をさせると、おもむろに周にいいわたした。

「じつは君を取り調べることになっている。ひとつこれを試してくれ」

周はびっくりし、恐怖で顔をひきつらせたが後の祭りである。彼もみずから考案した拷問方法で墓穴を掘ったのであった。

また来俊臣につながる万国俊《ばんこくしゅん》という者は、長寿二（六九三）年、嶺南《れいなん》（広東・広西）に流されている罪人たちの不穏な動きを調べるために派遣された。もし事実があればその場で斬殺してよい、と特命をおびてである。彼は広州につくと、流人たち全員を集め、取り調べもせず彼らに自殺をせまった。流人はそれは偽りだと口々に抗議すると、彼らをつぎつぎと水辺に引き出し、斬殺した。その数は三百にものぼった。このあとで、武后に報告した。

「流人はみな恨みを抱いています。もしこれをはっきりさせておかないと、近い将来、反乱に結びつくでしょう」

武后はすぐさま剣南《けんなん》（四川）や安南《あんなん》（北ベトナム）などに取り調べ官を派遣した。この結果、彼らは万国俊のやり方をまね、劉光業《りゅうこうぎょう》という者が九百人、王徳寿《おうとくじゅ》が七百人、その他すくない者で五百人をそれぞれ殺害し、手柄を競いあったという。

それにしても、酷吏たちはなんと多くの人間を殺したことだろう。はたして本当にそんなに手をかけたか、疑問がないわけでもない。後世、則天武后時代を悪くいうために、数字が捏造《ねつぞう》されたり増幅されたりした可能性が十分考えられるからである。場合によって、数値の十分の一程度とみてよいかもしれないが、今は他にそれを確認する手だてはない。

酷吏になる者は、たいてい無教養の連中である。ただ利だけにはさとく、食らいついたら離さない。そうした輩であるから、相手かまわず恥も外聞もなく乱暴をはたらくことができた。こんな輩もいた。侯止思《こうしし》という。若いとき、貧しく、餅売りを生業とし、高元礼《こうげんれい》という者の奴隷となった。のちに告密によって酷吏の仲間に加わることになったが、このとき高元礼が知恵を授けていった。

「もし陛下が、君の文字を識《し》らないことをいわれたら、こう答えたらいい。『かの邪悪のものを判別できるといわれる一角獣の獬豸《かいち》ですら、字を識りません』と」

彼はそのとおり武后に答え、気にいられた。また後日、高元礼はこのようにも教えた。「陛下は君に家がないのをみて、きっと反逆人から没収した屋敷を下賜されるだろう。そのときは、『私は反逆人を憎みます。だからその場所に住みたくありません』と応じたらいい」また教えられたとおり答え、武后を大いに喜ばせた。彼のしゃべる言葉は田舎訛《いなかなま》りがつよく、人びとはそれをまねては笑いのタネにした。彼はこのように、無学にして無教養な酷吏の典型であった。

話を来俊臣にもどそう。酷吏の中心人物たる彼は、つねに新たな獲物を求めなければならなかった。そうしないかぎり、いつ武后の関心を失い、無用視され、見捨てられるかわからない。すでに人びとの怨嗟《えんさ》の的になっている以上、後にはいっさい退《ひ》くことは許されないし、できる相談でもない。武后とともにいけるところまでいくのみであった。

酷吏が最初のターゲットにした唐室関係のものたちは、大半は彼らの手ですでに消されていた。つぎに対象に選んだのは、政治の中枢にかかわる官僚、つまり朝士たちである。彼らが武后の登極《とうきょく》をどうみているのか、唐李氏に心を寄せていないかどうか、それらを監視することが酷吏の重要な職務となった。朝士たちは、いつ何時拉致され、行方知れずとなり、また一族皆殺しとなるかわからない不安におののいた。彼らは毎朝出仕にさいして、水杯を交わしたものである。「また生きて会えるかどうかわからない」と。

酷吏に「羅告」されたものたちは、大臣クラスでは、楽思晦《らくしかい》、李安静《りあんせい》、任知古《じんちこ》、狄仁傑《てきじんけつ》、裴行本《はいこうほん》、李遊道《りゆうどう》、袁智宏《えんちこう》、魏元忠《ぎげんちゅう》、李嗣真《りししん》、岑長倩《しんちょうせん》、格輔元《かくほげん》、欧陽通《おうようつう》等々の名があげられる。彼らは羅告されたといっても、すべてが殺されたわけではない。武后政権の舞台回しをおこなう狄仁傑のごときは、危機一髪のなかから蘇った数少ない一人である。その彼の姿については次章でふれるとして、他に、魏元忠もそうであった。

魏元忠は李敬業の乱の平定に力をつくしたことで、武后に認められていた。その性格は豪気で一本気、そのため酷吏に嫌われ、三度その魔手にかかり、しかし三度とも復活した。最初のときなどは、まさに殺されようとした寸前に、武后の赦免の報がとどき、からくも救われた。そのときの彼は、刑に臨んで顔色ひとつ変えず、毅然とした態度を崩さず、正式な知らせが伝えられたのを待って、静かにその場を離れたという。

しかし酷吏の嵐が吹きあれたこの時期、その網にもかからず、しかもしぶとく節をつらぬいた朝士もいた。たとえば婁師徳《ろうしとく》である。彼は進士に合格して官界に入りながら、吐蕃《とばん》の侵入をみてみずから志願して戦争にでていくような男であった。だが中央政界にはいると、喜怒の情をおさえ、孜々《しし》として政務にはげんだ。あるときのこと、州刺史となって赴任する弟が挨拶にきた。兄は弟にこういった。

「わしが宰相で、お前が州の長官となれば、人から妬《ねた》まれる。どうしたらそれを避けられるだろうか」

「いまから私は人から顔に唾をかけられても、それを拭うだけにします。どうぞご心配なさらないで下さい」

弟はそう答えた。それを聞くと兄はきっと弟をたしなめた。

「それこそわしの心配するところだ。人が唾をかけるのは、お前を怒ってのこと。それを拭えば相手に逆らい、なお怒らせることになる。唾などそのままにしておけば勝手に乾くもの、ただ笑って受け流すようにせよ」

婁師徳は体が太っており、動きが緩慢で、一見、昼行燈《ひるあんどん》風であったが、よく人を観察し、これぞという人間を武后に推挙した。狄仁傑もそのひとりであった。しかし狄仁傑は宰相になると、それを知らず婁師徳を排斥した。のちに武后からその事実を教えられて、狄仁傑は心から恥じていった。

「ああ、私はかくも婁公の広い度量に包まれていたのだ。今はじめて婁公に遠くおよばない自分というものがわかった」

朝士たちにたいしては、当初、来俊臣ら酷吏は武氏一族と共同歩調をとることが多かった。彼らの動きをおさえ、ともに武后政権を支えなければならない、という共通の目的があったからである。酷吏にせよ武氏の者にせよ、武后のもとではじめて日の目をみることができたものたちであった。

だが中途から、この両者の関係はぎくしゃくしはじめる。それぞれが武后の気持ちを独占し、実権を掌中にしたいと野心をもやした結果である。ことに来俊臣はその思いをつよくした。彼には武后の絶大なる信頼を得ているとの自信があった。とすれば、自分が将来その後釜にすわってもよいのではないかと、とんでもない考えまで抱いたのである。

そうなると一番邪魔になるのが、武家の者たちである。娘の太平公主も目障りである。また薛懐義亡きあと武后の寵愛を得た張昌宗らもいる。めんどうだ、全部ひとくくりに除いてしまえというわけで、来俊臣は、彼らが皇嗣（元睿宗）と廬陵王（元中宗）とはかり、宿衛《しゆくえい》軍《ぐん》を動かして謀反をおこそうとしている、という羅告を用意した。謀反を口実に政敵を倒す、例のやり口である。

この企ては、味方の一人によって武氏側に密告された。それを聞くと、武家のものたちはあわてて武后のもとにかけこみ、来俊臣に先んじて、彼のこれまでの悪行の数々をならべたてた。来俊臣は牢に入れられたが、その措置について武后は迷った。心中、彼を生かしておいてもいいのではないかと考えていた。今日の自分があるのは、彼ら酷吏に負うところが大きく、今後も必要とする場面はあるはずだ、いわばそれは権力にとって必要悪だと。

だが一方で、そろそろそれも潮時かもしれないともおもった。彼らの力は必要以上に大きくなりすぎている。悪行ぶりは各方面から耳にはいっている。これ以上のさばることになれば、権力の基盤をおびやかす危険性も十分ある。それに、とおもった。ここで皇帝としての判断で来俊臣を切れば、悪逆非道の責任をすべて酷吏にかぶせ、自分は世人から高い評判をえるのではないか。彼女はそうしたたかな計算もはたらかせた。

そして最終決断を下した。来俊臣の処刑を認む、と。かくして彼は市の広場に引きだされ、大勢の人びとの見守るなか、斬刑に処された。死体はその場に棄てられた。と、彼を仇と恨む者たちがわっと死体にとびかかり、われ先に肉をちぎって口にいれ、みる間にそれはなくなった。中国におけるもっとも激しい恨みの晴らし方である。あとには、抉《えぐ》りとられた目、皮をむかれた頭や骨、引きずり出された内臓が、泥まみれになって散乱するだけであった。

時に万歳通天二（六九七）年六月のこと、武后時代の一方をになった酷吏の最後の姿であった。

武周革命の結果を一番期待したのは、武氏一族であった。皇族として富と権力をえ、一族の栄華を謳歌できるというわけである。とりわけはりきったのは武承嗣《ぶしょうし》である。武后が皇帝になったとき、皇嗣として前皇帝の李旦があてられているが、彼は武氏の男系ではない。それに革命のときの働きを考えれば、自分こそが皇太子となるのが当然である、と自任した。

しかし弱みがあった。いくら武氏を代表する男であっても、武后のじつの子供ではない。彼女には腹を痛めた二人の男子がまだいる。先祖から子孫に親子関係を軸につなげていく血統観念の世界にあって、武承嗣の立場はどうしても説得性を欠くことになる。武氏のものたちは、この壁をどう突破するかで苦しみ、また反武氏派はこれを論拠に唐室再興につなげようとして、水面下で激しい暗闘がなされるのである。

この間に立って、武后の立場も微妙であった。みずからの革命を実現させるためには、さまざまな論理を動員し、正当化をはかった。しかし事がなったのち、次代にその権力をどう伝えていくかは、頭になかった。唐を奪って武周王朝をたてた以上、武氏の者に継がせていきたいが、直系ではない。皇嗣とした李旦に武姓を名乗らせてみたが、本質としては李姓の者である。しばらくそのままにして成り行きを見守るしかない、彼女はそう決めこんだ。

それをみて、武承嗣はあせった。一刻も早く武后に立太子の件を認めさせねばならない。そこで洛陽の人間である王慶之《おうけいし》という者を使って、武承嗣を皇太子にするよう言上させた。その背後にはかき集めた数百人の連中がつづいていた。武后に目どおりを許された王慶之は、ここは一世一代の大芝居をとばかり、地にはいつくばり、涙をながし、自説を説いて動こうとしない。武后は適当に聞き流していたが、ついに堪忍袋の緒が切れた。

「こやつはわが皇嗣を廃し、武承嗣を立てよという」

剛直漢で知られた鳳閣侍郎《ほうかくじろう》の李昭徳《りしょうとく》を呼び、この者を公衆の面前で撲殺《ぼくさつ》せしめた。

この結果は、武承嗣にとってショックであった。同じ武氏の人間でも、武后は武氏だけに目がいっているのではない。そこをさらに、李昭徳が突いてきた。如意《によい》元（六九二）年七月、「武承嗣の権限は重すぎます」と申し出たのである。

「武承嗣は陛下の甥であり、親王であります。親王は政治の中枢に立つべきでないのに、彼は宰相でもあります。これは人主にも等しい立場です。将来、陛下の地位を脅かすことになりはすまいかと心配です」

武后は痛いところを突かれた。いわれてみれば確かにそうである。君主たるもの、同族といえども油断は禁物である。そこで、武承嗣を文昌左相《ぶんしょうさしょう》から名誉職の特進《とくしん》に、納言《のうげん》の武攸寧《ぶゆうねい》をひらの冬官《とうかん》尚書に、夏官《かかん》尚書の楊執柔《ようしつじゅう》を地官《ちかん》尚書に改め、それぞれがもつ宰相としての実権を奪った。かわりに李昭徳や姚璹《ようじゅ》、李元素《りげんそ》や崔神基《さいしんき》らの朝士を宰相に抜擢し、権力の分散をはかった。

武承嗣はこれ以後も皇太子の件を武后に匂わしたが、結局うまくいかなかった。そして聖《せい》暦《れき》元（六九八）年八月、失意のうちに世を去った。

武氏の者たちは、自分たちが決して安泰な場所にいるのでないことを実感した。武后という人物は一筋縄ではいかない、まずは武后政権の安泰のためにつくすしかない、とさとったのであった。武氏のなかで、武承嗣とならぶまとめ役は、武三思である。その彼が、かつて知らない一風変わった建造物を提案したのも、そのような意図からであった。

それは、天枢《てんすう》という。高く天につき立つ柱である。武三思はこれを周辺諸民族の族長をひき従え、上申した。このような大袈裟な建造物は、武后がきらいなはずはない。かくして銅を集め、足らなければ銅銭や農具を鋳つぶし、全長百五尺（三十二メートル）で一辺五尺の八角柱が、皇城の南正門である端門《たんもん》の外に建立された。上には直径三丈（三十尺）の承露盤《しょうろばん》という大型の皿をのせ、そのなかに四人の龍人が火珠《ひのたま》をささげもつ。天枢の壁面には、百官と四周諸民族の長たちの名前が刻みこまれ、その一角に武后が得意の筆をふるって、「大周万国頌徳《しょうとく》天枢」と書いた。武后と武周王朝をたたえる一大モニュメントであった。

武三思も皇太子にあてられることをひそかに期待していた。武后も一時は彼を後継者にと考えたこともあった。だがその期待は、房州（湖北）に幽閉されていた盧陵王李顕を都に呼びもどし、ふたたび皇太子にすると武后の断が下されて、はかない夢とおわった。聖暦元

（六九八）年三月のことである。このような形で決着させ、武三思らの夢をつぶし、唐復活への筋道をつけた張本人が、狄仁傑《てきじんけつ》その人であった。

第十九章　武周朝の朝士――狄仁傑

洛陽の町から東に十キロほど行くと、仏教が最初にもたらされた寺として有名な、あの白《はく》馬寺《ばじ》がある。門前は観光客が列をなし、それを相手にする店が立ち並び、とても賑やかである。その人ごみを避けて東に五分ほど歩けば、十三層のこれも美しい磚築《せんちく》の塔の前にでる。金《きん》の大定《だいてい》十五（一一七五）年に建てられた斉雲塔《せいうんとう》である。ここまで足を伸ばす観光客は少なく、白馬寺前の喧噪もここでは遠くに聞こえるだけである。そしてこの斉雲塔の南門を出て、横に広がる畑のなかに分けいると、ひっそりとのこされた小さな土饅頭《どまんじゆう》が目にはいる。ちょっと油断すれば見逃してしまう粗末な墓である。その前に、後世、明の万暦のときに立てられた石碑があり、こう記される。

――有唐忠臣狄梁公墓

狄梁公《てきりようこう》、そう、則天武后の時代を、誠実さとしたたかさで生きぬき、武后政治の良心たる役目をはたした政治家、狄仁傑のことである。ここが確かに当の本人の埋葬の地であるとすると、それはそれでいかにもその人らしい人生を完結した姿だと、妙に納得させられる。彼の一生がどのようなものであったのか、武后とその時代にかかわらせながら、すこし追いかけてみよう（なお斉雲塔周辺の情景は、筆者が最初に訪れた一九八六年春当時のもの。今日は風景は一変し、塔一帯は尼寺となり、高い屏に囲まれ、人を近づけさせない）。

狄仁傑は久視《きゅうし》元（七〇〇）年に七十一歳で世を去ったから、生まれたのが太宗の貞観四（六三〇）年となる。武后より七つ年下になるが、彼女は彼を国老《こくろう》とよんで最大の尊敬をはらったのであった。

狄仁傑墓（河南省洛陽市）

狄仁傑の本貫は并州《へいしゅう》太原（山西）で、武后の父、武士彠《ぶしかく》が生まれた并州文水県と近い。その家は、祖父や父が中堅官僚まで進んだものの、決して名門でも高門でもない。彼本人は当時次第に注目されつつあった科挙の明経《めいけい》科に合格し、官界に足をふみいれた。それが二十歳すぎのこととすると、武后が高宗の後宮に入り、激しい女の戦いのあげく、皇后位を奪いとったころである。その関隴系でも旧貴族系でもない出身階層、科挙によって官界に進んだ履歴、あるいは広くいって、武后と同じ并州の人になる本貫の共通性などから、狄仁傑はもともと武后に認められる素地を備えていた。

狄仁傑の名を高めるきっかけをなしたのには、つぎのような事件があった。官吏をとり締まる大理寺《だいりじ》の役人であったときのこと、太宗の墓、昭陵の警護責任者であったのだろうか、権善才《けんぜんさい》と范懐義《はんかいぎ》なる者が、うっかり陵上の柏の木《かしわ》（コノテガシワ。ヒノキに似た常緑樹）を伐ってしまった。狄仁傑が、罪は免職相当としたところ、これを知った高宗は烈火のごとく怒った。

「父君の陵の柏を伐られて、そのままにしておくのは、朕を不孝者にさせることだ。あやつらを斬刑にせよ」

これに狄仁傑は一歩もひかず、諄々《じゅんじゅん》と説いた。

「法には定められた刑罰があります。それを壊し、君主の恣意で決められるとしたら、万民はいったいどこに拠りどころを求めたらよいのでしょう。それに陵上の柏といっても、柏は柏、たかがそれのために二人の命を奪ったとすれば、後の世、人は陛下をどう評価するでしょうか」

高宗は結局その意見に従わざるをえなかったが、この経緯のなかに、狄仁傑の政治にかかわる基本的な観点が現れていた。法は公正に運用しなければならない。それには下の弱い者には寛大に、上の力のある者には厳正に、で臨むこと、これによってはじめて全体のバランスが保たれると。彼はこれを実現するために、職務にたいし忠実に、私心を排し、誠心誠意をこめて取り組む姿勢、この姿勢をどこまでも貫くかたい信念と高い識見を、みずからに課したのであった。こうした姿勢こそが、複雑な政治状況を、特別の後ろ楯もなしに生きぬく唯一の武器であることも彼は知っていた。

またこんな話もある。垂拱四（六八八）年、予州刺史であった越王李貞の反乱がつぶされ、そのあとを収拾すべく、狄仁傑が刺史として派遣された。そのとき、乱の平定にあたった張光輔《ちょうこうほ》は、乱後も当地にとどまっていて、部下の乱暴狼藉を放置した。狄仁傑がそれをはばむと、張はどなりこんできた。

「一州の長官の分際《ぶんざい》で、元帥のわしを軽んずるのか」

そこで狄仁傑ははっきりといってやった。

「越王はひとりで河南を乱した。ところが将軍は、三十万の軍勢でそれをつぶしたのち、彼らを勝手にさせ、無辜《むこ》の人びとを塗炭の苦しみにおとしいれている。これこそ一貞死んで、百貞生ずだ。そのうえ、官軍が当地に進んできたとき、城中から続々と降伏してきた。だが将軍は部下が彼らを殺戮し、手柄にすることを容認したため、流血が野を朱に染めた。これは万貞にあらずして何というか」

この激しい剣幕と道理に、張はなにも反駁《はんばく》できなかった。

この乱では、越王の一党として死刑がきまった者が五、六百人、奴隷に落とされる者が五千人にのぼった。狄仁傑は武后にひそかに言上した。

「みるところ、彼らは本心から乱に加わったのではなく、誤って加担させられた者たちです。どうか陛下の寛大なご処置をお示し願いたい」

これをうけて武后は、全員を西北辺境の豊州《ほうしゅう》（内蒙古）に流す刑に改めた。彼らはこの処置にいたく感激した。そして、彼らが豊州に流される途中、寧州《ねいしゅう》（陝西）まできたときのこと、当地の長老が一行を迎えていった。

「諸君らを救ってくれたのは、狄長官にちがいない」

じつは寧州は、狄仁傑のさきの任地であった。在任中、領内はよく治まり、領民は安心して生活することができたため、彼らはそれに感謝し、彼をたたえる徳政碑を立てていた。狄仁傑のそうした過去を知っている長老が、予州の流人にそのことを教えたのである。彼らははじめて事の真相を知った。そこで徳政碑の前で三日間、感謝の気持ちをささげ、豊州に着いてからは、さっそく碑を立て、改めて狄仁傑の徳をたたえたのであった。

予州で張光輔にたてついた結果、狄仁傑は左遷させられる。しかしすぐ復活し、中央にもどされた。武后の引きである。もともと彼女は彼に注目していたが、予州での一連の行動が彼女の頭に焼きついた。ことに謀反人とされた州民の処置をめぐって、その減刑を願い出てきたことである。下手をすれば反乱側と通じていると受けとられかねない雰囲気のなかで、あえて減刑を口にする、それは並の勇気でできることではない。職務にたいする誠実さと真剣さに、彼女はひそかに舌をまいた。このような人材が身辺に必要なのだ、とおもった。

こうして天授二（六九一）年九月、地官侍郎《ちかんじろう》となり、宰相として中央に迎え入れられた。だがこのような男が腕をふるうようになると、一番困るのが酷吏たちである。その前につぶしてしまおうと、来俊臣はさっそく、例のごとく彼が謀反をくわだてているとでっち上げ、牢獄に押しこんだ。宰相になったときから、これは予想された事態であった。だがおめおめ死ぬわけにはいかない、なんとしてでも生きのびてやる、狄仁傑は心にそう誓った。

原名	光宅元（684）年変更名
中書省	鳳閣
中書令	内史
門下省	鸞台
侍中	納言
尚書省	文昌台
左僕射	文昌左相
右僕射	文昌右相
吏部	天官
戸部	地官
礼部	春官
兵部	夏官
刑部	秋官
工部	冬官
御史台	左右粛政台

武后期中央官名変更表

この時期、酷吏たちの取り調べにさいし、一回目ですぐ罪を認めたものは死刑を減ずる、という規定があった。狄仁傑はこれを利用した。

「大周の革命が成就し、万物が一新された。わしのような唐朝の旧臣は甘んじて殺されるのがいいのだ。謀反は事実である」と。

こう罪を認めたが、生きて牢から出られる保証はなかった。彼を亡きものにしたいという来俊臣の気持ちは変わっていなかったからである。

すると来俊臣の手下の王徳寿《おうとくじゅ》という者が、こっそりといいよってきた。

「あなたが無事出られるよう一肌脱いでもよい。そこで相談だが、その暁には、わしとつながる楊執柔《ようしつじゅう》をとりたててやってもらえまいか」

どうすればいいのかと問うと、彼はこう答えた。

「あなたが春官《しゅんかん》尚書になったとき、楊をその下の員外官《いんがいかん》に上げてやってくれればいいのだ」

これを聞くと、狄仁傑は柱に頭をたたきつけ、顔中血だらけにして叫んだ。

「ああ、天神地祇よ、私めにこのような汚らわしいことをせよというのか」

この形相をみて、王徳寿は恐れをなしてひき下がった。狄仁傑は酷吏から出された裏取引をこのような形で拒否したのである。

だが狄仁傑は生きることへの執念を捨てたのではなかった。罪を認めたため、監視の目がゆるくなった隙をついて、布団の布切れに冤罪の事情を記し、それをちぎって綿入れの上着のなかに隠し、

「暑くなったから、中の綿を除いてほしい」

と家人にもち帰らせた。家人が不審に思って綿をとりだしてみると、中から冤罪を説く手紙が出てきたのであった。息子はそれをもって、おそれながらと、武后の前に訴え出た。さっそく来俊臣を呼んで問いただすと、来は答えた。

「なにをおっしゃいます。あの者は獄に下されてから、衣冠《いかん》を解くことなく、罪を観念し静かにしております。謀反の事実があったから、それをやすやすと認めたのです」

武后はなお気になり、使いの者に狄仁傑のいる牢屋を見にいかせた。来俊臣の側は急遽、狄仁傑に正装させ、何事もないようにみせかけたが、使者の方は来の方が気になって、ろくに狄仁傑の様子をみようともしない。さらに来は、狄仁傑の「謝死の表（死を謝するの表）」を王徳寿に代筆させ、使者にもち帰らせた。

使者の報告もどうも要領をえない。それに本人の「謝死の表」なる文面が出されてきた。いったいどういうことか。死刑にするにせよ、一度は期待した男である、会っておかなければならない、武后はそう考え、狄仁傑を牢から呼びだした。これは来俊臣側にとって予期せ

ぬことであった。

そこで武后はたずねた。

「お前は謀反を認めたというが、どうしてか」

「もしそうしなかったなら、鞭に打たれ、すでに死んでいたはずです」

「では、どうして謝死の表を書いたのか」

「私はそのようなものを書いた覚えはありません」

筆跡の鑑定の結果はいうまでもなかった。こうして狄仁傑は、酷吏が牛耳る牢獄の世界から、その強靭な精神力としたたかな計算によって、晴れて生還をはたしたのであった。もちろん武后の強力な支えがあってのことではあるが。

復活をはたした狄仁傑の前に、大きな仕事が待ち構えていた。このような仕事は、酷吏や武氏のもの、あるいは薛懐義などの人間にできることではない。武后はそのためにも、狄仁傑のような人材は失いたくなかったのである。

その仕事とは、契丹《きったん》の侵攻というさし迫った事態への対処である。その先には、対異民族政策の全体的な見直しが期待されていた。彼は、万歳通天《ばんざいつうてん》元（六九六）年十月、南下する契丹をはばむ河北の拠点、魏州《ぎしゅう》の刺史に任じられた。

武后が本格的に権力の座を目指すようになってからこのかた、国政も社会もみな内向きへと傾斜した。武后がみずからの野望を実現させるために、精力と関心を国内政治に集中させたからである。この結果、北方民族などへ加えられた圧力が弱まり、太宗のもとで確立した羈縻《きび》体制にゆるみが生ずるのは避けられなかった。

羈縻体制とは、彼ら諸民族・部族の習俗や自治を認めつつ、大きくは中国の支配下に組みこむ形をとる。その統治の核をなすのが、軍事力によって各方面ににらみをきかす都護府《とごふ》であり、ここには中国本土から派遣された兵士がつめていた。だが時代は太宗以来半世紀もたつと、羈縻体制下の諸民族のなかから、いつまでもそこに安住したくないとする民族意識が高まってくる。その一方で、中国側の兵士たちからは、長く厳しい辺境勤務をきらう空気が広まり、その補充がきかないほどの事態にたち至ったのである。

こうして中国北辺一帯は、にわかに騒がしくなる。その先頭をきったのが、ちょうど半世紀間、唐のもとにおさえられていた突厥（東突厥）である。貞観四（六三〇）年、頡利可汗《けつりかがん》が唐に降ったのち、突厥の部衆は内モンゴルの南、陰山《いんざん》山脈あたりに移され、唐の統治をうけることになった。そして永淳《えいじゅん》元（六八二）年、ついに頡利の血をひく阿史那《あしな》氏の骨咄禄《クトルク》《こつとつろく》が旧部衆を集めて決起した。これが突厥第二帝国、骨咄禄はその復興初代のイルティリシュ可汗である。このあと彼らはかつての根拠地、モンゴル高原のウトゥケン山のもとにもどり、以後そこから中国へ侵攻を繰り返すことになる。

旧満州の東北方面にも多くの民族がいた。唐は営州《えいしゅう》（遼寧）に拠点を置き、その近傍に極力彼らを集め、羈縻統治をおこなった。営州という町はここから雑多な民族が行き交う独特の雰囲気をただよわせた国際都市に成長していくが、それはさておき、この支配下に唐初か

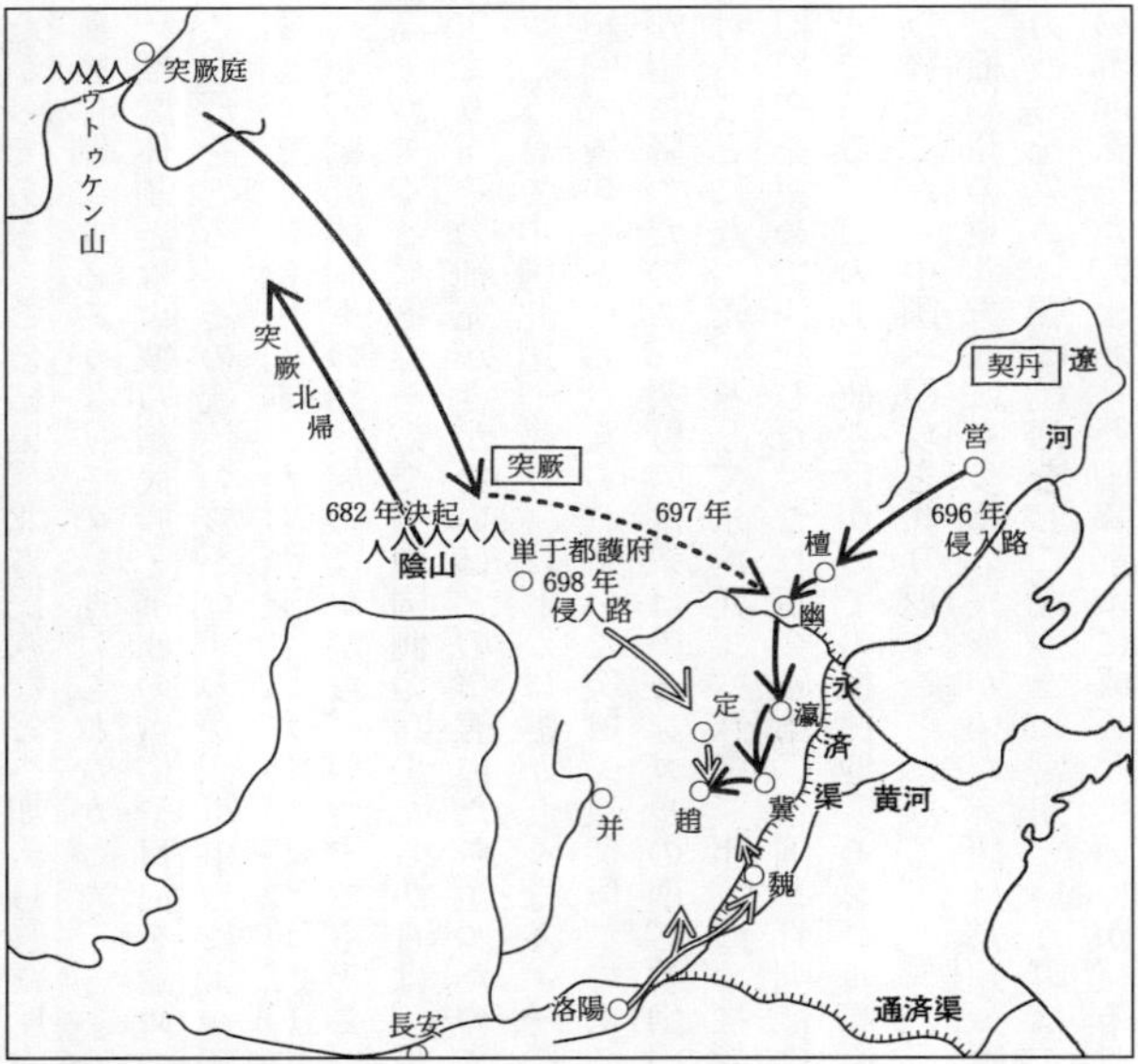

契丹・突厥侵攻地図

ら加わったのが、民族としてはモンゴル系に属する遊牧民、契丹族であった。唐はその君長を松漠都督《しょうばくととく》とし、唐室の李姓を与えて優遇し、配下の部族長には州刺史の肩書を許した。彼らは唐との良好な関係のなかで、着実に力をつけ、それとともに民族意識にも次第にめざめていく。

そうしたおり、突厥が自立をはたした。それは当然、彼らを刺激せずにおかず、唐側とのあいだに緊張を生むことになる。その矢先、営州地方がひどい飢饉となったが、時の営州都督趙文翽《ちょうぶんかい》（趙翽）は彼らを救済しないばかりか、部族長たちを奴僕《ぬぼく》のごとくあつかった。かくして、怒りと不満をつのらせた契丹人たちは、君長の李尽忠《りじんちゅう》と部族長のひとり孫万栄《そんまんえい》にひきいられ、営州に拠って決起した。武后の万歳通天元（六九六）年のことである。

いったん決起すると、彼らの動きは破竹の勢い、とどまるところを知らなかった。檀州《だんしゅう》から幽州をへて冀州《きしゅう》を落とし、瀛洲《えいしゅう》をかこみ、その先陣は趙　州《ちょうしゅう》にもおよぶ。これにたいし、中国側はつぎつぎと新手の大軍をくりだすが、すべて破られてしまう始末であった。この勢いで南下したら洛陽も危うくなる、緊迫した情勢のなか、狄仁傑は魏州《ぎしゅう》刺史にあてられたのであった。

結局、契丹の南進は河北の真ん中あたりでくいとめられた。戦線膠着《こうちゃく》したところ、背後から突厥に本拠をつかれ、内部の裏切りも加わり、勢力は崩壊する。最後まで生きのこった孫万栄は、幽州近くまで逃げもどったところで力つき、部下の奴僕の手にかかって殺された。乱をおこした翌年の六月であった。

契丹族の反乱が投げかけた問題は大きかった。それは、久しく内側に目をむけすぎたことへのツケといえなくはない。その意味で武后の責任は大きかった。この反乱が押さえられるまぎわ、来俊臣が殺され、酷吏支配に終止符がうたれているが、これは武后による内向き姿勢への反省の意味ももっていた。

また契丹軍にたいする中国側の兵力がほとんど有効にはたらかなかった、という事実もつきつけられた。これはとりもなおさず国軍の柱をなす府兵制の問題であった。この事態に対処するため、急遽、河北・山東一帯に武騎団《ぶきだん》（団結兵《だんけつへい》）という自衛組織が設置され、以後このような組織が広まり、府兵制は変質していくことになる。唐初以来つづいた制度の深刻な疲労と亀裂が、ここに強く印象づけられたのであった。

魏州刺史として狄仁傑がまずやった仕事は、魏州城内に集められていた農民を生産現場にもどすことであった。前任者が彼らを動員して城の固めに力をそそいだ、そのやり方にたいする変更である。彼はいった。

「敵はまだ遠い。敵が来たとしても、これにあたるのはわれらの役目、農民には関係ない」

民生の安定がしっかりしていないかぎり、政治も、このような戦争も、完遂できない、これが彼の一貫した姿勢であった。

ついで契丹軍退却のあと、彼は乱後の河北各地の安撫《あんぶ》につとめ、幽州（北京）都督にしばらくつき、都にもどった。今度は、宰相であるうえ、納言《のうげん》という地位にもついていた。納言とは時の鸞台《らんだい》（門下省）の長官、政治上の大方針について意見を述べることのできる立場である。さっそく彼は、この間、考えつづけてきた対外政策をめぐる自分の見解を提示した。

狄仁傑の述べるところは明快である。

――今日、民衆たちの生活は疲弊の極にある。その理由は、近年の突厥や契丹などとの対外戦があり、それに遠く西域シルクロード防衛のための派兵、あるいは対朝鮮支配のための安東《あんとう》都護府への補給などがくわわり、もはや支えきれる状態でなくなっているからだ。いったい西域や朝鮮に物資や兵員を出す意味は、中国にとってどれだけあるのか。

いまは基をかため、人びとの生活を安定させるべきである。とすれば、やるべきことはひとつ、伸びきった国境線・防衛線を一気に縮小させることである。西域は西突厥にゆだね、朝鮮は高句麗王室を再興してまかせる。あとはもともとの国境にもどり、国内の賦役をゆるめ、専守防衛に徹すれば、突厥や契丹は自然につぶれていくだろう。

この意見は武后にとりいれられなかった。しかし当時の状況からして、遅かれ早かれこの方向に転換しなければならない時期にさしかかっていた。狄仁傑はそれを冷静に見極め、先取りして提示したのであった。

狄仁傑の冷静な目は、武后後に向けられていた。武后の存在の大きさを認めながら、やはりこの時期は異常な時代、唐という王朝が生んだ徒花《あだばな》とみていた。武后はすでに七十代も後半にさしかかり、衰えはもはや隠しようもない。遠からず彼女の時代はおわる。あとはいかにして唐の以前の形にソフトランディングさせるか、彼はそこに全力を傾注していた。対異民族政策への提案も、そのことにかかわっていた。

狄仁傑が中央にもどったころ、武后のあと、つまり皇太子をどうするかで議論がなされていた。武承嗣や武三思らが、武氏からそれを出すべきだと働きかけをうけてであるが、彼もその議論に加わった。

「いったい叔母と甥、母と子、どちらの関係が親密とお考えか。お子君にあとを継がせるならば、陛下千秋万歳ののち、御霊《ごれい》は太廟に祀られ、血統はどこまでも絶えることはありません。古来、甥が天子となり、叔母を廟に祀るなどとは聞いたためしがありません」

「これは朕の家の事、お前にはあずかり知らぬことだ」

武后はかつて自分が皇后になるとき、李勣が苦しまぎれに用意した「家事」という言葉を口にした。だがそれで手をゆるめるような狄仁傑ではない。

「王者たるもの、四海をもって家となすと申します。陛下だけの家事はないのです。君は元首、臣は股肱《ここう》、君臣は同体です。まして、宰相たる私のあずかり知らぬことはありえましょうや」

狄仁傑は、武后が最後には例の「家事」の論法に逃げこむだろうことを、十分予想していた。彼はかつて武后が『臣軌』でうちだした君臣同体論を逆手にとって、その論法を完全につき破った。

武后の一目も二目もおく狄仁傑の筋道だった言である。反駁しようにもその余地もない。おそらくこれが世の大勢を代弁するのだろう、彼女はそう理解した。彼女にはかつて武周革命をやりとげたときのような元気さ、激しさはなくなっていた。あのころは意志をつらぬくためには何でもした。しかし事はすでに成っており、いまの論点は自分亡きあとの件である。自分の直接の血統を絶ってまで、多数の反対をおしきってまで、武姓の王室を存続させる意欲はもはやなかった。彼女は静かに決断すると、ふっと安堵《あんど》の溜め息をもらした。

それからおよそ一ヵ月たったある日、狄仁傑はこっそり武后によばれた。そこでまた武后は、後継問題を話題にした。狄仁傑ははらはらと涙をこぼし、いつものごとく意見をのべた。と、武后は背後の帳《とばり》をあけさせた。そこには房州に流されていたはずの廬陵王《ろりょうおう》が立っていた。驚く彼にむかって、武后はさもおかしそうにいったのだった。

「お世継ぎをお前さんにお返しするよ」と。

狄仁傑は感激の涙を流し、この処置に感謝したうえで、こう畳みかけた。

「廬陵王が都にもどられたことを知る者は誰もおりません。それを伝えても、おそらく人びとは本気にいたしますまい」

それはそうだということになり、武后はいったん彼を洛陽郊外の龍門《りゅうもん》までもどしてから、人びとが見守るなか、威儀をただし盛大に迎えいれたという。

ちなみに、このような話はありえない、とする見方もある。司馬光の『資治通鑑』である。王を幽閉先から都にもどし、皇太子とする、という決定はすでに公然のことであった。それに房州と都の距離は遠く、使者や王の一行が往来すれば、当然外部の目につかないはずはないからである。しかしそこまで厳密に考えなくてもよいのではないか。武后の力をもってすれば、王の身柄ひとつを人知れず宮中まで運びこむなぞ、そう難しいことではないだろう。むしろこうとることの方が、狄仁傑を驚かそうとする武后の気遣い、そのちゃめっけぶり、そして両人の心の交流が浮かびあがり、実際的でおもしろい。

かくして聖暦元（六九八）年九月、王の李顕（哲）は正式に皇太子に復位した。彼が地位を追われてから十五年目のことである。これにあわせ弟の李旦が皇嗣から退いた。武后即位以来の懸案は、ついに決着をみたのであった。

李顕の皇太子への復位がなぜこのときであったのかというと、それは突厥の侵入と関係する。ちょうどその時期、今度は突厥が河北に攻めこんできていた。突厥は当時、二代目の黙啜《もくてつ》《ベグチョル》（カプガン可汗）の代になっていた。黙啜は自分の娘と唐室の者との婚姻を申し出、これにこたえて武后は武承嗣の息子、武延秀《ぶえんしゅう》をやって娶らせることにした。ところが黙啜は、「われわれはかつて唐室の恩義をうけた。婚姻はその唐李氏と結びたいのであって、武氏ごときとではない」といいだし、使者が持参した品々にも難癖をつけ、河北侵攻となったのである。

　突厥の勢力はさきの契丹にもまして強く、河北中央部まで一気につき進んでくる。たいする中国側には、それを正面からはばむ態勢がなかった。兵士を募集しても一月《ひとつき》で千人にも満たないありさま、この状態をとらえて、狄仁傑は武后に決断をせまったのであった。いまここで皇太子を決めておかないと、人びとは安心し、一致して敵にあたることができない、まして突厥は唐李氏と結ぶことを口にし、人心の動揺をひきおこそうとしている、等々と。

　皇太子はさっそく河北道行軍元帥《かほくどうこうぐんげんすい》に任命された。もちろんそれを補佐し、実質的に指揮するのは、河北道行軍副元帥に任じられた狄仁傑である。皇太子の出馬と聞くと、人びとは喜び、われもわれもと馳せ参じ、またたく間にその数五万にもふくらんだ。背後で狄仁傑による演出があったにしても、ときの民衆の唐李氏によせる思いの強さをみせつけた一事であった。

　突厥はこれからまもなく退却した。奪うだけのものは奪ったことに加え、武后体制もかたまったということもその理由であった。黙啜は中国側と全面的に対立することは望んでいなかったのである。

狄仁傑はまた日ごろから、資質にすぐれた人材を集めることに意をもちい、彼のかかわった人材が数十名にものぼる。その代表をなすのに、張東之《ちょうかんし》の場合がある。

あるときのこと、武后と狄仁傑がつぎのような話をした。

「朕は仕事のよくできる立派な人物をさがしているが、いるだろうか」

「どのような職務につけようとお考えでしょうか」

「朕がほしいのは、宰相として用いたい人材だ」

「みるところ、文章や履歴のすぐれた者でいえば、今の宰相の李嶠《りきょう》や蘇味道《そみどう》で十分です。陛下はそれ以上の卓越した才能をお求めなのでしょう」

「そう、それが朕の気持ちだ」

「それでありますならば、荊州《けいしゅう》（湖北）長史の張東之が最適です。あの者は長く不遇であり、年はとっておりますが、かならず国家のために全力をつくすはずであります」

武后はすぐさま洛州司馬《しば》に任じた。地方の副長官から中央の一補佐官へである。張東之は七十代の半ばであった。後日、武后はまた推薦すべき賢才はいないかと、狄仁傑にたずねた。彼は答えた。

「過日推薦した張東之がまだ用いられておりませんが」

「いや彼は洛州司馬にしてある」

「私が推したのは宰相のためであって、洛州司馬のためにではありません」と。

このほか、狄仁傑が抜擢したものに桓彦範《かんげんはん》、敬暉《けいき》、姚崇《ようすう》（姚元崇）らがいた。この彼らが武后時代を終わらせる中心をになった。姚崇こそはさらに生きて、宋璟《そうえい》とならび、玄宗時代の「開元《かいげん》の治《ち》」を現出せしめた当の本人である。狄仁傑はこの面でも、次代へつなぐ役割をはたしたのである。

狄仁傑はやるべきことをほぼやりおえて、久視元（七〇〇）年九月に病で世を去った。天寿を全うしたといってよいだろう。武后はその死をおしみ、三日間の喪に服した。

おもえば、よくこの厳しい時代を生きぬいた。この時代をつくりだしたのも、彼に活躍の場を与えたのも、武后その人であった。彼女に邂逅《かいこう》していなければ、狄仁傑は歴史に名をのこす働きはできなかった。このような人間を必要とし、使いきった武后という存在の大きさも、改めて意識されてよいだろう。

第二十章　武周朝の終焉

薛懐義《せつかいぎ》を殺してから、武后の気持ちは晴れなかった。確かにあの男は、勝手気ままに振舞い、人びとの反感をあび、武后にはかりしれぬ迷惑をかけ、殺されてしかるべきであった。しかし彼は武后のことを一心に想ってくれた。彼の毒をふくんだ個性に、彼女は自分の子供をあつかうような親近感と、自分の内面をかいまみる緊張感を感じたことだった。そこにまた、男と女の関係からくる羞恥の情もあった。

心にすっぽり空洞があいたような、そんな感情にとらわれていたところ、娘の太平公主がひとりの若者を武后の前に連れてきた。母の寂しさをすこしでも埋めることができれば、との配慮からであった。

若者の名前は、張昌宗《ちょうしょうそう》といった。出自は定州《ていしゅう》（＝中山《ちゅうざん》、河北）の張氏というが、格別高い家柄ではない。ただその一族からは、太宗、高宗のときに宰相までつとめ、両帝からあつい信頼をうけた張行成《ちょうこうせい》という者が出ている。その張は年老いて引退を願いでたとき、高宗が「公は朕の元からの腹心である。なのに朕を捨てて去ろうといわれるのか」と、強く慰留をするほど頼りにした存在であった。張昌宗はその兄の孫、つまり族孫であった。

張昌宗は年のころは二十歳になるかならないか、色白で目元も口元もすっきりし、容姿もすぐれた青年であった。それに歌舞音曲は何でもこなした。武后は一目みて、すっかり気にいった。しばらくして、張昌宗は申し出た。

「わたくしには張易之《ちょうえきし》という兄がおります。わたくしに勝るとも劣らぬ者であるうえ、仙薬をつくることにたけております。どうかいっしょにおそばにおいて下さい」

張易之も美男子であった。以来、武后はこの二人に夢中になり、いつも顔には化粧をさせ、豪華な錦の着物を着せ、身近にはべらせた。武后はそれまでの心の憂さを、この孫のような二人をかわいがることで晴らしたのであった。そうして薛懐義のことはすっかり忘れた。彼らは武后の最晩年における男妾であった。

武后はかわいがった二人が宮中で活躍できるようにと、控鶴府《こうかくふ》という役所を新設してやり、久視元《きゅうし》(七〇〇)年にはこれを奉宸府《ほうしんふ》と改め、張易之をその責任者にすえた。ここには彼女の寵愛する者や文学の士が集められ、張兄弟をかこむひとつのサロンが形づくられた。文学の士といえば、かつて武后のブレーンとなり、その権力奪取の演出にあずかった北門学士が思い出される。武后はもちろんそれを意識して、彼らの結集をはかったのであった。

だが彼らには、北門学士がになったような実力も迫力もなかった。第一、時代状況がちがっていた。これから新権力を創出しようと意欲に燃えた段階と、すでにその目標を達し、守成に入った時期と、である。彼らのやるべきことといったら、酒を飲みながら外朝の朝士たちをあげつらって戯《ざ》れあったり、さいころ賭博に明け暮れたりといったありさま、ときにそれがそのまま、武后をかこむ内殿での宴会にもちこまれた。

ある内殿での宴会の席のこと、武三思が張昌宗を評して、王子晋《おうししん》の後身だといいだした。王子晋とは、上古周の霊王の太子晋のこと、笙《しょう》の名手で、のち嵩山《すうざん》にのぼって三十有余年、仙人の修行をし、ついに白鶴にのって昇天したと伝えられる。武后は王子晋を、自分の先祖につながる周室からでた仙人、昇仙太子《しょうせんたいし》とあがめ、聖暦《せいれき》二（六九九）年二月、嵩山にでかけた途次、緱氏山《こうしざん》の山上にある昇仙太子廟に謁した。そのとき彼女みずから筆をとって書き上げたのが、かの飛白《ひはく》文字で有名な「昇仙太子碑」となるのである。

　武后があがめる王子晋、それを武后の寵愛する張昌宗にあてる。かねてから張兄弟の屋敷に出入りし、兄弟の馬の轡《くつわ》をとるなど、さかんにとりいっていた武三思らは、ここでも言葉巧みに持ち上げたのである。それを聞いて、武后もその気になり、彼に羽衣を着せ、木製の鶴にまたがせ、笙を口にあてさせて、あたかも王子晋が天空に舞い上がるかのようにさせた。そばからは楽隊がにぎやかに奏でる。まわりの者はそれをみて、やんやと歓声をあげる。彼らはそんなたわいもないことに夢中になったのであった。

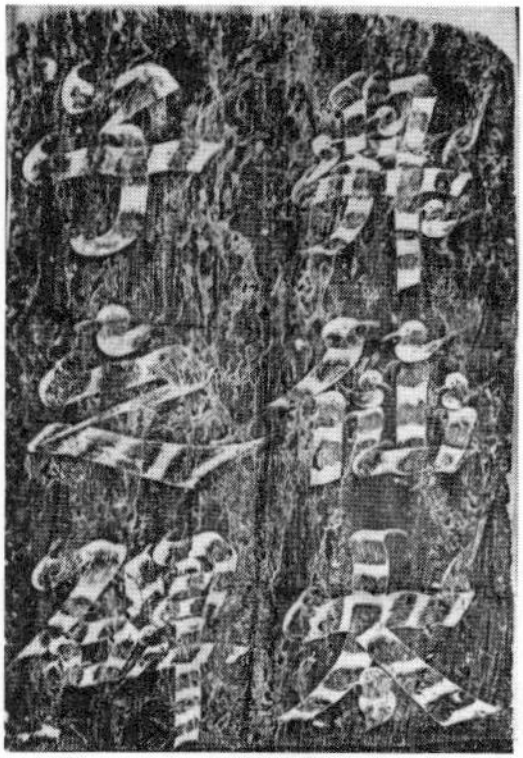
武后筆「昇仙太子碑」碑額（飛白文字）

　しかし内朝のこんな様子が外にもれたら、外部の朝士たちはスキャンダラスな噂をたてるだろう。そうなっては権威を損なうことになる。彼女は世間体をよく気にした。あの薛懐義を宮中に入れるときもそうであった。彼のときには僧形《そうぎょう》にし、薛氏の一族に加え、外面をとりつくろった。かわってこの張氏にたいして用意したのは、『三教珠英《さんきょうしゅえい》』という類書《るいしょ》を編纂する仕事であった。これに携わるということで、彼らは武后のもとにいつも伺候する絶好の口実を得たのであった。

類書とはいわば百科事典である。本書は儒仏道の三教をめぐる語句の出典や用例を事典としてまとめたものだろう。今日、本書は散逸してしまっているが、張昌宗を頭とし、その下に李嶠《りきょう》、崔湜《さいしょく》、張説《ちょうえつ》、宋之問《そうしもん》ら錚々たる文人二十六人が顔をつらね、一千三百巻という大型類書として、完成をみたことが知られている。したがって、たんなるその場を粉飾するためだけの企画であったともいいきれない。もしのこされていたならば、これはこれで貴重な歴史文献になったはずである。

最晩年にさしかかった武后は、かつてのように政治の前面に出ることは少なくなった。ふだんは迎仙宮《げいせんきゅう》の集仙殿《しゅうせんでん》で、張昌宗兄弟らのとりまきにかこまれ、のんびり過ごすことが多かった。いまや彼女の最大の関心は、寵愛する張兄弟のためにできるだけのことをしてやりたい、ということにあった。張らはそれをかさにきて力をふるおうとし、外朝とのあいだに軋《あつ》轢《れき》を生んだのである。

そんなとき、ひとつの事件がもちあがった。皇太子の長男の李重潤《りじゅうじゅん》と妹の永泰郡主《えいたいぐんしゅ》、その夫で武承嗣の子の武延基《ぶえんき》の三人が、張易之らの宮中での傍若無人ぶりをひそかに批判した、というものである。彼らがなにかのおりに会話をしていて、話題がそれにおよんだのだが、のちに武延基がもらし、張らの耳に入ったのである。武后はそれを聞くと、三人に即刻自殺を命じたのであった。

李重潤はこのとき十九歳であった。彼は颯爽《さつそう》とした人柄で、将来を嘱望されていた。その罪は殺されるほど重いものではなかったと、人びとから悼まれた。のちに中宗はそれを悲しみ、重潤には懿徳《いとく》太子、永泰郡主には永泰公主の 諡《おくりな》をあたえ、中宗の兄でやはり武后の手にかかって死んだ李賢とともに、とくに高宗が眠る乾陵のかたわらに陵墓を営んでやった。この三人の墓は、新中国になって前後して発掘され、今日われわれにその地下世界をみせてくれる。三墓の規模や構造、のこされた石槨《せつかく》や壁画から、中宗がいかに彼らの死を想い、安らかな永遠の眠りを願ったかを、うかがうことができる。

ただ覚えておいてよいことは、李重潤ら三人の死が、武后が肉親・親族を手にかけた最後であったことである。まだ名もない赤子からはじまって、李弘・李賢の二人の息子、あるいは実の姉にその息子、さらに異母兄や従兄弟たち等々、彼女はなんと多くの身内を手にかけたことか。そしていままた三人の身内である。ちょうど終止符を打つにはいいころにきていたといえよう。

それに、張兄弟のために彼女ができることに、ぼつぼつ限界がみえだしてきていた。それをよく物語る朝廷での話がある。

武后のもとで、酷吏とも真っ向からぶつかったことのある硬骨の人、魏元忠は、この時期、宰相にまですすんでいた。彼の性格からして、張兄弟の横暴には目をつぶることはできず、ことごとく対立した。ときには武后にむかって、「君側の小人《しようじん》を除いて下さい」とまでいっている。この小人とはもちろん張氏兄弟らをさす。これをみて張昌宗は、もし武后が万一の場合、後ろ楯を失った自分たちはいったいどうなるか、とおそれた。一刻もはやく彼を除くに如《し》くはないと決意し、ひとつの謀反計画を訴えた。

「魏元忠と高戩《こうせん》はひそかに会い、『皇帝は年老いた。太子を擁してクーデターをおこそう』と話しあっております」

高戩は太平公主の腹心である。彼女ははじめ張易之らに近づいたが、その後スタンスを彼らからすこしずつずらしつつあった。張はこれを機に公主も排除しようとねらった。

二人はすぐ牢に入れられ、まもなく宮廷で、武后、皇太子の前で黒白がつけられることになった。張昌宗側は、証人として張説《ちようえつ》をたてることにした。奉宸府の人間で、文章家として名高く、弁舌巧みな官僚である。彼を証人とすることで、説得力が増すというよみからであった。張説もその方向で答えることに同意した。これを聞いて、反張側の者たちは張説に働きかけた。たとえば宋璟は、「目先の名利にとらわれて、あんな邪悪な連中に与《くみ》してはならぬ。もしこのことで左遷されたら、君は男をあげることになる。かりに最悪の死刑となっても、わしは君をまもるために全力を傾け、最後はともに死ぬまでだ。万代に名をのこすのは、いまこのときだ」と、懇々と説いた。

当日になった。満座の見守るなか、魏元忠と高戩の二人がひきたてられてきた。さっそく謀反の企てが事実かどうか、張昌宗と魏元忠とのあいだで激論となったが、堂々めぐりで決着がつかない。そこに証人として張説がよびいれられた。彼はずっと迷っていた。自分の将来をみすえたとき、はたしてどちらが有利なのか。黙っている張説にむかって、張昌宗がつよい口調でせきたてた。張説の腹は決まった。

「見てのとおり、陛下の面前ですら、張昌宗は私にこう居丈高《いたけだか》です。まして外ではいかばかりか、おわかりいただけるでしょう。いま真実を申しあげます。魏元忠から、いわれるような言を聞いたことはありません。張昌宗が私に嘘の証言をさせようとしただけです」

張兄弟はあわててさけんだ。

「張説は魏元忠とグルだ」

武后も張兄弟の肩をもち、

「張説はいうことをころころ変える無節操なやつ、ともに取り調べよ」

と命じた。張兄弟のもくろみは、予期せぬ張説の発言によって崩された。彼らはあわてたが、逆に反張氏側を勇気づける結果となった。

朱敬則《しゅけいそく》なる者は、「魏元忠は忠正で、張説は無罪です。彼らを罰すれば、天下の失望をかいます」といってくる。蘇安恆《そあんこう》はさらに、

「いま民衆は賦役《ふえき》の重さにあえいでおります。そのようなときにこのようなでたらめがまかりとおり、刑罰が正しくおこなわれていないとなると、これがどのような形で爆発するかわかりません。もしその場合、陛下はどのようにしてそれを防ぐおつもりか」

とまでいいだす始末であった。張易之らはいよいよ激怒し、この両名を殺そうとしたが、朝士のなかからまた別の救いの手が出され、何もすることができなかった。

結局、この謀反事件は、魏元忠と高戩の二人は、嶺表《れいひょう》（広東・広西）への流罪、張説はやはり嶺表の一県官に左遷で決着づけられた。張兄弟がもくろんだ魏元忠の殺害は挫折におわった。かつての酷吏のような力は彼らにはなく、流罪にした者をさらに死にまで追いつめていくことは無理であった。

それに、彼らには誤算があった。今回の案件を利用して、魏元忠をつぶすと同時に、彼らの力を外朝にまでおよぼす、つまり外朝にたいする内朝の優位を確認させる意図があった。しかしそれができなかったばかりか、逆に外朝側の結束をかためさせ、それを破れない張兄弟たちの力の限界を露呈させる結果になってしまった。

武后もここで、もはや往年のような威令がなくなっていることを自覚せざるをえなかった。流罪になる魏元忠が別れの挨拶にきて、こういった。

「私は年老いております。おそらく二度とお目にかかることは難しいでしょう。ただ陛下は後日きっと、私を思いだすことがあるでしょう」

それはどういう意味かとたずねる武后に、彼はかたわらの張兄弟を指さし、語気するどくいい放った。

「この二人のこわっぱが、乱の発端をつくるからです」

二人はあわてて、武后の前にはいつくばり、そのようなことは絶対ありません、と必死に否定した。このようなありさまをみて、武后は、これ以上やっかいなことにしたくないとばかり、魏元忠をいそぎ退出させたのであった。

ともかくここに、武后の身近につかえ、その個人的な関係に依存した張昌宗らの内朝側にたいし、正規の官僚機構にもとづく外朝側が優位にたつきっかけが与えられた。武后政治は、外朝にたいする内朝の優勢のなかで、一貫して動いてきた。その逆転がいま始まろうとしていた。このようななかで、武后はもはや明確な意志を提示できる状態にはなかった。長《ちょう》安《あん》三（七〇三）年九月の段階のことであった。

武后の最晩年になって、長安という年号が使われた。それは、武后がかつて住んだ長安に行幸《ぎょうこう》したことを記念してであった。大足《たいそく》元（七〇一）年十月からである。

じつに久しぶりの長安再訪であった。永徽六（六五五）年に皇后になった翌々年の、顕慶二（六五七）年にはじめて洛陽に行き、これから洛陽に重点をおきつつも、長安と洛陽のあいだを一年から数年ごとに行き来する生活がつづいた。そして最後に長安を訪れたのが、永《えい》隆《りゅう》元（六八〇）年十月で、一年半後の永淳《えいじゅん》元（六八二）年四月に洛陽にもどり、それ以来、洛陽の名を神都と改めて首都とし、長安に足を運ぶことはなくなっていた。通算すれば十九年半、ほとんど二十年の無沙汰であった。

長安と洛陽のあいだの距離は約三百五十キロ、輿や馬車に揺られて約半月ほどの日時を要する行程である。途中、古来有名な潼関《どうかん》や函谷関《かんこくかん》がある交通の難所をとおらなければならない。武后は思いたって、この道をとおり古巣の長安に入った。齢《よわい》すでに八十歳に近い彼女には、けっして楽な旅ではなかった。なぜこのときになって、長安行を決行することになったのか。

彼女は自分の老い先がもうそう長くないことを感じとっていた。そうなって思いおこされるのは、生まれ育ったかの長安の地である。そこには自分の青春を封じこめ、また激しく嫉妬と憎しみの情念を燃やした宮城が、まだある。皇后の位をめぐって、二人の女性を蹴落とし、そのはてに激情にかられ、なぶり殺しにしたのもそこであった。それら若いころのさまざまな思い出は、いまの彼女にはすべて遠く懐かしい記憶となった。死ぬ前に、もう一度かの地の土をふみ、自分の目に焼きつけておきたい、そんな思いに駆られたからであった。

長安にはちょうど二年滞在し、長安三（七〇三）年十月、洛陽にもどった。ひとつの仕事をはたした感慨であった。だが身辺は、以前にもまして緊張した雰囲気が漂よいはじめていた。もちろん反張兄弟の気運の高まりと、それに必死に対抗する張昌宗らの動きによってである。

反張側が張昌宗らをもっともおいつめたのが、翌年七月のことであった。張氏は五人兄弟であった。昌宗が末子で、そのすぐ上が易之、さらに三人の兄、昌期《しょうき》、昌儀《しょうぎ》、同休《どうきゅう》となる。このときまず三人の兄が収賄罪で逮捕された。つづいて下の易之、昌宗の二人がやはり収賄罪で告発された。彼らの収賄額は、合計四千余緡《びん》（一緡は銭一千文）にのぼったという。彼らの収賄ぶりの一端を伝えるものに、こんな話がある。

張昌儀が洛陽県令であったとき、請託は何でもうけつけた。ある早朝、馬にのって道を歩いていると、姓を薛《せつ》という選人《せんじん》が馬の前にたちふさがり、履歴書と金五十両を彼に差し出し、職の紹介を依頼したことがあった。選人とは科挙の試験に合格したのちの、職待ちしている者をいう。昌儀は金は懐にいれ、履歴書だけを張錫《ちょうしゃく》なる役人に渡し、うまくはからってくれるように頼んだ。ところが張錫はその紙をなくしてしまった。昌儀に問いなおすと、「私だって覚えているものか。薛という姓のやつがよこしたのだ」と怒る。やむなく張錫は、選考待ちのリストから薛姓全員を拾いだし、官につけてやった、と。

兄弟五人の収賄案件は証拠もそろい、握りつぶすわけにはいかない。しかし武后は、なんとか易之と昌宗の二人だけは免官させず手もとにおいておきたい。それをみて、内史《ないし》の楊再《ようさい》思《し》が助け舟をだしてきた。

「張昌宗はさきに神丹《じんたん》を作り、それを陛下が服用されたところ、よい効き目がありました。これこそ国家にたいする最大の功績です」

この楊再思なる男、大臣でありながら軽薄で、張氏派であった。ある張氏派の者たちが酒盛りをした席でのこと、そのうちのひとりが、張昌宗の美男子ぶりをたたえ、「六郎《ろくろう》（昌宗の愛称）の顔は蓮の花のようだ」というと、すかさず楊再思は、「いや、それはちがう。蓮の花の方が六郎に似ているのだ」とまぜっかえしたという。こんな男の言ではあるが、武后はそれを理由に兄弟二人を復職させた。

つづいて、宰相の韋《い》安石《あんせき》が、また張易之らの罪を告発してきた。武后はしぶしぶ韋安石と、もうひとりの宰相の唐休璟《とうきゆうえい》に取り調べさせた。だが取り調べの途中で、突如、韋は揚州都督府長史に、唐は幽州都督・安東都護の兼務にと、地方に出されてしまった。疑獄はここでまた、うやむやのまま終了させられた。

結局、二人の張氏を武后のもとから離す試みは成功しなかった。張兄弟はそれこそ必死に頑張った。もし離されれば、その先の運命はおのずから明らかであった。彼らは外朝には足場はもたないし、第一、人びとから嫌われていたからである。武后としても寵愛する彼らを手放したくなく、もし手放せば、自分がまったく裸同然になってしまうこともわかっていた。武后は衰えたりとはいえ、なおとりまく状況を判断する力は欠いておらず、自分からすすんで権力の座をおり、皇太子に位をゆずる気はさらさらなかった。

年末になった。冬の寒さがこたえたのか、ここに至って武后は床から起きあがれなくなった。張昌宗らはあわてた。ついに来るべきものがきたのか。彼らは武后の病状をいっさい伏せ、大臣も近づけないようにした。

そんなころ、人相見の李《り》弘泰《こうたい》なる者が、張昌宗には天子の相がある、といい出し、ついては彼らの本貫の定州（河北）に仏寺を建てることだ、と勧めてきた。こんな得体のしれないことを聞いてすぐその気になり、都の高僧十名を定州の彼らの寺にうつすことを画策するなど、彼らは追い詰められていた。

このようななか、さきに狄仁傑が後事を託せる人物と推薦した宰相の張柬之が動きはじめた。彼は、同じく宰相の崔玄暐《さいげんい》を誘い、敬暉《けいき》、桓彦範《かんげんはん》、袁恕己《えんじよき》らを加えた。互いに意思の通じあった者たちである。問題は兵力を動かせる人物である。武后の時代になってから、府兵によって構成される南衙軍にたいし、皇帝の親衛軍として左右羽林軍《うりんぐん》が強化充実され、これが中央軍の中核をになうまでになっていた。したがって、この羽林軍をどちらの側がにぎるかで、最後の去就が決まるといっても過言ではなかった。

張柬之はそこで、靺鞨《まっかつ》の族長の流れをくみ、実直一筋で三十年間、北門の守りをつとめ、このとき右羽林軍大将軍となっていた李多祚《りたそ》に接近した。彼はいった。

「将軍がこのように、武臣として、位人臣を極めたのは、大帝高宗陛下のおかげとはおもわないか」

「その通りです」

「ならば、そのご恩に報いる気持ちはおありか。いま大帝の二人のお子が、張兄弟のために危機に瀕《ひん》している。将軍が大恩に報いるのは、まさにこのときではないか」

「わかりました。妻子のことは忘れ、身命を賭して宰相のご命令に従いましょう」

李多祚は涙ながらに忠誠を誓ったのであった。

張柬之は宰相になってから、他に気心のわかっている楊元琰《ようげんえん》を右羽林将軍に配置するなど、羽林軍の人事にとくに気を配ってきた。準備が整ったところに、姚元崇が霊武《れいぶ》（寧夏）の任地からもどってきた。彼は張易之らにきらわれ、霊武道行軍大総管《れいぶどうこうぐんだいそうかん》の職務に出されていたのである。こうして顔ぶれもそろった。

神龍元（七〇五）年正月二十二日（癸卯）、その日がきた。かねての段取りどおり、その朝、張柬之らはまず五百の羽林兵で玄武門にむかった。一方、李多祚らを東宮にやって、皇太子を迎えさせた。だがいざとなると、太子は怖がりしりごみして動こうとしない。

「張兄弟らはつぶすべきだが、もし武后陛下を驚かし、お体にさしさわりがあったらどうするのか。もうすこし先に延ばすことはできないか」

といい出す始末であった。李多祚らは語気をつよめて、

「諸将は家族をすて国家のために立ちあがったのです。いまさらぐずぐずいってなんになります。どうぞお出まし下さい」

というと、いやがる皇太子をむりやり馬に乗せてしまった。

クーデター軍は玄武門をつき破ると、まっすぐ武后の寝《やす》む迎仙宮（集仙殿）を目指した。そして宮殿の門内に入った廊下で、本命の張易之と張昌宗に出くわし、その場で二人を斬りすてた。あっけない結末であった。軍はただちに長生殿《ちょうせいでん》を包囲した。張柬之は皇太子をたてて、武后の寝所に押しいった。

武后は急に起きあがると、

「乱をおこしたものは誰か」

と叫んだ。張柬之は答えた。

「張易之と張昌宗が謀反をくわだてたため、太子を先頭に彼らを誅殺いたしました。秘密をまもるために、陛下に前もってお知らせせず、宮禁《きゅうきん》を騒がせたことをお詫び申しあげます」

そこで武后は皇太子に顔をむけていう。

「汝か。逆賊は殺された。すみやかに東宮にもどるように」

それを聞くと、かたわらの桓彦範が進み出て、断固たる口調で迫った。

「太子はもうもどる必要はありません。むかし高宗陛下が陛下に託された愛子は、このように立派に成長されており、人びとは李氏の時代を待ちこがれております。百官たちは太宗陛下や高宗陛下の恩義を忘れず、太子を擁して賊臣を誅したのです。どうか陛下は御位《みくらい》を太子にゆずられ、万民の要望にしたがってください」

武后は権力闘争に敗れたことをさとった。この事態は、息子の李顕を皇太子にすえたときから、すでに予期されたことであった。来るべきものが来た。あとは静かに成り行きにまかせ、そして消えていくのみだ。そう決断した彼女の表情には、一抹の淋しさと大きな重荷を下ろした安堵の情が交錯していた。

クーデターは成功した。ただちに武后から皇太子に権力の委譲が、武周から唐への復帰が、進められた。まず二十五日、中宗が即位した。それをうけて翌二十六日、武后は宮城をでて、西の上陽宮《じょうようきゅう》に移された。そして翌月の二月四日、国号が唐とされ、体制全体が唐の旧にもどされ、ここに正式に唐朝の復活が宣せられたのであった。

武后は以後、上陽宮を一歩も出ることなく、ときおり訪れる息子の中宗以外はだれとも会わず、病床に身をよこたえた。彼女が宮城を去るとき、ただひとり姚元崇だけがはらはらと涙をこぼした。「こんなときに泣いては、君の将来にかかわるぞ」と心配してくれた張柬之に、彼はこう答えた。

「それはわかっているが、感情が抑えられないのだ。先に張兄弟ら逆臣を殺したのは、臣たるもののつとめ、長く仕えた旧主に涙するのは、臣たるものの節義ではないか」

人の心は常ならぬとはいえ、姚元崇のような男に最後まで変わらぬ忠義を示される。武后はその一事だけでもって瞑《めい》すべし、であったであろう。

この年の暮れに近い十一月二十六日、武后は静かに世を去った。中宗は則天大聖皇后《そくてんだいせいこうごう》の諡《おくりな》をおくった。世に則天武后と称されるのは、これによる。則天「天に則《のっと》る」とは、『論語』の泰伯《たいはく》篇にみえる言葉である。

――大いなる哉、尭《ぎょう》の君たるや。巍巍乎《ぎぎこ》として、ただ天を大いなりとなす。ただ尭のみこれに則る。

古来名君と知られた尭、その尭だけがあの広大無辺の天空がもつ法則をわがものとした、と。天をもわがものにした絶大なる存在、中宗はそのような姿を、母親の一生にみていたのだろうか。

明けて神龍二年五月十八日、夫の眠る乾陵《けんりょう》に埋葬された。それは武后みずから願ってのことであった。長安から西北に八十キロ、梁山《りょうざん》という自然の山塊をいかして築かれたこの陵墓は、その当時、周辺には多くの宮殿楼閣をもち、それを内外二重の城墻《じょうしょう》がかこむ、一大建造物であった。武后が生前から整備につとめた結果であった。

死ねば夫の高宗と黄泉《よみ》の国で暮らす、彼女が考えたのはそれだけであった。唐を奪い、独立した武周王朝をたて、唯一の女帝にまで登りつめながら、最後に行き着いた先が唐陵たる乾陵となる。彼女はひどくまわり道をしてきたのかもしれない。

今日、陵前にはさまざまな石刻がのこされている。翼馬《よくば》や駝鳥《だちょう》、石馬に石人等々と。そしてその先に、これはまた大きな石碑が参道の両側に立てられる。高さが六・三メートル、幅が二メートル近くある。

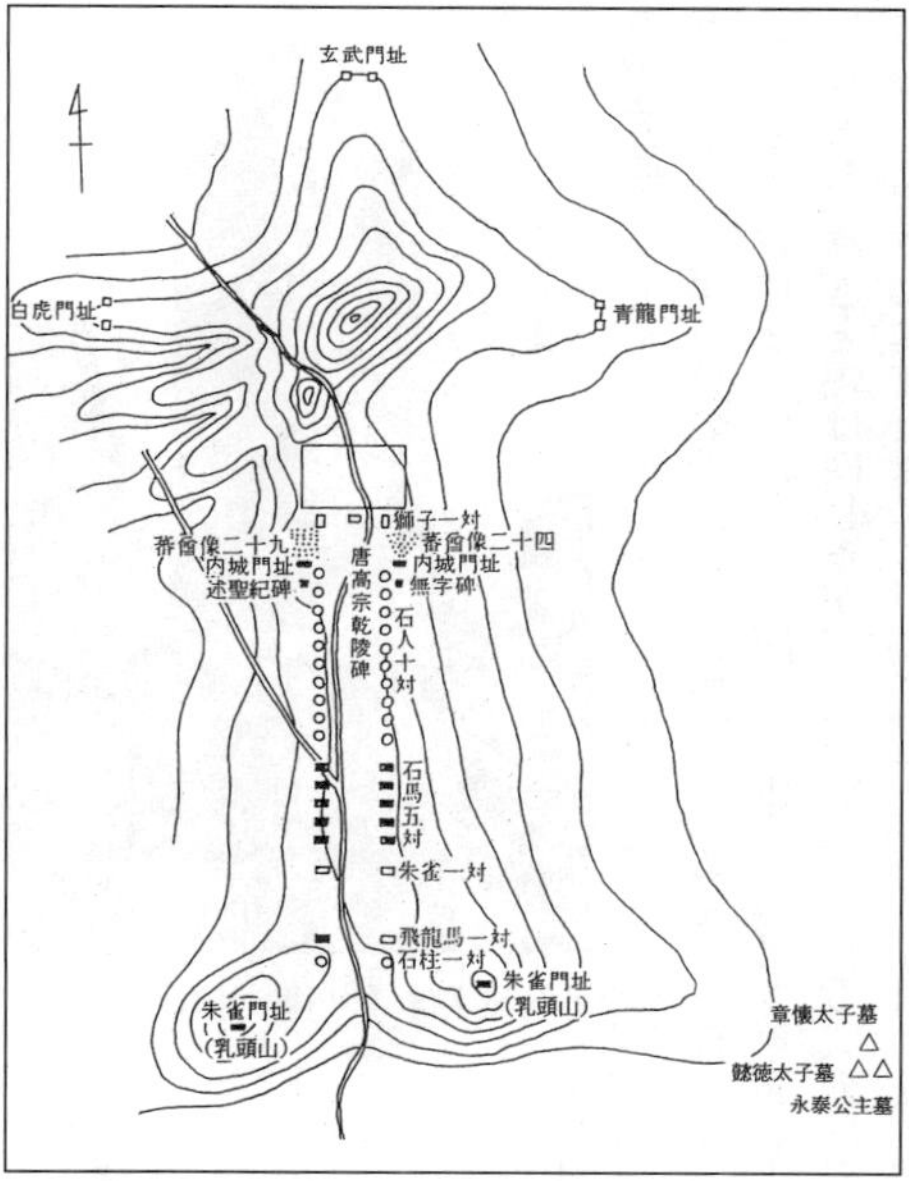

唐乾陵全体図

陵にむかって左側、すなわち道の西側のものを「述聖紀碑《じゅっせいきひ》」という。高宗が埋葬される文明《ぶんめい》元（六八四）年八月に先だって、武后が高宗の生前の功績をたたえるために文を撰し、まだ失脚する前の中宗がそれを書いたものであった。

そしてもう一方の東側の碑、これが「無字碑《むじひ》」の名で知られた武后の碑

乾陵無字碑（©PPS通信社）

である。この巨大な碑には表にも裏にも、じつに一字も文字が刻まれていなかった（今日これには後世の文字が刻まれているが）。

　武后は乾陵に埋葬されるにあたって、この碑に自分の思いをこめた。陵墓はあくまで二人の墓であって、高宗のもとに自分が従属して入るのではない。対等である以上、二人の行跡を語る碑も対等の形で配置されなければならない。しかも、彼女は細かいところにもこだわった。まず自分の碑を東側に置き、夫のそれを西にする。中国人が考える配列の観念、いわゆる「昭穆《しょうぼく》」でいえば、南面して左側、つまり東側が上の位置をしめるのである。形状にしても、高さと幅は同じだが、高宗のそれが宮殿式の屋根をもつのにたいし、武后の「無字碑」は頭部に螭首《ちしゅ》（みずちの頭）が彫られ、独自性を主張する。

　ではなぜ「無字碑」でなければならなかったのか。それには二つのことがいわれている。自分がやってきた仕事や業績は、文字にして表しきれないほど無限に大きいということ、もうひとつはその評価を後の人間の手にゆだねたいということ、である。いずれももっともな理由である。

ただ彼女のこと、後世、自分が激しい毀誉《きよ》褒貶《ほうへん》の嵐にさらされるだろうことを予感していた。二人の夫につかえ、多くのものたちを殺し、そのあげく新朝をおこし、女として時代の頂点にたったからである。しかし自分のやったことは、そんなことでつぶされるような代物ではない。次元がちがうのだ。だが文字にすれば、彼ら男たちと同じ論理、同じ次元の世界にひきずりこまれてしまう。黙して語らないこと、それこそが最大の表現方法にして、最強の武器である、彼女はそこにたどりついたのでなかったか。

「無字碑」はいまもなお陵前にのこり、われわれに無言のメッセージを発しつづけている。

第二十一章　武后残影

こうして武后という女性の一生は終わった。しかし彼女の強烈な生き方は、死後もなおしばらくその残影を政界にのこした。ひとつは女帝としての面から、もうひとつは武姓の人間であったことから、くるものである。二つは互いにからまりあい、錯綜した政治状況の「後《こう》武后時代」をつくりだした。彼女の生涯を締めくくるにあたって、いましばらくこの点をみておきたい。

そもそも張柬之らがクーデターをおこした真の目的は、則天武后その人にあり、張兄弟を除くことだけにあったのではない。したがって、その延長線上には、政界にくいこんだ武氏一族を一網打尽にする、あるいはすくなくともその頭目格の武三思ら数人を処罰することまでが、射程に入っていなければならなかった。だがクーデター派の詰めはあまく、そこまで踏みださないうちに、事態は収束させられていた。

張柬之らはしばしば武氏の者たちを誅殺することを願い出たが、中宗に無視されてしまった。張柬之はほぞをかんでいったものである。

「武周革命のさい、唐室李氏はほとんど殺された。なのに、このたびの革命では、武氏の連中はまったく無傷で安堵されている。こんな不条理なことがあってよいものか」

彼らの誤算は、中宗という、これまたまったく定見のない、からきし頼りにならない男を頭に戴かなければならなかったことにもあった。

生きのこった武氏一族の頭目といえば、もちろん武三思である。彼は一筋縄でいかない男であった。武后の後継者をねらったこともある彼であったが、張昌宗が台頭するとそこに接近し、このたびのクーデター後、張昌宗一派とされる前に、中宗の皇后韋氏のもとに駆けこんでしまった。もともと韋氏とは、彼ら夫婦の娘、安楽公主《あんらくこうしゅ》と息子の武崇訓《ぶすうくん》とが結婚しているという、親同士の関係にあった。

それに加えて、両者のあいだをとり結ぶ者がいた。上官婉児《じょうかんえんじ》という女である。姓が上官と聞いて、思い出すむきもあるだろう。そう、武后がまだ皇后であったとき、高宗にその廃位を進言し、それが発覚して詰め腹を切らされた上官儀である。じつは彼女は、上官儀の孫娘であった。祖父のために宮中の婢《はしため》に落とされたが、持ち前の頭のよさと、祖父の血をついだ詩文の巧みさで、武后にかわいがられた。そして中宗の代になると、変わり身はやくその側につき、昭容《しょうよう》（正二品）という女官のポストをあたえられたのであった。

上官婉児と武三思とは、前から関係ができていた。婉児は窮地に立たされていた愛人のことをおもい、中宗と韋皇后に彼を薦めたのである。そこで彼は言葉巧みに二人にとりいり、中宗を完全に信用させ、あげくは韋氏とも私通する。武三思は危機をのりこえたばかりか、皮肉なことに、革命を遂行した張柬之らより上の立場にたつに至った。

一方、もうひとりこの時期を代表する女性がいる。中宗の実妹たる太平公主である。彼女は武后の末期、張昌宗らと対立して、そこから離れていた。したがってクーデター後は、政界に隠然たる勢力をきずくことになった。かくして、武后のあとを代表する女たちの顔ぶれがそろった。そのあいだを結びあわせたのが、武三思と彼につらなる武氏の者たちであった。太平公主は武后の娘であると同時に、武三思の又従兄弟である武攸曁《ぶゆうき》と結婚していた。

中宗の時代になって、韋后はいよいよ自分の世がめぐってきたと思いを新たにした。かつて房州に幽閉されていたころ、いつ殺されるかと恐怖におののく夫を励まし、将来を期してじっと耐えてきた、それがここに報われたのである。中宗は、即位後も、おどおどした暮し方は変わらず、韋氏のいうことだけにしか耳を傾けないといったありさまで、政治の実権は彼女の手ににぎられた。

そのような彼女に、上官婉児が武后の故事をさかんに吹きこんだ。おりあらば中宗に代わって権力の座につくように、という示唆である。娘の安楽公主もそれに賛同する。安楽公主は、中宗夫婦がもっとも失意のなかにあった房州時代に生まれた末娘で、目のなかに入れても痛くないほどに可愛がられ、わがままいっぱいに育っていた。ここに武三思も加わる。当の中宗だけがのけものにされていた。

とりまき連中にそういわれて、韋后も次第にその気になっていく。彼女自身、武后のやるのをみながら、将来自分も、という野心をひそかに蓄えてきたところであった。そのために、税役を軽減して民衆の歓心を買うようにつとめたり、あるいは武三思とはかって、張柬之ら外朝の反対派の排除を進め、時期のくるのをまった。クーデターの主役をになった者たちは、こうして左遷されたり殺されたりして、徹底的に追いつめられていったのである。

ところが、万事順調に進んでいたかにみえたその矢先、韋后にとって思わぬところから破綻が生じた。皇太子の李重俊《りじゅうしゅん》である。彼は中宗の三男であったが、韋后の実子ではなかった。そもそも中宗には四人の男子があったが、韋氏の生んだのは長男の李重潤だけであった。だが重潤は皇太子になる前に、妹の永泰郡主といっしょに武后によって殺されていた。二番目の重福《じゅうふく》は韋氏ともともと反りがあわず、地方に出されていて、そのつぎの重俊が皇太子になったのである。

しかし彼は、皇太子といっても名ばかりで、いつも馬鹿にされていた。そうしむけた張本人は安楽公主である。彼女はこの異母兄を除いて、みずからが皇太子ならぬ皇太女《こうたいじょ》につきたいと画策していた。男でなくて女を跡継ぎにすえる、この考えは武后も思いつかなかった発想である。

神龍三（七〇七）年七月、皇太子はついに怒りを爆発させ、決起した。助けるは、張兄弟を倒したときに羽林軍を指揮した李多祚らであった。彼らはまず、武三思と息子の崇訓《すうくん》を屋敷に襲って、血まつりにあげた。その勢いで、上官婉児、安楽公主、韋皇后と一挙にたおすべく攻めこんだが、彼らは中宗を擁して玄武門の楼上にたて籠ったため、結局攻めきれず、失敗に終わらざるをえなかった。

ただこれによって、しぶとく生きぬいてきた武氏の中心がつぶされた。武后の残影のひとつがここに消されたといってよい。しかしもう一方の女性たちの動きは、これでおしとどめられることはなかった。安楽公主や上官婉児らは、なお権力の中枢にあってわがもの顔に振る舞い、売官《ばいかん》などによってさかんに私腹を肥やしたのであった。

彼らの売官のやり方はといえば、相手がどんな者でも、賂《まいない》をもらえば、先に与える官名と当人の名を辞令書類に書きこみ、そのあとで中宗から直筆の署名をもらい、中書省にまわす。そのさい、封を斜めにしておいて、それとわかるようにする。こうしてこの時期、賄賂によって正規の形ではなくばらまかれた官のことを、墨勅斜封官《ぼくちょくしゃふうかん》とか、たんに斜封官とよぶ。中宗の仕事といえば、差し出された辞令書に中身も確かめぬまま、唯々諾々と署名するだけであった。

中宗はまったくお飾りの状態のまま、景龍《けいりゅう》四（七一〇）年になった。このころから韋后の政治壟断《ろうだん》を批判する声が、地方からあがりはじめた。さすがの中宗も事態がすこしずつ飲みこめてきた。一方、皇太子のポストは李重俊が殺されて以来、空席になったままである。韋后は中宗が邪魔になりはじめ、安楽公主は母を皇帝にして自分が皇太女になりたい、という考えをつよくした。母娘の利害は一致し、ついにその六月、中宗は安楽公主が用意した毒入り饅頭を食べ、殺された。五十五歳であった。

韋后がずっと望んできた頂点は、すぐ手のとどくところにあるかにみえた。だが中宗を殺してみると、予期に反して、どうもとりまく空気がよくないことに気づいた。そこで急ぎ中宗の四男で十六歳と若い李重茂《りじゅうも》を皇帝にたて、みずからは皇太后となって、武后がやったように体制を固めようとしたが、人びとがついてこない。腹心の宗楚客《そうそきゃく》は、いっそ韋后自身が皇帝になってしまってはどうかと提案してくる。そのようななかで、配下に亀裂が生じはじめた。

その間隙をついて決起したのが、相王李旦（もとの睿宗）の三男、李隆基《りりゅうき》であった。彼は北衙の羽林兵士らの協力をえて、玄武門からつき進んだ。この喚声を聞いて、韋后は飛騎営《ひきえい》という兵営に逃げこんだところ、逆に兵士に殺された。安楽公主はなにも知らず、鏡にむかって化粧をしているところを、乱兵にふみこまれ斬り殺された。上官婉児は李隆基の前に引きだされ、その命令一下殺された。韋后が中宗を毒殺したのが六月二日、そして自分が殺されることになるのが同月二十日のこと、その間わずかに十八日であった。この李隆基こそは、のちの玄宗《げんそう》になるその人である。

韋后らは、武后が長い年月をかけてたどりついた道程を、あまりにも皮相的にとらえていた。結果だけをみ、それを真似ることだけに性急でありすぎた。彼女らは、武后が「二聖」といわれるほどに早くから実権を掌中にしながら、なぜ夫の天寿まで待ち、それのみか、さらに七年にもわたる入念な準備と演出をおこなったのか、十分知るべきであった。すでに武后という先例があるから、そのあとにつづくことも容易である、というほど時代は彼らに甘くはなかった。武后の時でも、韋后の時でも、社会は、男は、女性が権力の座につくことを、当たり前とはけっして受けとめていなかったのである。

武后はみずからの政権をうちたてるにあたって、酷吏を用いて反対派を弾圧する一方で、政権の基盤をささえる官僚たちに意をもちい、科挙をつうじた新興官僚の登用にもつとめた。あるいは仏教や伝統的な祭祀などを動員して、人びとの精神世界にも訴えようとした。だが韋后らには、それらに相当する努力や配慮の跡はほとんどみられない。宮廷における女たちの狭い世界にとじこもり、しかし観念だけは一方的に増幅させる。彼らが敗れるのは当然であった。

太平公主はなお生きのこって、三年後の先天《せんてん》二（七一三）年七月、皇帝玄宗になった李隆基から自尽《じじん》を命ぜられ、一生を終える。しかしその三年間は、もはや女性たちが主役をなす段階ではなくなっていた。韋后の死をもって、のこる武后の残影は消滅したのであった。

おわりに

本書で、則天武后の一生をおいかけながら、ずっと意識しつづけたことは、彼女をその生きた時代とともにとり出せないか、という思いであった。

武后は唐という時代のなかで姿をあらわし、その場に足跡をのこした女性である。なぜことさら彼女と時代という関係をいわねばならないか、やや不審に感ずるむきもあるだろう。だが彼女は、強烈な個性をもった、存在感あふれる女性として、中国史上に屹立《きつりつ》した。そのため、おうおうにして、彼女をとりまく時代性は背後におしやられ、人となりや権力欲、あるいはそれに裏うちされた独特の政治手法などが、前面に押し出され、毀誉《きよ》褒貶《ほうへん》あい半ばする固定したイメージと評価を形づくったのである。悪女にして姦婦《かんぷ》、女傑にして変革者等々と。

従来数ある彼女の伝記の多くも、そうした既存のイメージのなかで、その補強と補完につとめてきたようである。だからこそ、改めて武后の姿をその生きた時代のなかでみなおせないか、と考えたわけである。本書が、唐王朝の興る隋末の乱から説きおこし、太宗朝の動向にもかなりスペースを割き、またおりにふれて政治や社会の説明につとめたのも、そのような意識がかかわっている。

しかし、である。則天武后という存在の大きさは、そんなささやかな試みなどは、簡単にはじきとばしてしまう。彼女がつぎつぎと仕掛けてくる政策や陰謀、その周囲でうごめく人間模様を追いかけるだけで、手一杯の状態におかれてしまう。結局、彼女の世界に引きずりこまれ、ときになんとすさまじい女よと辟易《へきえき》し、またときになんと魅力あふれた女よと圧倒され、その狭間であっぷあっぷしながらやっとその一生をたどった、というのが偽らざるところである。筆者もまた、既存の武后像を補完こそすれ、越えることはできなかったのではないか、とおそれる。

ただ本書で心がけようとしたことに、彼女にたいする一方的なレッテル貼りや、思いこみは避けたい、ということがあった。稀代の悪女、傑出した政治家、そんな名称では、とうてい彼女をいいあらわせない。もしそれでもということであれば、われわれは、知りうるありとあらゆるレッテルを用意しなければならないだろう。それほどまでに彼女が垣間みせる顔は複雑で、行動は多岐にわたっていた。

武后は女性である。その分際で途方もない野望をいだき、あろうことかそれを実現させた。彼女の一生は、男と女の両方分を一度に生きたといってよい。しかも、長命であったとはいえ、彼女に与えられた時間はけっして多くはなかった。無名といってよい家柄から後宮に入ったその身にとって、権力の頂点にたつなどとは、いわばゼロからの出発にも等しく、かりにすべての時間を費やしたとしても、かなうはずのものではなかったからである。

したがって、武后は皇后たる立場を唯一の足がかりに、あとは自分のもてる才覚と知力、それに情熱のすべてを傾注し、頂点を目指すことになる。よく彼女のおこなった諸施策を、ヒステリックにしてエキセントリックな性格から出た、その場の思いつきや自己顕示の結果にすぎない、と説く見方がある。しかしそんなことでよいのだろうか。

全精力を権力獲得にふりむけた武后にとって、意味のない措置や、場当たり的で無駄な対応などはありえなかった。すべて彼女自身の存在を、その当権を正当づけるために、欠かすことのできないはずのものであった。かの洛水より発見されたとされる「聖母臨人、永昌帝業」の八文字を刻んだ石の件にしても、奇妙な「則天文字」の制定などにしても、である。それらは彼女の冷徹な計算のうえに実行されている。それらを必要としたという点で、武后はやはりその時代の人であったのだ。

それにしても、なぜこのような女性が、この時期に忽然《こつぜん》と現れ、一見いとも簡単に権力の座にすわることができたのか。のみならず武后のすぐあとに多くの女たちがつづく。それを許した唐朝とは、いったいいかなる王朝であり、時代であったのか。

じつはこの問題は、武后を追いかけながら、つねに気になった事柄であった。唐は中国史上のみならず、その同時代世界のなかで、ひときわ高くそびえ、光彩をはなつ帝国であった。その文化や文物、その領土の広さ、そしてその体制制度も歴史的な積み重ねのうえに、当時もっとも完備した内実を備えていたはずである。にもかかわらず、全権力は一女性の手ににぎられ、本来ありうべからざる「牝鶏《ひんけい》司《し》晨《しん》」の状態を作りだしてしまった。

それはまぎれもなく、体制としての弱点をさらけだしたことにほかならない。だが同時に知っておいてよいのは、そこにこそ唐の体制の特質、そして時代の空気があらわれているのではないか、ということである。

すでに本書で述べてきたように、隋朝も唐朝も純粋な漢民族の王朝ではない。中心には鮮《せん》卑《び》系（モンゴル系）を据え、その他、突厥《とっけつ》（トルコ）系や匈奴《きょうど》系など北族系が深く関与し、北族的影響をうけた漢族のものと連携しあって権力を構成した。北族系の女性たちは逞《たく》ましく、男と対等にわたりあう行動力を備えていた。それに加え、漢族世界においても魏晋南北朝以降、儒教的なしばりが緩み、仏教や道教が広まる空気のなかで、女性たちが自己を主張する足場を築いてきた。

そうした北族系、漢族系の合流した頂点に、武后およびそれにつづく女たちの位置があるのではないか。これが認められるとすると、武后という存在は決して偶然的な所産でも、時代の徒花《あだばな》でもなく、必然の帰結点であったと考えられてくる。

他方、則天武后の時期がおわったのちに、中宗の韋皇后が権力をにぎり、さらに楊貴妃の登場に、雑胡《ざつこ》の安禄山《あんろくざん》の台頭があり、唐後半期には宦官が跋扈《ばっこ》する。唐朝三百年は、このような、いわば正規の官僚機構からはずれた存在が、入れ替わり立ち替わりあらわれて権勢をふるい、政治の一方をになった。彼らをひき上げたのは、なによりも皇帝にはじまる私的な恩寵《おんちょう》の関係であった。とすれば、武后もまた、同じ地平、同様の条件のなかから出現したといえるかもしれない。

唐という王朝は、整った統治機構をもって成立しながら、武后という女性皇帝の登台をあつさりと許した。それを許した大きな理由は、足場としての唐朝の特質、すなわち個人的な人間関係、恩寵的関係を容認する体制上のゆるさ、その上に北族的影響と魏晋以来の時代の空気のなかで形成された女性の強さが重なる、という構図から導きだされる。筆者はここに、漢代までの古代的世界とも宋代以降の君主独裁制が確立する時代とも異なる、中国中世的世界の表象をみてとるのであるが、どうであろうか。

したがって、体制が細部にまで規定され、個人が独立の人格をもって動けない時代になると、彼女のような人間は存在できない。まして儒教的観念が徹底すれば、彼女に代表される女性の活動はおさえられる。唐朝が体質としてもつ人間臭さ、粗削《あらけず》りさが、武后という個性を押しだした。その武后をつうじて、背景をなす時代の特質に、そしてかぎりないその魅力にふれることができることを、われわれは幸せとおもわなければならない。

則天武后関係年表

西暦	元号	関係事項（数字は月）
六一七	大業 13	7李淵、并州で決起、11長安入城。
六一八	武徳 元	5唐の建国。
六二〇	3	武士彠、楊氏と結婚。
六二一	4	秦王李世民、竇建徳を捕らえる。
六二三	6	武照誕生。
六二六	9	6玄武門の変。李世民の即位（太宗）。
六三五	貞観 9	武士彠死去。
六三六	10	6太宗の長孫皇后死去。武照、宮中に入る（才人）。
六四三	17	4太子李承乾の反乱の陰謀発覚。晋王李治、皇太子となる。
六四九	23	5太宗の崩御。6太子李治の即位（高宗）。武照、出家の形をとる。
六五二	永徽 3	この頃、武照、再び宮中に（昭儀）。長子李弘誕生。
六五三	4	2房遺愛の謀反事件発覚。10睦州女子陳碩真の反乱。
六五五	6	10王皇后の廃位。武照、皇后となる。
六五九	顕慶 4	6「姓氏録」の編纂。長孫無忌の失脚、死去。
六六〇	5	「二聖（高宗・武后）」政治の始まり。8百済滅亡。
六六四	麟徳 元	12上官儀の武后廃位の提案つぶさる。武后の垂簾の政本格化。

六六六	乾封　元	1泰山で封禅を行う。武后、武氏一族に対処。
六六八	総章　元	9高句麗平定。
六六九	2	12李勣の死去。
六七〇	咸亨　元	9栄国夫人楊氏の死去。
六七四	上元　元	皇帝を天皇、皇后を天后と改称。
六七五	上元　2	4太子李弘の毒殺（孝敬皇帝）。6李賢が皇太子に。北門学士の活動開始。龍門石窟の奉先寺大仏完成。
六八〇	調露　2	8太子李賢の廃位（章懐太子）、英王李哲（顕）が皇太子に。
六八二	永淳　元	突厥の再独立（第二帝国）。
六八三	弘道　元	12高宗の崩御、太子李顕の即位（中宗）。武后、皇太后として摂政。
六八四	嗣聖　元	2中宗の失脚（廬陵王）、予王李旦が皇帝に（睿宗）。
	光宅　元	9東都（洛陽）を神都に改む。中央官庁名を一新する。李敬業の反乱。
六八五	垂拱　元	この頃、薛懐義（馮小宝）、武后の男妾となる。
六八六	2	3銅匭の設置。告密が始まり、酷吏が登場。
六八八	4	4「宝図（天授聖図）」洛水から出現。8琅邪王李沖・越王李貞の反乱。唐室関係者への弾圧本格化。12明堂の完成、天堂の建築。
六八九	永昌　元	1万象神宮（明堂）での最初の祀り。11新暦（周暦）の採用。
六九〇	載初　二	正月、則天文字の制定。
	天授　元	7『大雲経』の新編纂、全国の大雲寺に配備。九月九日、武太后、即位し国号を周と改む（武周革命）。

西暦	元号	関係事項（数字は月）
六九一	2	4仏教優先（仏先道後）を明示。
六九三	長寿 2	1科挙の科目に『臣軌』を課す。
六九五	証聖 元	正月、天堂と明堂の焼失。4天枢の完成。薛懐義を殺害。
六九六	天冊万歳二 万歳通天元	3新明堂（通天宮）の再建。5契丹、河北侵攻（～翌年六月）。
六九七	2	4九州鼎の完成。6来俊臣の処刑、酷吏政治の終焉。
	神功 元	閏10狄仁傑、宰相として本格活動開始。張易之・張昌宗兄弟の登場。
六九八	聖暦 元	8突厥の河北侵攻。9廬陵王李顕、皇太子に復位。
六九九	2	正月、控鶴府（のち奉宸府）の設置。2武后、嵩山と緱氏山の昇仙太子廟に参拝。
七〇〇	久視 元	9狄仁傑の死去。
七〇一	長安 元	10武后、長安行（～七〇三年十月）。
七〇三	3	この頃より、張氏派と反張氏派の対立が激化。
七〇五	神龍 元	1張柬之らのクーデター、張昌宗兄弟を誅殺。武后、退位し、太子李顕の即位（中宗）。 2唐朝の再興。11武后、上陽宮にて崩御（83歳）。
七〇六	2	5武后を乾陵に埋葬、「無字碑」の建立。
七〇七	3	7太子李重俊の決起、武三思を殺害するも敗死。
	景龍 4	6韋后・安楽公主、中宗を毒殺、韋后が摂政。
七一〇	唐隆 元	6臨淄王李隆基のクーデター、韋后・安楽公主を殺害。相王李旦の皇帝復位（睿宗）。

七一二	延和　元	8睿宗、太上皇となり、太子李隆基が即位（玄宗）。
七一三	先天　2	7玄宗、太平公主を誅殺。玄宗時代の開始。

則天武后評伝・文学書一覧

林語堂著、小沼丹訳『則天武后（原名『LADY WU：A True Story』）』（みすず書房、一九五九年）
郭沫若著、須田禎一訳『則天武后（原名『武則天』）・筑』（平凡社、一九六三年）
田中克己著『中国后妃伝』（筑摩書房、一九六四年）
外山軍治著『則天武后　女性と権力』（中央公論社、一九六六年）
古屋照子著『小説則天武后』（叢文社、一九七八年）
村松暎著『中国列女伝　三千年の歴史のなかで』（中央公論社、一九六八年）
原百代著『武則天』（たまいらぼ、一九八〇年。毎日新聞社、一九八二年。講談社、一九八五年）
澤田瑞穂「則天武后」（『人物中国の歴史6　長安の春秋』所収、集英社、一九八一年）
澤田瑞穂著『則天武后——女傑と悪女に生きて』（集英社、一九八六年）
中野美代子「女帝武則天」（同著『中国ペガソス列伝』所収、日本文芸社、一九九一年）
深瀬サキ「則天武后」「思い出の則天武后」（同著『思い出の則天武后　深瀬サキ戯曲集』所収、講談社、一九九三年）
井波律子著『破壊の女神　中国史の女たち』（新書館、一九九六年）
井波律子著『百花繚乱・女たちの中国史（ＮＨＫ人間大学）』（日本放送出版協会、一九九八年）
津本陽著『則天武后』（幻冬舎、一九九七年）
今泉恂之介著『追跡・則天武后』（新潮社、一九九七年）
図版『唐の女帝・則天武后とその時代展』（東京国立博物館・ＮＨＫ・ＮＨＫプロモーション編、一九九八年）
高世瑜著、小林一美・任明訳『大唐帝国の女性たち』（岩波書店、一九九九年）
李唐著『武則天』（香港宏業書局、一九六三年）

熊徳基著『論武則天』（吉林人民出版社、一九七九年）
胡戟著『武則天本伝』（三秦出版社、一九八六年）
羅元貞著・点校『武則天集』（山西人民出版社、一九八七年）
楊剣虹著『武則天新伝』（武漢大学出版社、一九九三年）
C. P. Fitzgerald : The Empress Wu, London, 1956
R. W. J. Guisso : Wu Tse-t'ien and the Politics of Legitimation in T'ang China, Washington, 1978
山颯著、吉田良子編訳『女帝　わが名は則天武后』（草思社、二〇〇六年）
岡田好古著『則天武后と玄宗皇帝』（ＰＨＰ文庫、二〇〇七年）

則天武后とその時代をめぐる研究論文は、陳寅恪著『唐代政治史述論稿』（商務印書館、一九四四年。三聯書店、一九五六年）以来、すでに膨大な数にのぼるため、ここでは割愛する。なお本書で依拠した主たる史料は、『旧唐書』と『新唐書』の正史、それに司馬光の『資治通鑑』である。ほかに『太平広記』などに載る小説史料や近年注目される墓誌石刻も参考にしている。

講談社学術文庫によせて

則天武后は唐の第二代皇帝太宗の後宮に入り、太宗の死後、あろうことかその後を継いだ第三代皇帝高宗の後宮に再び入り、激しい格闘の末、高宗の皇后におさまった。しかし彼女の凄まじい行動はそこで終わらず、はては自身の腹を痛めた息子を殺し、また排除して、ついに中国史上あとにも先にもない女性皇帝の地位に登りつめた。その結果、唐朝は一時、命脈を絶たれ、いわゆる武周朝に姿をかえた。彼女が皇后についたのが六五五年、そして武周朝を開いた時期が六九〇年から七〇五年までの約十五年間、あわせるとちょうど半世紀という長い期間、彼女は権力の頂点に居座りつづけた。

この則天武后という強烈な個性に向き合う機会が与えられたのは、白帝社の「中国歴史人物選」というシリーズであった。確か一九九〇年代の初めころ、恩師の一人である竺沙《ちくさ》雅章《まさあき》先生（当時京都大学文学部教授）から、勤務していた富山大学に連絡をいただいた。じつは一つの企画を考えているから君にも加わってほしい、ついては打ち合わせ会議を開くからいつ京都に出てこられるか、と。私はそのころほぼ隔週に一度、富山から北陸線を使って京都の共同研究班に参加していたので、その予定をお伝えした。

竺沙先生はこうもいわれた。われわれの研究室ではかつて、宮崎市定先生の監修による

「中国人物叢書」（人物往来社）を世に問い、ここから多くの研究者が育った。それから四半世紀、今度は白帝社から次の世代によるシリーズを世に問いたいと。人物往来社の中国人物叢書と聞くと、私はすぐに学部生の当時、出たばかりの各巻を研究室で割引してもらい、なけなしの金をはたいて購入して一心に読んだことを想い出す。執筆者たちは大方三十代の若手であったろうか。いずれも研究室の先輩で、その気鋭の仕事に驚きと誇りを覚えたことを記憶している。それと並ぶ企画に関係できることに、私はうれしさの半面、期待に応えられるか一抹の不安を拭えなかった。

会議に先立って、私は一人で誰を取り上げられるか、取り上げたいかを思案した。隋の文帝に煬帝、唐では太宗や玄宗、安禄山や黄巣などの名がすぐのぼるが、どうも気持ちにしっくりこない。第一、多くは先のシリーズに入っていた。そして当日、竺沙先生は私の様子を見て、唐代であれば則天武后や楊貴妃といった女性も考えられるが、とつけ加えた。それを聞いて答えが定まった。「楊貴妃はすでに多くの方に取り上げられ、どこまで新しく発掘できるかわからない。時代に残した足跡の大きさでいえば則天武后が面白いと考えますが」。私が則天武后を取り上げることはこうして決まった。

則天武后とその時代を歴史研究の対象に押し上げたのは、中国近代の歴史家・陳寅恪《ちんいんかく》氏といってよいだろう。氏はその著『唐代政治史述論稿』などで武后期を社会的転換期と提起し、武后を客観的に論ずる道を開いた。だが不幸なことに中国では文化大革命期を迎え、いわゆる四人組の首領、江青《こうせい》（毛沢東夫人）の地位を正当づけるため利用され、文革後は一転その過去の清算で揺れ、結局、その理解に信頼性が得られていなかった。他方日本では、戦後の再評価の流れのなかで、中国史家・外山《とやま》軍治《ぐんじ》氏の『則天武后』（中公新書、一九六六年）が出たが、以後、これを越えるものはなく、またそれ以外の同名の作品群はすべて文学系統のもので、史実に基づく歴史書の範疇に入らない。

以来、富山の地で一人、則天武后に向き合う生活が二年間余りつづいた。それは予期した以上にしんどく、しかしまた楽しい時間であった。書く以上は、今後の研究の基軸に、あるいは出発点になるものにしたい。そのためには時代とあわせて彼女を取り出すこと、同時に、できるだけ彼女に寄り添い、史料の行間を埋め、興味を持ってもらえる作品にしたいと、ひそかに誓った。そこで少しでも彼女の内面、心のひだまで踏み込もうとして、その凄まじい生き方に圧倒され、弾き飛ばされたことは二度や三度ではなかった。後日、友人から「氣賀澤は見てきたような……」と揶揄されたが、本心では決して嘘は書いていないと自負している。

さいわい本書の刊行後、一定の評価をいただき、シリーズの中では版数を最も多く重ねた一冊と聞いている。ただ白帝社の事情により、それ以上刊行はしないとなっていたところ、講談社から学術文庫へのお誘いをいただいた。私にとってそれは願ってもないことであり、そのことを白帝社も気持ちよく了解くださった。

文庫化するにあたり、私は改めてすべてを読み直し、かつて必死に武后と向き合っていた当時を思い出した。そして、この間には二十年という時間が横たわっているが、なお本書が生命力を失っていないことに安堵した。

ただ、かねて気にしていたことに、武后が高宗の後宮に入るきっかけを作ったという「感《かん》業寺《ごうじ》」出家という通説の問題がある。これは武后理解の核心にふれるものであるが、私は本書第七章で、当初の自説をさらに一歩進め、通説の不合理さを浮き彫りにするために、新たに書き足しと一部削除を行っている。つまり通説としての「太宗の死↓感業寺で出家↓その感業寺での高宗との邂逅《かいこう》↓還俗《げんぞく》」という展開への疑問と、通説の背後にある武后側による歴史書き換えの可能性についてである。

則天武后の人生において、太宗の後宮から高宗の後宮に乗り換える過程が決定的な意味を持ったことは贅言を要しない。そこで失敗していれば、その後の人生、女帝への道はなかった。わずかな隙間をこじ開け、高宗の後宮へ潜りこんでからは、あとは一気呵成に前に突き進むだけとなるが、その隙間となる場が尼寺での出会いというのではいささか弱い。第一、感業寺という寺の所在もよくわからない。李敬業の反乱にあたって出された駱賓王起草の檄文に、「太宗の晩年、皇太子とただならぬ仲になり」と批判されたように、当時の人々には高宗の皇太子時代の関係が取り沙汰されていたのではないか。おそらくそうであろう。とするとその結果は、父と子と関係をもつ、それも父の存命中に、という人倫にもとる行為との誹《そし》りを免れない。

であればそれは、武后にとって決定的な汚点としてついてまわる。なんとしてもその姿を見えなくし、高宗朝にいる正当性を説くために、別の筋書きが周到に用意されなければならない。それが尼寺「感業寺」を配した通説となる、と私はいま考えている。この解釈の当否はともかく、則天武后の場合、ここに関わるような歴史の塗り替えが巧妙になされただろうことを絶えず意識しておく必要があるのではないか。そうした意味からも、武后とはたえず緊張感のもって向き合うことが求められている、と改めて自覚した次第である。

その他、本書では、あらためて全面的に見直す中で気付いた誤りや齟齬を修正し、文章上の表記や表現、漢字の使用などに直しを入れた。二十年ぶりの見直しを通して、新たにブラッシュアップされた「則天武后」になっていると受け止めていただけることを期待する。ただし論旨や構成にかかわっては、大きな変更は加えていない。

本書を読み返す中で、私は改めて則天武后の世界に引き寄せられ、その存在感の大きさに圧倒された。彼女はまぎれもなく、限りない魅力をたたえた中国史上唯一の女帝であった。本書がそうした彼女の姿、時代の息吹を少しでも伝えられれば、これに勝るものはない。

最後に、私は二人の編集者にお礼を申し上げなければならない。一人は本書が最初に世に出るにあたり、側面からさまざまな気遣いをいただいた白帝社編集部の伊佐順子氏である。そしてもう一方が、このたびの文庫化のためにご協力をいただいた講談社編集部の稲吉稔氏である。何よりも稲吉氏は拙著に関心を寄せ、本書における表現上の問題点や前後の齟齬あるいは疑問点を丹念に指摘してくれるとともに、則天武后をめぐる意見交換を通じて様々な啓発を与えてくれた。本書の刊行は、氏と講談社編集部によるそうした連携や支援のもとで実現したといって過言でない。本書のために素晴らしい「解説」をお寄せくださった上野誠先生とあわせ、ここに心より感謝申し上げたい。

二〇一六年十月

氣賀澤保規

解説　オクとオモテの歴史学

上野　誠

近代歴史学は、実証主義を旨としている。したがって、史実と物語を厳しく峻別《しゅんべつ》する。果たして、それは、ほんとうに歴史的事実として存在したことなのかどうか。その一点のみを、常に模索する学問といってよいだろう。が、しかし。ことはそれほど単純ではない。史実を語ろうとしたその瞬間、物語になってしまうからだ。「三十年も平和な時代が続いた」／「三十年しか平和な時代は続かなかった」／「それは、幸福な時代だった」／「それは幸福な時代だったといえるかもしれない」。どう書くか、すべては史家に任されているのだ。客観的な記述などないのだ。

近代史学は、文学研究との棲み分けに苦心し、なるべく物語や語り、伝承の領域に踏み込もうとしなかった。ましてや、人物の個性について踏み込むことなどなかった。研究の対象とされたのは行動の合理性のみである。だから、客観性を重んじる史家たちは、なるべく無色透明な文体を好んだのである。ところがである。本書を読んでみて、筆者が物語の領域に踏み込んでいる点に驚いた。則天武后の魅力を次のように語っているからだ。

　皇后から正式な認知をうけた武昭儀（＝則天武后、引用者注）は、皇后の期待するとおり、高宗を自分の側に完全に籠絡させることにつとめた。齢三十、その熟れきった豊満な肉体と巧みな技巧、それに母親のような強さとやさしさ、それらを兼ねそなえた者は、後宮の女たちにはほかにいない。高宗は彼女にすっかりまいってしまった。それに皇后のお墨付きも得てある。なに遠慮することなく足を運ぶことができる。彼が武照のもとに入り浸り、他の女たちに目もくれなくなるのには、それほど時間はかからなかった。

（一一八ページ）

という記述を見た時、私は思わずわが眼を疑った。高名な中国史家がここまで物語の領域に踏み込んで記述しているのを目の当たりにしたからである。もちろん、『旧唐書』『新唐書』や類書の記述を総合してなされた記述ではあるのだが、語りの手法としては物語であり、小説である。けれど、私はむしろこの歴史記述の手法に、一つのさわやかさを感じた。なぜならば、史料には史料の書き手の史観というものがあり、感情があり、時としてそれを物語として伝えようとした意思というものが見てとれる。ところが、近代実証史学は、読み手が感情移入することを極端に嫌うのだ。しかし、それは、客観性を隠れ蓑としたエセ歴史学である。歴史とは、常に今を生きる者のためにあるのだから、読み手の感情が移入され、読み手の歴史観が投影することは、あたりまえのはずだ。本書の筆者は、客観的な研究方法によって、多くの論文をものしてきた中国史家の雄である。その史家が、どう史料を読解し、どういう則天武后像を描くのか。筆者は、すでに、第一章の末尾において、その立場を明言しているではないか。

それに、この八十三歳説にたてば、武后と高宗との年の差が五歳となる。もちろん、彼女の方が年上である。宮中で世間をまったく知らないうぶのままで育てられた高宗、その彼をメロメロにさせる手練手管、また彼を自家薬籠中のものにして思うがままに手玉にとる老獪《ろうかい》さ、そうした実情を説明するのには、このくらい年が離れているのがぴったりである。話はそれがためにいっそうおもしろくなるのである。（二三ページ）

私も、この宣言の潔さに、魅了されたひとりである。「話はそれがためにいっそうおもしろくなるのである」の一文に、本書の記述方法がきちんと示されているのである。それは、なるべく史料に忠実に、客観的史実の復原を心がけながらも、記述の方法は、物語や、小説の手法を取るというものであった。だから、本書の読者も、筆者といっしょになって、則天武后という主人公に感情を移入できるのである。

本書には、さまざまな反乱やクーデターの顚末《てんまつ》が書かれているが、私はその記述を読むたびに、六七二年に勃発した壬申の乱のことを思い出した。壬申の乱は、古代日本最大の争乱であり、その争乱に打ち勝って即位した大海人皇子《おおあまのみこ》すなわち天武天皇以降、日本の律令国家は完成に向けて歩みを速める。この乱の帰趨《きすう》がどこにあったかといえば、大海人皇子とその后《きさき》である鸕野讃良皇女《うののさららのひめみこ》が無事吉野を脱出できるか、そして東国入りできるかにかかっていた。吉野を急に出発したので、乗り物もなく徒歩での脱出であったが、ようやく友軍に出逢って、大海人皇子は、馬に乗ることができた。その後、后の輿も間にあって、后も輿《こし》に乗ることができたのであった。

是《こ》の日に、発途《みちた》ちて東国に入《い》りたまふ。事急《ことにはか》にして、駕《おほみま》を待たずして行《い》でます。儵《にはか》に県犬養連大伴《あがたのいぬかひのむらじおほとも》が鞍馬《くらおけるうま》に遇《あ》ひ、因《よ》りて御駕《みのり》したまふ。乃《すなは》ち皇后《きさき》は輿《こし》に載せまつりて従《みともにま》せしむ。津振川《つふりかは》に逮《いた》り、車駕《おほみま》始めて至り、便《すなは》ち乗《みのり》したまふ。是の時に、元《はじ》めより従へる者《ひと》は、草壁皇子《くさかべのみこ》・忍壁《おさかべ》皇子と舎人《とねり》朴井連《えのゐのむらじ》雄《を》君《きみ》・県犬養連大伴・佐伯連《さへきのむらじ》大目《おほめ》・大伴連友《とも》国《くに》・稚桜部臣《わかさくらべのおみ》五百瀬《いほせ》・書首《ふみのおびと》根摩呂《ねまろ》・書直《ふみのあたひ》智徳《ちとこ》・山背直《やましろのあたひ》小林《をばやし》・山背部《やましろべ》小田《をだ》・安斗連《あとのむらじ》智徳・調首《つきのおびと》淡海《あふみ》の類《ともがら》、二十有余人《はたたりあまり》、女孺十有余人《にょじゆとたりあまり》なり。

（「日本書紀」巻第二十八、天武天皇上、元年六月条、小島憲之ほか校注・訳『日本書紀③〈新編日本古典文学全集〉』小学館、一九九八年）

『日本書紀』は、最初に大海人皇子のところにはせ参じた人びとの名を、漏れなく記そうとしている。『日本書紀』はもっとも苦しき時に、大海人皇子と行動を共にした人びとを功ある臣、さらには勇士として讃えようとしているからである。

さらに、ここで注目したいことがある。大海人皇子と行動を共にしたのは、二十名余り、そして女孺すなわち女官が十数名であったということだ。もちろん、この後、天皇の大号令によって、数千、数万という兵員が徴集されるのであるが、大海人皇子が最初に従えていたのは、四十名にも満たぬ臣下と女官たちであったということになる。といっても、多くは、親類縁者である。

私は、後宮《こうきゆう》とか、内廷、内朝と呼ばれる、皇子、天皇のいわば私的生活空間にいる人間は、どこでもこの程度の数なのだろうと考えている。日本と中国では、その規模は違うかもしれないが、私は、案外、日常的にウチ（内）とかオク（奥）とか呼ばれる生活空間で、寝食を共にするのは、四十名にも満たないのではないかと思っている。その外に、ソト（外）、オモテ（表）と呼ばれる巨大な官僚機構が存在しているのである。

とすると、則天武后が支配し、その勢力基盤としたのは、たった四十名ほどだったのではないかと思ったりもする。しかし、そこは、官僚の力の及ばぬ世界であり、皇帝、天皇の日常生活の場であるがために、オクを掌握すれば、巨大な権力を手に入れることが可能だったのであろう。わが子であっても、殺す覚悟があれば、この四十人をマインドコントロールすることも可能だったはずだ。

東アジアの古代国家は、漢字、儒教、律令、仏教をいわば共通項として発展した国家群であり、各国の国王、天皇制度も、中国のそれをモデルとしていた。律令国家は、巨大な官僚機構が支配する国家であり、建前としては、一君のもとにおいては万民平等のはずだ。そして、その中心は男性である。この官僚機構がオモテ、ソトの世界であるのに対して、後宮を中心とするウチ、オクの世界は血縁の論理が支配する女たちの世界であった。

本書を読み進めてゆくと、唐においてもオモテとオクの間に常に緊張があったことがわかる。オクといえども、オモテの官僚機構を無視して政治をおこなうことはできないのである。しかし、皇帝、天皇こそが、このオモテの官僚機構の支配者なので、人事は常に皇帝、天皇との関係によって左右されてしまう。だから、たとえ強力な官僚機構が存在しても、その皇帝、天皇の個性によって、政治が左右されてしまうのである。

日本の場合、官僚機構の発達が遅れていたために、天皇が崩御後、オクの論理に基づいて、女性が即位することが、推古朝以降ままみられたのである。したがって、日本の大王、天皇制度は、女性の即位をも前提として、もともと制度設計がなされていたのである。その場合、女性の即位者は、かつて皇后位にあった者に限られていた。つまり、日本の皇后は、時と場合によっては天皇に即位する可能性があることを前提にしていたのである。ために、皇后は皇族から選ばれなければならなかったのだ。

一方、中国皇帝制度は、女性の即位を前提として制度設計されてはいなかった。則天武后と持統天皇は、ほぼ同時代を生きた人間であり、ともに皇帝、天皇位に就いた人間であるが、この点がまったく異なるのである。つまり、則天武后の即位は、その強力な個性によってなされたものであり、もともと制度が想定していなかった異例の即位なのであった。それは、十七章から十九章を読めばよくわかることである。女帝即位のハードルはきわめて高かった。殺人を含む多くの権謀術数《けんぼうじゅつすう》、さらには即位制度の根本的改変、さらには宮中の宗教改革といったものが達成されなければ、即位は実現しなかったのである。

では、日本の政治家たちは、則天武后時代の唐の政治をいかに意識していたのだろうか。長屋王が皇族出身ではない光明子の立后に強く難色を示したのは、やはり皇后には潜在的に即位の可能性があったからである。また、孝謙・称徳朝における寵臣《ちょうしん》の台頭と失脚（藤原仲麻呂と道鏡）、さらには孝謙・称徳朝の矢継ぎ早の宮廷改革は、則天武后を意識したものであったと思われる。だから、その権力闘争は、オクの女たちと道鏡などの寵臣と、オモテの官僚機構との間で起こるのである。それは、唐とよく似ている。こういった権力闘争は、律令国家の宿痾《しゅくあ》というべきものかもしれない。

綿密な史料読解に基づきつつも、物語的手法、小説的手法によって書かれた本書に巡り合えたことは、私にとって幸運であった。こういう良質の史書に出逢うと、私は必ず次のことを思い起こす。それは、歴史と人間を巡る、永遠の問いだ。歴史が人間を造るのか、人間が歴史を造るのか、という、あの永遠の問いのことだ。

読了後、私が思ったのは、歴史のなかに突如として産み落とされた人間が、次の歴史を造るのだということである。ならば、いかなるすぐれた法や制度も、それを運用するのは人間だということを忘れてはなるまい。本書の読後感は、その権謀術数を思う時、けっして晴々としたものではないけれども、まぎれもなくそれは、人と制度の悲しくも恐ろしい歴史なのだと……私は思った。

（奈良大学教授）

KODANSHA

本書の原本は、一九九五年二月、白帝社より刊行されました。

氣賀澤保規（けがさわ　やすのり）

1943年生まれ。京都大学文学部卒業，同大学院文学研究科博士課程修了。文学博士（京都大学）。東アジア歴史文化研究所代表，明治大学東アジア石刻文物研究所所長，元明治大学教授。専攻は魏晋南北朝～隋唐期を中心とする中国史。著書に『府兵制の研究』『絢爛たる世界帝国――隋唐時代』，編著書に『中国石刻資料とその社会』『中国中世仏教石刻の研究』『遣隋使がみた風景』など。

講談社学術文庫

定価はカバーに表示してあります。

則天《そくてん》武《ぶ》后《こう》

氣《け》賀《が》澤《さわ》保《やす》規《のり》

2016年11月10日　第1刷発行
2021年8月24日　第5刷発行

発行者　鈴木章一
発行所　株式会社講談社
東京都文京区音羽2-12-21 〒112-8001
電話　編集（03）5395-3512
販売（03）5395-4415
業務（03）5395-3615

装　幀　蟹江征治
印　刷　株式会社廣済堂
製　本　株式会社国宝社
本文データ制作　講談社デジタル製作

ISBN978-4-06-292395-8

「講談社学術文庫」の刊行に当たって

これは、学術をポケットに入れることをモットーとして生まれた文庫である。学術は少年の心を養い、成年の心を満たす。その学術がポケットにはいる形で、万人のものになることは、生涯教育をうたう現代の理想である。

こうした考え方は、学術を巨大な城のように見る世間の常識に反するかもしれない。また、一部の人たちからは、学術の権威をおとすものと非難されるかもしれない。しかし、それはいずれも学術の新しい在り方を解しないものといわざるをえない。

学術は、まず魔術への挑戦から始まった。やがて、いわゆる常識をつぎつぎに改めていった。学術の権威は、幾百年、幾千年にわたる、苦しい戦いの成果である。こうしてきずきあげられた城が、一見して近づきがたいものにうつるのは、そのためである。しかし、学術の権威を、その形の上だけで判断してはならない。その生成のあとをかえりみれば、その根は常に人々の生活の中にあった。学術が大きな力たりうるのはそのためであって、生活をはなれた学術は、どこにもない。

開かれた社会といわれる現代にとって、これはまったく自明である。生活と学術との間に、もし距離があるとすれば、何をおいてもこれを埋めねばならない。もしこの距離が形の上の迷信からきているとすれば、その迷信をうち破らねばならぬ。

学術文庫は、内外の迷信を打破し、学術のために新しい天地をひらく意図をもって生まれた。文庫という小さい形と、学術という壮大な城とが、完全に両立するためには、なおいくらかの時を必要とするであろう。しかし、学術をポケットにした社会が、人間の生活にとってより豊かな社会であることは、たしかである。そうした社会の実現のために、文庫の世界に新しいジャンルを加えることができれば幸いである。

一九七六年六月

野間省一